Het Casanovamanuscript

Eric Giacometti & Jacques Ravenne bij Mynx

Het schaduwritueel
Het Casanovamanuscript

Eric Giacometti & Jacques Ravenne

Het Casanovamanuscript

MYNX

Oorspronkelijke titel: Conjuration Casanova
Vertaling: Margreet van Muijlwijk
Omslagontwerp en beeld: HildenDesign, München
Foto auteurs: © Philip Matsas, via Agence Opale

ISBN 978-90-225-4770-0 / NUR 330

© 2006 Éditions Fleuve Noir, département d'Univers Poche
© 2007 voor de Nederlandse taal: De Boekerij bv, Amsterdam
Mynx is een imprint van De Boekerij bv, Amsterdam

Woord vooraf

Het Casanovamanuscript is een louter fictief verhaal, waarvoor ge-
bruikgemaakt werd van gebeurtenissen en feiten die de lezer kan veri-
fiëren in de verantwoording achter in dit boek. Het feit dat een van de
auteurs vrijmetselaar is impliceert geen enkele obediëntie, zelfs niet indirect: niet in de opzet van dit verhaal, noch door de fictieve ideeën die
door de hoofdpersonen van deze roman worden verwoord.

De in dit boek beschreven Casanovaloge is pure fictie en vertoont
geen enkele overeenkomst met bestaande Casanovaloges waar ook ter
wereld.

Deel een

*Er is wel een geheim, maar dat is zo onschendbaar
dat het nooit aan iemand werd meegedeeld.*

Casanova

Proloog

Sicilië,
de Abdij van Thelema,
15 maart 2006

Net voor ze aan tafel gingen stopte Thomas haar heimelijk een briefje toe. Zijn vingers streelden even haar hand. Net lang genoeg om haar hart te doen overslaan. Een steelse glimlach, een tersluikse blik en weg was hij weer. Ze keek hoe hij met grote passen naar de groep mensen liep die in de grote zaal van de Abdij gingen zitten.

Anaïs vouwde het verfrommelde stukje papier open.

Ik houd van je. We gaan er samen vandoor.

Ze stond paf. Die malle Ier had het aangedurfd. Ze had nog nooit zoiets speciaals gevoeld, zelfs niet in haar puberteit als ze boven haar dagboek over vriendjes zat te dagdromen.

Ze voelde zich raar, maar gelukkig. De Ier was voor haar gevallen. Anaïs vouwde het briefje weer dicht en stopte het in haar tas.

Ik houd ook van jou, Thomas.

Ze had maar één wens en dat was bij hem te zijn, maar hij was alweer verdwenen. Hij kende haar hunkering en hij wist haar te bespelen. Pas na de maaltijd zou hij haar zijn liefdesverklaring onder vier ogen herhalen. Ze glimlachte. Dankzij een snuifje sadisme was Thomas winnaar van de tweede ronde in hun duel. Ze zou zich na het avondeten op haar eigen manier wreken.

Anaïs liep langs een grote wandspiegel en wat ze zag beviel haar zeer. Net als alle aanwezigen droeg ze een half masker. Het hare was van een donkergroen dat het groen van haar ogen verdiepte. De witzijden designerjurk stond haar prachtig, haar verzorgde make-up maakte dat haar bleke teint afstak tegen haar lange zwarte haren.

Helemaal niet slecht.

Anaïs vond zichzelf aantrekkelijk. Ze had gedacht dat ze dat genoegen nooit meer zou smaken.

Hoe lang geleden vond je jezelf nog mooi? Weet je dat nog?

Het was jaren geleden. De elegante jonge vrouw in de spiegel leek helemaal niet op de oude Anaïs.

Dankzij Thomas.

Als ze aan zijn naam dacht raakte ze al helemaal opgewonden.

Help, daar ga ik weer, stomme trut die ik ben.

Ze had geen seconde spijt van haar verblijf in de Abdij. Het was een wedergeboorte geweest die haar bevrijdde uit een saai, kleurloos bestaan. En vanavond, na de twintigste dag, zouden ze in elkaar opgaan bij de verrijzenis van de natuurkrachten.

Het getingel van een klokje op de hoge gewitte muren nodigde uit tot het avondmaal. Vrolijk pratend gingen de disgenoten zitten terwijl twee bedienden in livrei de voorgerechten opdienden en met gulle hand wijn schonken.

De maskers bedekten de gezichten grotendeels, maar iedereen herkende elkaar aan de stem. Anaïs zat vlak onder een ingelijste gravure. Het was een antiek portret van Casanova.

Vanaf het andere uiteinde van de tafel keek Thomas haar vanonder een wit Venetiaans half masker uitdagend aan.

Ze neeg haar hoofd en zond hem een afgemeten glimlachje.

Wacht maar tot we alleen zijn, Thomas…

In de zaal brandden honderden kaarsen die een grillig licht wierpen op de zilveren letters van een spreuk boven de monumentale stenen schouw.

Doe wat ge wilt.

Dat was het devies van de Abdij.

Abdij. Wat een ongepast woord, als je de christelijke betekenis ervan in aanmerking nam. Dat hier gewerkt werd aan de verheffing van de geest, betekende allerminst dat het lichamelijke genot werd afgezworen. Integendeel, de leer die hier werd onderwezen bewierookte alle zintuigen, zonder uitzondering. De tien mannen en vrouwen die naar deze uithoek van Sicilië waren gekomen, hadden aan vierentwintig uur per dag niet genoeg om het geleerde in praktijk te brengen.

Plotseling vielen de gesprekken stil. De meester van de Abdij daalde langzaam de marmeren trap af, met een hand aan de bewerkte leuning. Gebiologeerd door zijn élégance volgden de gasten zijn trage afdaling. Het was op het randje van het theatrale, maar in deze betoverende omgeving leek niets buitensporig. Hij droeg een donker negentiende-eeuws kostuum, met daaronder een wit hemd met een kanten jabot. Zijn ogen schitterden achter de spleten in een simpel zwart half masker.

Zijn welluidende stem schalde door de ruimte.

'Lieve vrienden en vriendinnen, ik ben blij dat ik vanavond het avondmaal met u mag gebruiken. Jammer genoeg is dit het laatste diner voor uw vertrek.'

Iedereen zweeg. De man die zich Dionysus liet noemen en die langzaam naderde, leek iedereen in zijn greep te hebben.

Zijn stem klonk nu hartelijker.

'Kom, zit me me niet zo aan te staren. Laat deze maaltijd het begin zijn van een nacht van lust en vreugde! Dat het vuur van de liefde u moge verwarmen!'

Hij nam plaats op de enige nog onbezette stoel.

'Laten we drinken op onze twee meesters.'

De man hief zijn glas tot op ooghoogte en sprak met een verre blik: 'Op de liefde en op het genot dat ieder van u in zich draagt.'

'Op de liefde en op het genot,' toostten de aanwezigen in koor.

Dionysus dronk gretig, zette het glas terug op het smetteloze linnen en sloeg met vlakke hand op tafel: 'Ik heb honger.'

Er werd weer gelachen en het diner begon. Iedereen schertste opgewekt en hield tersluiks zijn mooie en o zo zelfverzekerde minnaar of minnares in de gaten. Anaïs raakte in druk gesprek met haar buurman die ook was gevallen voor de charmes van een van de gasten van de Abdij. Ze werkte een stukje langoustine weg voordat ze hem antwoordde.

'Ik begrijp niet dat ik hem niet meteen heb zien staan, toen ik hier aankwam. Eigenlijk val ik meer op androgyne mannen en nou word ik verliefd op een Ier die eruitziet als een rugbyspeler.'

Haar buurman grinnikte.

'Dat heb ik ook. Ik ben stapelgek van een vrouw die het tegendeel is van mijn normale smaak, de goden zij dank is ze naar dit seminarie gekomen. Wat zijn jullie van plan?'

Al kauwend gaf Anaïs haar minnaar weer een knikje en zei gedempt: 'Thomas en ik gaan hier morgen samen weg.'

'En dan?'

'Dan blijven we bij elkaar. Hij komt bij mij in Parijs wonen. Hij zit in de bankwereld en kan gemakkelijk in Frankrijk komen werken. We willen ook zo snel mogelijk kinderen. En jij?'

'Ik ga mijn vrouw verlaten. Zodra ik thuis ben, zet ik de scheiding in gang en begin ik een nieuw leven. Ik kan mijn geluk niet op. Mijn hoofd tolt ervan…'

'Het mirakel van de Abdij.'

Ze hoorde zichzelf nog nauwelijks praten, haar blik kruiste die van haar geliefde en ze voelde zich weer zweven. Maar ditmaal was niet hartstocht de oorzaak.

Haar hoofd tolde.

Ze zag dat Dionysus was opgestaan. Zwijgend bekeek hij het gezelschap. Rond zijn smalle lippen speelde een flauw glimlachje.

Anaïs legde het couvert neer en nam haar hoofd tussen haar handen.

De muren dansten voor haar ogen. Ze had zeker te veel wijn gedronken. Ze keerde zich naar haar buurman en zag dat hij ingezakt op zijn stoel zat. Ze wilde opstaan, maar haar ledematen leken verlamd, ze kon niet meer bewegen.

Iedereen slaapt.

Wanhopig keek Anaïs naar haar geliefde, maar ook hij was ingeslapen.

Waar ben je, Thomas?

Net voor ze het bewustzijn verloor ving ze de blik op van Casanova, wiens donkere ogen dwars door haar heen keken.

In de grote zaal heerste nu diepe stilte.

De man in het zwarte kostuum kruiste de armen voor zijn borst. Hij keek lang naar de tien mannen en vrouwen, die bewusteloos op hun stoelen hingen. Zijn stem kwam als een smartelijke klacht: 'Jullie zijn zo mooi, zo zuiver…'

Meteen doken er vier bedienden op met brancards onder de arm. Ze gingen rond Dionysus staan en bekeken de lichamen of het tafereel de gewoonste zaak van de wereld was.

'Jullie weten wat je moet doen. Het gif was prima gedoseerd, ze zijn allemaal voorgoed ingeslapen, maar de nacht is kort.'

Zwijgend liepen de mannen naar de lichamen toe en begonnen die op de berries te leggen.

In vroegere tijden diende de smalle inham als schuilplaats voor wrede piraten die terugkwamen van rooftochten en plunderingen aan de westkust van het eiland, bij Palermo. Nu was hij een ideale retraite voor de gasten van de meester van de Abdij van Thelema, die grote stukken grond had aangekocht rondom het gerestaureerde gebouw. De rotsen vormden een veilige muur rondom het zandstrand, waar de vaste gasten zich ongestoord konden ophouden.

Achter de massieve steenwal was de Rocca zichtbaar, de enorme donkere rots die als een heerser uit onheuglijke tijden de badplaats Cefalù domineerde.

Het geluid van de branding werd deels overstemd door het geloei van vuur dat vanaf het exacte middelpunt van het strand naar de sterrenhemel reikte.

De vlammen laaiden op in de nacht.

Hoog, machtig, verheven.

Ze werden gevoed door het vlees van tien mannen en vrouwen die paarsgewijze stonden vastgesnoerd rond vijf houten palen. De bedienden hadden de lichamen van de liefdesparen zorgvuldig klaargemaakt alvorens ze vast te binden op speciaal voor de gelegenheid opgerichte brandstapels. De mannen en vrouwen die zich 's middags nog op hetzelfde strand vrolijk hadden vermaakt, waren nu levenloze poppen.

Het vuur werd heviger. De geliefden sliepen hun laatste slaap, terwijl de vlammen langs hun kleren likten.

Dionysus zat op een houten zetel tegenover de vijf brandstapels en had bevolen dat men hem alleen liet bij het vuuroffer. Op een tafeltje naast hem stond een fles champagne Millésimé en een glas.

Zijn stem weergalmde in de nacht.

'De liefde die ik u heb leren kennen is het wisselgeld voor uw overgang naar de andere wereld. U zult niet lijden, u zult voor altijd samen zijn.'

Anaïs droomde. Haar geliefde klemde haar beschermend in zijn armen en ze versmolten met de eeuwigheid. Ze voelde hoe zijn sterke armen haar voor altijd omsloten. Vóór hen opende zich een witte tunnel. Hij glimlachte naar haar, ze was dronken van zaligheid en vast van plan hem gelukkig te maken.

Maar de tunnel veranderde van kleur, werd felrood, er klopte iets niet. Het gezicht van haar geliefde viel uiteen, zijn haren lieten los, zijn huid smeulde...

Ze schreeuwde het uit.

De meester keek naar rechts en zag op een van de vijf brandstapels een lichaam kronkelen. Verrukt hoorde hij het meisje gillen.

Arme zuster, dit is pas het begin van je reinigingsproces. Hij haalde een pistool tevoorschijn en richtte de loop op de jonge vrouw die wanhopig aan de marteling trachtte te ontkomen.

Dionysus schoot.

Voldaan rook hij aan een roos die de verpestende stank van brandend vlees die zich in de nacht verspreidde moest wegnemen.

Hij schonk champagne in en hief het glas op naar de torenhoge vlammen. Zijn ogen blonken in de rode gloed die het verlaten strand verlichtte.

Gezegende Casanova… ze zijn onsterfelijk geworden.

1

Parijs,
Palais-Royal,
maart 2006

Het eerste wat hij zag toen hij uit zijn verdoving ontwaakte was die overbekende doordringende blik. Twee kleine, zwarte ogen onder een paar fijne wenkbrauwen. De faun met de bolle wangen keek hem vanuit zijn vergulde lijst spottend aan. Hij was er al aan gewend dat die faun hem nooit had gemogen. Dat besefte hij al nadat hij twee jaar geleden de aankoop ervan met een cheque had bezegeld en de antiquair het schilderij voor hem inpakte. Het mythologische wezentje wierp hem toen voor het eerst een kille blik toe, alsof het wilde zeggen: 'Nu ik van jou ben gaan we lachen, jij en ik, maar vooral ik.'

Het schilderij van een tweederangskunstenaar uit de achttiende eeuw had in de achterkamer van een Parijse antiquair van twijfelachtige reputatie gestaan. Het slordig geschilderde doek stelde een tamelijk afgezaagd landschapje voor, maar werd gered door twee naakte nimfen die in extase opkeken naar een merkwaardige figuur, half-sater, half-nimf. Aanvankelijk had hij het met een geringschattend lachje bekeken, de compositie was hopeloos conventioneel. Pas toen hij dichterbij kwam werd hij verrast door de gedetailleerdheid van elk van de drie gezichten. De twee vrouwen werden meegesleept in een vervoering die hij niet kon verklaren. De centrale figuur leek ze zonder aanwijsbare reden en uitsluitend door zijn nogal bespottelijke verschijning in extase te brengen. Ineens was hij bijna jaloers geworden op dat primitieve wezen dat die vrouwen zo veel genot kon schenken.

Hij had het doek gekocht uit pure nieuwsgierigheid en sindsdien hing het tegenover zijn bed in de slaapkamer. Hij vond het opwindend om de liefde te bedrijven onder de ogen van die lelijke faun.

Zijn hoofd tolde. Hij wendde zijn blik af van het schilderij en kroop dieper weg in de blauwe lakens. Hij voelde het lichaam van de vrouw die naast hem lag. Zijn maîtresse... Wat een naar woord voor de vrouw op wie hij stapelverliefd was geworden en die hem zo ziekelijk bezitterig maakte dat hij haar geen dag kon missen. Zelfs niet als zijn agenda zwart zag van de afspraken.

Hij legde een hand op haar hoofd en streelde een zwarte, zijdeachtige krul. Ze leerde hem zoveel over het leven. En over zichzelf. Vol ongeduld keek hij uit naar de dag dat zijn scheiding een feit werd en hij eindelijk in volmaakte harmonie kon leven met haar die nu al zijn gektes deelde. Zelfs de meest intieme. Voor het eerst in zijn leven had hij de liefde leren kennen. Een volkomen liefde waarin ze zonder enige terughoudendheid van het goddelijke geschenk van de overgave konden genieten.

De hoofdpijn kwam onverhoeds terug. Hij vond de zonnestralen ineens te sterk voor een ochtend en herinnerde zich weer de ministerraad van een paar uur tevoren... of was het gisteren? Hij wist het niet meer.

Geërgerd gooide hij zich op zijn andere zijde, zijn geest slaagde er maar niet in om de losse stukjes informatie te ordenen die in zijn hersenen rondtolden. Hij stak zijn hand uit naar de wekkerradio. Kwart voor drie 's middags. Onmogelijk, dan zou hij op kantoor moeten zijn.

De blote rug van zijn bedgenote werd zichtbaar doordat hij het laken optrok. Glimlachend zag hij hoe haar volmaakte vormen zich voegden naar de kuilen in het bed. Over een maand zou hij officieel gescheiden zijn en dan zou hij zich niet meer hoeven te verbergen, ook niet voor de media. Ze konden dan samen gezien worden, een luxe die ze zich niet hadden kunnen veroorloven sinds hij drie maanden geleden de echtelijke woning verliet met achterlating van een opgeluchte vrouw en twee onverschillige puberkinderen.

Gabrielle was volkomen onverwachts in zijn leven gekomen en ze had hem niet meer verlaten. Hij vond bij haar spontane tederheid, een volmaakte verstandhouding en verjonging. Ze had hem het hoofd zo op hol gebracht dat hij niet meer het gewicht voelde van de zestig jaren die hij binnenkort zou volmaken.

Gabrielle was eerder een klassieke dan een uitbundige schoonheid en ze had iets wat de jonge vrouwen die hij tot dan toe gebruikte en misbruikte, misten.

Net toen hij besloot op te staan, joeg er een elektrische schok door zijn hersenen. De felle pijn wierp hem achterover en zijn hoofd viel terug op het kussen. Nog nooit had hij zo'n hoofdpijn gehad.

Rustig, het zal wel overgaan, het komt wel weer goed.Hij had in de namiddag een belangrijke vergadering en hij voelde ergernis opkomen.

Wat is er toch met me?

Hij keek naar de muur tegenover het bed. De faun bespotte hem meer dan ooit.

Er klopte iets niet.

Het schilderij hing op twee meter van het bed, maar de gelaatstrekken van het figuurtje waren haarscherp.

Ik zie zonder bril. Dat kan niet!

Zijn hart klopte in zijn keel.

Of anders... Hij verstijfde. Verlies van het kortetermijngeheugen, de plotselinge verbetering van zijn bijziendheid, de pijnpunten in zijn hoofd... Al die vreemde symptomen bij het ontwaken kwamen voort uit dezelfde en zo intieme bron, dat de gedachte eraan hem vervulde met een intens plezier.

We hebben...

Zodra hij kon opstaan moest hij alles nauwkeurig opschrijven. Zijn vreugde was van korte duur, want een nieuwe pijnscheut martelde zijn hersens.

Hij bleef onbeweeglijk liggen wachten tot de pijn weer afnam. Hij moest zijn gedachten verzamelen, opstaan en een pijnstiller slikken.

Eensklaps verdween de kamer uit zijn gezichtsveld. Andere beelden drongen zich op aan zijn geestesoog.

Gabrielle, gekleed in haar zwarte mantelpakje, liep hem tegemoet op de pont des Arts. Het tafereel was zo ongelooflijk echt dat hij alle details zag van de platina broche op de kraag van haar jasje. Haar glimlach benam hem de adem. Toen werd alles mistig voor zijn ogen en alles veranderde. Gabrielle, weer zij, wees hem in musée d'Orsay een schilderij van Moreau aan; hij kon horen wat de twee Duitse toeristen naast hem zeiden. Weer een ander beeld. Op de achtergrond het beschilderde plafond van zijn werkkamer, Gabrielle die hem achterover gedrukt hield op de parketvloer, een vage geur van boenwas die opsteeg uit de planken van notenhout. Haar koolzwarte ogen keken dwars door hem heen. Hij herkende die scène, het was de eerste keer dat ze gevrijd hadden na weken van aftasten en verleiden.

Het was een heftige en opwindende omstrengeling in zijn kantoor geweest, terwijl in de aangrenzende zaal het geroezemoes klonk van een receptie met honderd gasten. Hijzelf, de grote gastheer van de avond, lag tegen de grond gedrukt, werd bereden door die raadselachtige vrouw en onderging een tot dan toe ongekend genot. De zwoele geur van boenwas bleef in zijn olfactorisch geheugen gegrift, zozeer zelfs dat hij zich wel eens, als hij alleen was en zich onbespied waande, vooroverboog om die geur op te snuiven. Puur fetisjisme, maar zo opwindend.

Pijn doorboorde zijn hersens en de omgeving veranderde weer. Een kerkhof aan een strand, Gabrielle stond met een dolk in haar hand te huilen bij een graf. Dit tafereel kwam hem niet bekend voor.

Het joeg hem de stuipen op het lijf.

De mallemolen van impressies overheerste zijn denken, hij worstelde om niet onder te gaan in die niet te keren vloedgolf van verwarrende beelden.

Houd toch op.

Hij schreeuwde het uit. Gabrielle keek hem geërgerd aan en verdween.

Ineens was hij weer terug in zijn eigen slaapkamer. In de faun zag hij tot zijn grote opluchting het tastbare bewijs dat hij weer met zijn benen op de grond stond. Hij moest nu opstaan om die vergadering af te zeggen of zijn adjunct sturen om een spoedconsult te regelen met een specialist in de Val-de-Grâce-kliniek. Hij zag zich niet een vergadering voorzitten, als hij telkens wegflitste naar een parallel universum.

Iemand klopte op de deur van de grote slaapkamer.

'Is alles in orde, meneer?' riep een mannenstem achter de deur.

Hij herkende zijn altijd op de achtergrond aanwezige assistent, zijn beschermer tegen de buitenwereld die ongelegen bezoek afhield als hij alleen wilde zijn, of alleen met Gabrielle.

'Jawel… Zeg mijn volgende afspraak af en zeg tegen de chauffeur dat hij over twintig minuten moet klaarstaan.'

'Weet u zeker dat alles in orde is? Ik hoorde een schreeuw…'

'Ik had een akelige droom. Maak twee koppen lekker sterke koffie.'

'Komt voor elkaar, meneer.'

Discreet en professioneel als hij was, ging de man nooit tegen de bevelen in. Een dienstverband van tien jaar was een record, maar de prijs was blindelingse gehoorzaamheid.

De minister legde een hand op Gabrielles schouder en schudde haar zachtjes. Haar huid voelde koel aan.

'Wakker worden, lieveling. Ik moet aan het werk.'

Haar amberachtig parfum wond hem op. Maar daar was geen tijd meer voor, hij moest…

Een ander beeld drong zich aan hem op.

Het begint weer.

Ze zaten naakt tegenover elkaar op het bed, elk met de hand aan de keel van de ander. De vinger van Gabrielle gleed traag naar zijn onderbuik; zijn hand bewoog even langzaam naar omhoog, naar haar keel. Hij werd verteerd door verlangen. Hij wilde haar bezitten, maar het was nog te vroeg, veel te vroeg.

Het beeld verdween even plotseling als het was opgekomen. Hij besefte dat hij zijn verstand zou verliezen als hij zich niet verzette tegen die verwarde stroom van schrikbeelden. Hij slikte en voelde zich zo weerloos als een klein kind. De man die altijd alles onder controle had was niet meer in staat om zijn zinnen te beheersen.

Ik word gek.

Hij had dringend hulp nodig en het speet hem nu dat hij zijn assistent had weggestuurd. Alleen Gabrielle kon hem nog redden.

Ze wilde nog altijd niet opstaan. Hij schudde wat harder. Tevergeefs. Ze hield zich weer slapende. Soms duwde hij haar dan speels uit bed. Zelfs een man van zijn leeftijd vond het soms leuk om kinderachtig te doen. Ook dat was zo heerlijk met Gabrielle, bij haar kon hij weer zijn wie hij was voordat het leven hem had gehard en veranderd in een calculerende en heerszuchtige volwassene.

Haar zoete geur bleef haar omhullen.

Hij had geen tijd meer voor spelletjes. Hij nam haar bij heupen en schouders en draaide haar om. Nu moest ze wel wakker worden.

'Kom, sta op. Ik ben niet lekker.'

Op het moment dat ze naar zijn kant rolde, verscheen er weer een visioen. De nachtmerrie begon weer, hij zocht als een bezetene houvast aan de matras.

O nee, dat niet!

Gabrielle was verdiept in een verkleurd, in leer gebonden boek waaruit ze mysterieus glimlachend opkeek. Ze zat in een schemerig vertrek, aan de muur hing het portret van een man wiens gelaatstrekken hij niet kon zien. Hij zat tussen twee marmeren pilaren. Ditmaal had hij het gevoel tegelijkertijd in zijn bed en in het visioen te zijn; hij was zich helder bewust van de beide werelden. Gabrielle bekeek zwijgend een afbeelding in het boek die hij niet kon zien. Hij zag alleen dat het leek op een alchemistische prent, een soort embleem vol vreemdsoortige tekens. Achter in het vertrek meende hij een duistere gestalte met een monniks-kap te ontwaren die naar Gabrielle keek.

Het visioen vervaagde. Hij zag het gezicht van Gabrielle op het hoofd-kussen. Haar gitzwarte haren staken af tegen het witte beddengoed.

Haar ogen waren half dicht, op haar gezicht lag een uitdrukking van onuitsprekelijk geluk.

Hij bekeek haar aandachtig.

Uit haar mondhoek liep een dun straaltje bloed, dat haar kin en haar blanke keel bevlekte.

Verdwaasd schudde hij het lichaam dat hopeloos slap voelde onder zijn handen.

Ineens begreep hij wat er gebeurd was en waarom ze zo laat nog in bed lagen. Hij begreep ook de betekenis van de visioenen die zich aan hem opdrongen. Het was zijn laatste heldere moment voordat hij weg-zakte in een zwart gat. Hij nam haar in zijn armen en tilde haar moeite-loos, bijna in slow motion, overeind. Zijn hand gleed uit in het bloed dat over de borst van zijn maîtresse liep.

Hij schreeuwde. Hij was radeloos.

Zijn langgerekte kreet rolde langs eeuwenoude muren naar de aan-grenzende vertrekken. Er werd aan de deur gerammeld. De klink be-woog heftig op en neer, omdat iemand de van binnenuit vergrendelde deur probeerde open te maken. De schelle, zenuwachtige stem van zijn assistent verried diens ongerustheid: 'Wat gebeurt er? Maak de deur open, meneer de minister!'

Uit het bed klonk steeds luider gesnik. Het akelige gejammer bezorg-de de assistent kippenvel. Hij had deze man nooit eerder horen huilen. Het was een sterke, invloedrijke man die nooit aan zichzelf twijfelde.

De assistent gaf zijn pogingen om de deur te openen op en ramde met zijn schouder tegen de deurpost die het meteen begaf: 'Meneer de mi-nister, u…'

Op het omgewoelde bed zat de naakte minister van Cultuur te huilen, terwijl hij zijn levenloze maîtresse in zijn armen wiegde. Hij kermde als een mishandeld dier. De faun aan de muur keek met een duivels plezier op het tafereel neer.

'Ik heb haar vermoord, ik heb haar vermoord.'

2

Parijs,
place des Vosges

'Koffie?'

Commissaris Antoine Marcas knikte narrig. De kelner liep weg. Op de rug gezien leek hij nog jong, maar Maurice, zoals de stamklanten hem noemden, liep alweer bijna veertig jaar rond op het terras van de *Bon Roy Henry IV*. Een record voor een cafékelner. Het was vroeg opstaan om de rituele ochtendkoffie te zetten voor de galeriehouders uit de winkels onder de arcades rond het plein, en laat eindigen vanwege de toeristen die de klassieke stijl van de voormalige place Royale kwamen bewonderen. Zo was het dagelijkse bestaan van Maurice. Een ongecompliceerd leven zonder hobbels en zonder verrassingen.

Het soort leven waarom Marcas hem soms benijdde.

De commissaris zuchtte. Hij zat de laatste tijd met heel wat existentiele vragen en voelde zo nu en dan in zichzelf behoorlijk asociale neigingen de kop opsteken. Hij had zijn krant op tafel gesmeten, uit ergernis over de schreeuwende kop die al het andere nieuws verdrong. SLACHTING OP SICILIË. Hij was het zat om alsmaar dat soort jobstijdingen te lezen. Hij had genoeg van die overdaad van woorden en beelden bij elke nieuwe ramp. Hij was niet genoeg voyeur om plezier te beleven aan bloed op de voorpagina. Maar hij was vast de enige! De andere klanten zaten aan de tv gekluisterd waar de nieuwszender LCI doorlopend verkoolde lichamen toonde en het geloei van politiesirenes uitzond. *Live uit Sicilië.* Weer een slachtpartij. Antoine Marcas zat te ver van het toestel om te verstaan wat de reporter ter plaatse vertelde. Hij had al genoeg moorden, zelfmoorden en martelingen gezien, alles wat mensen maar konden bedenken om hun medemensen te schaden. Een jaar geleden was hij op eigen verzoek overgeplaatst van de recherchedienst naar de

OCBC, de kunstpolitie. Hij had behoefte aan verdieping. Aan een wat vrediger bestaan. Zijn laatste onderzoek bij de recherche had hem op een haar na zijn eigen leven gekost.* Hij had de boodschap begrepen en alles in het werk gesteld om te worden overgeplaatst.

Zijn collega's van de recherche hadden hem flink getreiterd: hij bij de kunstluizen van de OCBC? Vervalsingen van oude meesters, geplunderde kerken in de Morbihan, smokkel van Mayabeelden. Het was een verademing na al die dagelijkse kost van smerige moorden. Hij ging om met antiquairs, boekhandelaren en alle mogelijke andere deskundigen. Het was heel wat aangenamer volk dan het geboefte dat hij tegenkwam op de quai des Orfèvres 36.

En toch was hij depressief.

'Nou, commissaris, ziet u dat? Uw Italiaanse collega's mogen hun borst natmaken,' zei Maurice spottend.

'Ik heb geen dienst.'

'Negen lijken. Gegrild als worstjes. Het schijnt een sekte te zijn.'

Antoine pakte de krant weer op. Als hij deed alsof hij las zou Maurice misschien een ander publiek zoeken.

'Als levende toortsen, zeggen ze. Vijf mannen en vier vrouwen. Het is toch vreselijk! Wat denkt u er nou van?'

'Eerlijk zeggen?'

'Nou… ja!'

'Nou… helemaal niets.'

Maurice leek ontsteld.

'Maar u bent toch van de kit, ik bedoel van de politie!'

'Nou en?'

'Kan het u dan niks schelen?'

'Eerlijk zeggen?'

Maurice aarzelde. Marcas ging door: 'Nou, om je de waarheid te zeggen, het interesseert me geen bal. Ik kom hier koffiedrinken, mijn krantje lezen, als er tenminste nog iets behoorlijks in staat, en de fraaie gevels uit de tijd van Lodewijk de dertiende bewonderen. Dat was een prachtige tijd waarin nieuwszenders nog niet bestonden. En bovendien zit hier een juut die geen moordzaken doet.'

De kelner droop verbluft af. Marcas zuchtte en zocht het cultuurka-

* Zie *Het schaduwritueel*.

tern op. Dat was sinds zijn overplaatsing naar de nieuwe eenheid ver-
plichte lectuur voor hem.

RECORDOPBRENGST
CASANOVA-MANUSCRIPT
BIJ VEILINGHUIS DROUOT

Men dacht alles te weten wat er over Casanova te weten viel. Ten
onrechte, de Chevalier de Seingalt, zoals hij zich liet noemen, had
tweehonderd jaar na zijn dood nog een verrassing in petto voor
zijn bewonderaars. Donderdag werd in het veilinghuis Drouot een
nog ongepubliceerd manuscript van de legendarische verleider
verkocht. Namens een anoniem gebleven verzamelaar, telde de Parijse boekantiquair Edouard Kerll er de peulenschil van een miljoen euro voor neer. 'Een verkoop die de reputatie van Drouot
waardig is,' verklaarde de veilingmeester. 'De startprijs was
250.000 euro en ik had nooit gedacht dat we het miljoen zouden
halen. Het is het beste bewijs dat Casanova niet alleen een harten-
breker was, maar vooral een groot schrijver!'
De hardnekkigheid van de bieders hield het publiek tot het laatste
moment in de ban. 'Ik ben echt even bang geweest dat de bieder
voor het Amerikaanse pensioenfonds ermee aan de haal zou gaan,'
zei de opgeluchte schrijver Philippe Rubis, een groot Casanova-
bewonderaar, die de veiling had bijgewoond. 'Ik heb zelfs even tegen hem opgeboden om het manuscript hier te houden, hoewel ik
daarvoor niet eens genoeg geld heb. Ze zouden in staat zijn ermee
te gaan merchandisen, een parfum op de markt te brengen en wie
weet wat voor andere Casanova onwaardige spullen. Dat zo'n manuscript, al is het maar indirect, eigendom zou zijn van pensiona-
do's uit Miami, zou voor mij een onuitwisbare smet betekenen op
de nagedachtenis van de ontsnapte uit de Loodkamers.'
Schrijvers, kunstenaar en leden van de jetset verdrongen zich tussen de lambrisering van Drouot. Zelfs de minister van Cultuur was
de veiling van de kostbare papieren komen bijwonen. Na het afha-
meren feliciteerde hij de gelukkig koper, samen met de stralende
actrice Manuela Réal die in Parijs is voor filmopnamen.
De verkoop is nog omgeven door twee zorgvuldig bewaakte gehei-

men. Naar wie gaat de opbrengst? Niemand kent de identiteit van de verkoper, die wordt vertegenwoordigd door een zaakwaarnemer uit Zürich. Wel doet het gerucht de ronde dat het zou gaan om een nazaat van de grote man. De tweede vraag die op ieders lippen ligt betreft de hoogte van het eindbod. Weliswaar doet de nieuwe eigenaar er het zwijgen toe, maar volgens onze bronnen zou het manuscript onthullingen bevatten over het leven van de beroemde Venetiaan. Op de kijkdag bracht een van de aspirant-kopers, de bekende couturier Henry Dupin, de Amerikaanse wetenschapper en Casanova-specialist Lawrence Childer mee. Na afloop van de veiling verklaarde deze: 'We hebben het manuscript niet kunnen inkijken en ik kan dus niet zeggen waarover het gaat. Henry Dupin en ikzelf hebben alleen enkele passages gezien die de veilingexpert had overgeschreven. U weet waarschijnlijk dat Edouard Kerll van plan is, mits toestemming van de nieuwe eigenaar, het manuscript binnenkort op een gala-avond aan het publiek te tonen. Hopelijk komen we dan meer te weten.'

Op de receptie na afloop van de veiling, werd er gefluisterd dat twee grote uitgevers, een Amerikaanse en een Italiaanse, de uitgeefrechten proberen te verwerven, tegen bedragen die hoger liggen dan het eindbod van de veiling. 'Ik bepleit bij dezen om een deel van die opbrengst te besteden aan een standbeeld van Casanova op het San Marco-plein. Dat heeft hij wel verdiend,' zei Philippe Rubis bij het uitbrengen van een toost op de Italiaanse edelman. Een wens die ongetwijfeld wordt gedeeld door de talrijke bewonderaars van Casanova in Frankrijk en de rest van Europa.

Antoine vouwde de krant dicht.

Een miljoen euro. Marcas kon maar niet wennen aan de astronomische bedragen die er in dit milieu omgingen. In een beroepsmatige reflex vroeg hij zich af waarom de identiteiten van koper en verkoper geheimgehouden werden. In het heel aparte circuit van oude handschriften werden vervalsingen soms tegen exorbitante prijzen verhandeld. Dat de oude vos Kerll als tussenpersoon optrad leek hem dubieus.

De geschriften van de heer Casanova waren wel heel kostbaar. Casanova! Anselme, zijn pas overleden vriend, had het vaak over hem gehad. Op sommige avonden pakte zijn broeder-vrijmetselaar en Voorzittende Meester van de loge Les Trois Acacias, een vertaling van de *Geschiedenis van mijn leven* uit zijn boekenkast en las eruit voor. 'Vrouwen zijn nog altijd hetzelfde,' zei hij dan lachend. Casanova! De eeuwige verleider, libertijn ten voeten uit, door Fellini neergezet als een bepruikte, bepoederde en pathetische hansworst, dat was het eerste waar Marcas aan moest denken. Een versierder was hij zeker. Hoe kwamen sommige mannen toch aan die verleidingskunst?

'Wat hebben zij wat ik niet heb?' vroeg Antoine zich af en besefte tegelijk hoe kinderachtig die vraag was. Zijn verleidingskunst had hem verlaten na zijn scheiding, alsof hij die door hen beiden gewenste breuk moest betalen met verlies aan zelfvertrouwen.

Als getrouwd man had hij zich altijd op zijn gemak gevoeld met vrouwen en hij was zelfs puur voor het plezier op de versiertoer gegaan. Maar als alleenstaande was hij kwetsbaar geworden. Hij kon de gespeelde lichtzinnigheid niet meer opbrengen die ooit zijn charme was. Een charme die hij in zijn vrijgezellenbestaan zo deerlijk miste.

Zijn gezicht noch zijn voorkomen was veranderd, maar toch was hij niet meer dezelfde man als voorheen.

Bittere ironie.

Eigenlijk voelde hij ook helemaal geen behoefte om de rokkenjager uit te hangen; hij had er helemaal geen zin in. Het alleen-zijn betekende voor hem geen vrijheid, maar eerder moeizaam rondploeteren in een treurige eenzaamheid. Zijn laatste relatie was op een vreselijke sof uitgedraaid. En met iemand anders zou hij weer helemaal van voren af aan moeten beginnen. Ontmoeting, verbazing, toenadering, verleiding. Verleiden...

Kom zeg! Je bent Casanova niet.

Casanova! Die naam alleen al was pijnlijk voor hem, omdat hij hem deed denken aan zijn eigen mislukkingen. Waarom had hij ook in die krant gekeken?

Zijn mobieltje trilde. Aan het nummer zag hij dat zijn dag naar de vaantjes was. Het bestaan van politieman was één grote opoffering voor de zaak van de Franse republiek. Een opoffering die geen roem, geen rijkdom, en vooral... geen liefde bracht.

Hij stond op en legde geld op tafel.

Nee, hij had duidelijk zijn dag niet.

3

Sicilië

Anaïs werd wakker.

Ze had geen flauw idee waar ze was. Ze lag in een kaal vertrek, met aan de muur een afbeelding van de Heilige Maagd met haar kind. Een Maagd met een kille blik, zonder een greintje mededogen of tederheid. Hele stukken pleisterwerk waren losgekomen van het plafond waaraan een ouderwets lichtpeertje bungelde. Ze knipperde met haar ogen om te wennen aan het flauwe zonlicht dat door dunne versleten gordijnen drong. De stilte werd enkel verbroken door het geluid van een televisie in een andere kamer.

Instinctief balde ze haar vuisten en ze merkte dat ze op een bed lag. Een bed... Ze lag spiernaakt onder vochtige, plakkerige lakens. Haar keel stond in brand, ze moest iets fris drinken.

Een beklemming besloop haar. Haar hart sloeg over toen ze zich herinnerde dat ze de vorige avond niet was ingeslapen in een bed.

Waar ben ik? De zaal met kaarslicht, ik zie Thomas en... vlammen, brandstapels. Onze vrienden zijn vastgebonden. Hij staat in brand. Zijn gezicht wordt zwart, zijn lange blonde haar vat vlam... Zijn ogen, mijn god, zijn ogen...

Ze gilde. Ze wist alles weer...

Ze bleef hartverscheurend gillen. Haar geest werd vloeibaar van afgrijzen.

De beelden waren nu glashelder.

De vlammenzee, de brandstapel waarop ze samen met haar geliefde stond vastgebonden. Dat gruwelijke beeld vrat zich als een bijtend zuur door haar geest.

Ze had geprobeerd zich los te wringen toen het vuur aan de lichamen

26

begon te likken. Ze zag het gezicht van Thomas vergaan. Als door een wonder werden ook de koorden waarmee ze vastgebonden was door het vuur verteerd. Precies op het moment dat ze zich losmaakte, had ze een schot gehoord. Ze was in de berm achter de brandstapel gerold.

Alles kwam met een huiveringwekkende helderheid weer bij haar terug.

Boven haar hoofd verlichtten vijf brandende palen de nachtelijke duisternis. De verpestende stank van brandend vlees drong in haar neusgaten. Ze was op handen en voeten rond de takkenbossen gekropen en zag het silhouet van Meester Dionysus, die roerloos stond toe te kijken.

Een golf van haat beving haar bij het zien van de man die deze gruwel had aangericht. Na een laatste blik op de brandende toorts die ooit haar minnaar was, was ze zo hard als ze kon naar het struikgewas achter haar gehold. Jankend en struikelend als een wild dier dat aan de jager tracht te ontkomen.

Ze oriënteerde zich op de donkere, dreigende Rocca en liep in de richting van Cefalù, de enige plek waar ze hulp zou kunnen vinden.

Ze wist niet meer hoeveel kilometer ze had afgelegd op blote, bloedende voeten. Ze dankte de hemel dat ze als jong meisje aan atletiek had gedaan. De angst gaf haar vleugels. Ze had gehold als een verdoemde die probeerde weg te komen uit de laatste kring van de hel. De marteldood waaraan ze was ontkomen, was zo betekenisloos dat ze het waarom van dat morbide toneelstuk niet eens probeerde te begrijpen. Ze dacht alleen aan vluchten. En nadat ze een eeuwigheid had gehold, viel ze uitgeput neer in een verlaten schaapskooi ergens in een bos.

De deur werd opengegooid, fel licht bespikkelde de kamer. Als een angstig kind kroop Anaïs ineen onder de lakens. Daar waren ze weer. Ze gingen haar alsnog verbranden. Ze snikte en wenste dat ze voor altijd kon verdwijnen in de plooien van het laken dat ze over haar hoofd trok. Ze schokte en beefde over haar hele lichaam.

Ergens in de kamer klonk gefluister. Een schim boog zich over haar heen, over het dunne laken dat haar enige bescherming was. Het gemompel werd luider, aan weerszijden van haar bed hoorde ze nu stemmen. In haar doodsangst maakte Anaïs zich zo klein mogelijk. Ze kon zelfs geen geluid meer voortbrengen om haar beulen om genade te smeken. Ze opende vergeefs haar mond om woorden te stamelen die zij als enige hoorde. *Laat me alstublieft met rust! In godsnaam!*

Er viel nog een schaduw op haar. Ze voelde dat het beschermende laken werd opgelicht om haar naaktheid tentoon te stellen. Woedend rukte ze aan de stof en rolde die strak om zich heen. Ze wilde hun gezichten niet zien. Het leverde haar slechts een paar seconden uitstel op. Boven haar hoofd bromde een mannenstem. Een schaduw vulde haar hele gezichtsveld. Ze voelde een vreemde hand langs haar middel gaan. Een grote hand met sterke vingers probeerde het laken weg te trekken. Ze verzamelde al haar krachten om zich te blijven verweren en kroop in elkaar. Een andere hand gleed over haar gezicht en probeerde het laken ervan af te trekken en haar te kijk te zetten. Huilend van woede zette Anaïs door de stof heen haar tanden in dat onbekende ding. Ze beet keihard. Een vrouwenstem riep iets wat op een vloek leek en de hand werd teruggetrokken. *Ik zei toch dat jullie van me moesten afblijven! Wegwezen! Oprotten!*

Haar triomf duurde een fractie van een seconde, de grote schaduw drukte haar neer. In een oogwenk was ze overmeesterd. Het volle gewicht van een man op haar armen verlamde haar van de pijn. Ze sloot haar ogen om het gezicht van de man niet te hoeven zien. Ze gaf zich over, ze had geen kracht meer om zich te verzetten.

Het laken werd uit haar handen gerukt.

Anaïs zonk weg in vergetelheid.

4

Parijs,
parc des Buttes-Chaumont

'… De man met het apenmasker ging door met het in stukjes snijden van het al verminkte lichaam van de jonge doktersassistente. Onaangedaan door het onderdrukte gesnik van zijn slachtoffer kerfde hij met toenemend plezier in haar bovenbeen, geilend op het verrukkelijke moment dat de scherpe punt van zijn beloede mes het kloppende geslacht zou bereiken. Stelselmatig merkte hij het vlees van al zijn slachtoffers op deze manier ter attentie van inspecteur Hunter, de ster van de Washingtonse moordbrigade, de enige die hij even begenadigd intelligent als hijzelf achtte en die de diepere bedoeling van zijn misdaden zou kunnen begrijpen. Hoewel hij liever dan dat lelijke woord "misdaad" de term "kunstwerken" gebruikte. Hij zette de volumeknop van de stereotoren hoger en het snerpende Dead can Dance vulde de klamme, groen uitgeslagen kelderruimte. Op het moment dat hij de binnenkant van de dij aansneed, zag de moordenaar de tranen van het kind dat naast zijn moeder zat vastgeketend en dat…'

Walgend sloot Marcas de thriller die een van zijn collega's hem had aangeprezen. Het speet hem dat hij het boek had meegebracht. Hij had zijn buik vol van verhalen over hoogbegaafde seriemoordenaars die een spelletje speelden met achterlijke speurders.

Uit ongezonde nieuwsgierigheid opende hij het boek later toch weer op de pagina waar hij was gebleven. Zoals hij al vreesde moest ook het arme kind de vreselijkste martelingen ondergaan.

Smeerlapperij!

Hij kon niet verder lezen.

Hoe meer succes ze hadden, hoe meer die thrillers de grenzen opzochten. Momenteel stonden jonge kinderen en pubers hoog op de hitlijsten van de vleesverwerkende seriemoordenaars.

Marcas gooide het boek naast hem op het bankje waarop hij zat. Als gescheiden vader van een zoontje ging hij over zijn nek van scènes waarin kinderen en weerloze vrouwen werden gepijnigd en gemarteld. Onwillekeurig moest hij bij het lezen van dergelijke boeken aan zijn eigen kind denken, het gezicht van de slachtoffers kreeg diens trekken.

Aan het begin van zijn loopbaan had Marcas tweemaal een kindermoord onderzocht. Het was een pijnlijke herinnering. De aanblik, al is het maar één keer, van een in plastic zakken gewikkeld kinderlijkje is een beproeving die hij zijn ergste vijand nog niet toewenste.

Toch vond commissaris Marcas zichzelf niet kleinzerig. Hij was dol op horrorfilms. Maar dit ging te ver; hij zou zich nooit meer laten ompraten. Hij trok een grimas tegen de bloederige cover van het boek naast hem.

De collega van Moordzaken die hem het boek – *Tranen over Washington*, de titel alleen al! – had geleend, verzamelde zulke werkjes met de bedoeling ooit de ultieme seriemoordenaar en de belichaming van het Absolute Kwaad te bedenken die een kruising zou zijn tussen Hannibal Lector en Einstein. Hij hoopte zelf een bestsellerauteur te worden en dan de politie te kunnen verlaten.

Marcas had hem al eens een origineler idee aan de hand gedaan. Zijn ultieme moordenaar zou een lul-de-behanger zijn, een bloeddorstige minkukel die zijn moorden pleegde met gadgets van het kinderblad *Pif*. Het zou een halvegare Teletubbie zijn die denkt dat hij de wereld moet bevrijden van… schrijvers en met name auteurs van boeken over seriemoordenaars. Om het verhaal nog spannender te maken, liet hij hem achtervolgen door een nog onnozelere en net uit een inrichting ontslagen speurder. Op het einde ontdekken de twee lijpo's dat ze een sinds hun geboorte gescheiden eeneiige tweeling zijn en vallen ze elkaar in de armen. Ze worden televisieberoemdheden en hun memoires worden een bestseller.

Marcas keek op zijn horloge: kwart over zes. De adviseur van de nieuwe minister van Binnenlandse Zaken was te laat. Hij had hem in één jaar twee keer ontmoet. Het was een streber die Binnenlandse Zaken gebruikte als springplank. En hij was geen broeder. Dat was hoogst ongebruikelijk voor een adviseur op Binnenlandse Zaken.

Het begon te schemeren in het parkje. De voorbijgangers haastten zich naar de uitgang aan de kant van de rue Manin. In minder dan een kwartier gingen de hekken dicht en zou het park inslapen.

Vanaf zijn stenen bankje onder het koepeltje van de tempel van de Sybille, had hij een prachtig uitzicht over het westen van Parijs. *Net een tent*, zei zijn zoontje telkens als ze er 's zomers gingen picknicken.

Het park verzonk langzaam in duisternis.

Marcas dacht aan de rouwloge voor Anselme waar hij die avond nog naartoe moest, de vriend aan wie hij met weemoed terugdacht. Een broeder. Een logebroeder die hij vreselijk miste.

Een man in driedelig kostuum stapte zelfverzekerd op hem af. Hij gaf het boek met de bloedrode kaft een zetje en ging zitten. Marcas had hem niet horen aankomen over het smalle pad.

'Gôh, ik wist niet dat u zulke dingen las. Is het goed?'

Marcas gaf hem een hand en deed of hij de lichte spot niet merkte.

'Nee, nogal voorspelbaar met tien martelscènes en drie verkrachtingen, waarvan één van een lijk, niets om van wakker te liggen.'

'De minister zou het appreciëren...'

'Ieder zijn eigen afwijking. Kunnen we meteen ter zake komen? Ik moet nog naar een afspraak en ik kom niet graag te laat.'

De man stak een mentholsigaret met een aanstellerig wit mondstuk op. Hij inhaleerde, blies langzaam uit en keek hoe de rook vervluchtigde in de avondlucht.

'Natuurlijk. Zoals altijd zijn de dingen tegelijkertijd duidelijk en onbegrijpelijk. Ik ga niet verder in op de affaire van Palais-Royal, mijn adjunct heeft u daarover al ingeseind. Morgen wordt u er officieel mee belast. De officier van justitie heeft een inleidend onderzoek gelast. U wordt ermee belast.'

'Waarom ik? Ik doe in kunstroof. Collega Loigril zou een veel betere keuze zijn. Hij is een *big shot* sinds hij de moorden van de rue Moabon oploste.'

De man trommelde verstrooid op het bankje.

'We hebben even aan hem gedacht, maar hij is een beetje te publiciteitsgeil. Hij geeft links en rechts interviews. Hij is meer in de media dan die moordenaar van de oude dames in de rue Moabon zelf. We geven de voorkeur aan iemand die wat bescheidener is. U maakt officieel nog altijd deel uit van Moordzaken. En u kent het kunstwereldje. U kunt altijd weigeren, maar dat zou slecht vallen bij Binnenlandse Zaken. Ik zeg het u maar.'

'Ik zei niet dat ik zou weigeren, ik vraag gewoon naar de details.'

De man gooide zijn half opgerookte sigaret in de richting van de duiven die koerend opfladderden.

'Mooi zo. De minister werd rond zestien uur samen met zijn overleden maîtresse aangetroffen in zijn privévertrekken. Op het eerste gezicht gaat het om een CVA, een *cerebro vasculair accident*. Het stel had even tevoren de liefde bedreven.'

'Weet ik, uw adjunct heeft het me over de telefoon verteld. Eigenaardig, ik dacht altijd dat alleen mannen op die manier doodgingen, nooit vrouwen.'

'Zoals die Franse kardinaal die stierf in de armen van een mooie jonge meid? Hoe heette hij ook alweer?'

'Daniélou, geloof ik, de kardinaal van Lyon.'

'Precies, Daniélou. Een prachtige dood waarvoor heel wat mannen zouden tekenen... Als je dan toch dood moet. Het probleem met ons voorvalletje is dat de minister zich in een eigenaardige crisistoestand bevindt. Hij blijft maar beweren dat hij zijn maîtresse heeft vermoord. Hij is afgevoerd naar de Val-de-Grâce-kliniek voor een neurologisch onderzoek.'

Marcus moest onwillekeurig grinniken; hij zag het helemaal voor zich.

'Ik begrijp het. Een moordende minister van Cultuur. Leuk is dat.'

De man onderbrak hem koeltjes.

'U begrijpt er helemaal niets van. Het is een rampzalige affaire waar de media wekenlang hun tanden in zullen zetten. Een opkomende politicus die ineens knettergek wordt! Een neukpartij in Palais-Royal! Een maîtresse van een zekere reputatie die erin blijft! Dat is genoeg om heel Frankrijk op zijn kop te zetten. En bovendien is de minister in kwestie een persoonlijke vriend van de onze.'

Marcas bespeurde een lichte aarzeling in de stem van zijn gesprekspartner.

'Is er nog meer wat ik moet weten?'

De man stak weer zo'n sigaret met een smetteloos mondstuk op. Zijn mooie pak werd doortrokken door de mentholgeur.

'De minister is een van uw broeders van de vrijmetselarij, wist u dat?'

De commissaris schudde van nee.

'Hij is tien jaar geleden ingewijd in de loge Regius.'

'Kijk eens aan.'

'Die loge was betrokken bij het schandaal van de publieke aanbestedingen in het Île-de-France. Dus… u kunt u voorstellen wat er gebeurt als hij nog niet-geopenbaarde documenten in zijn kluis heeft!'

Marcas klemde zijn kaken op elkaar. Daar gingen ze weer. De besmette reputatie van de loge Regius, een broedplaats van onfrisse zaakjes die het imago van de vrijmetselarij geen goed hadden gedaan, bleef de hele Franse maçonnerie achtervolgen. Die ene loge bestond voornamelijk uit kampioenen van valse facturatie, dubieuze financiële tussenpersonen en politieke mee-eters die inmiddels weer van het toneel waren verdwenen. Marcas kwam vaak in loges van andere obediënties dan de zijne en ontmoette daar uitsluitend broeders en zusters die doodgewone beroepen uitoefenen: onderwijzers, artsen, politiemensen, ondernemers en vakbondsbestuurders. Oprechte anonymi die aan zichzelf kwamen werken. Zij stonden mijlenver af van de foute broeders die bij de loge gingen om *mee te vreten uit de ruif*, zoals de Achtbare Anselme placht te zeggen.

Marcas liet alle tact varen.

'Ik kan de naam Regius niet meer horen. Die oplichters hadden meteen met kop en kont uit onze obediëntie gesmeten moeten worden. En u rekent op mij om die documenten te achterhalen? Volgens mij gaat dit gesprek de foute kant op. Ik wil best proberen deze zaak op te helderen, als er iets op te helderen valt, maar het is uitgesloten dat ik ga spioneren. Vraag dat maar aan Loigril, die speelt vast graag voor inbreker.'

'Doe niet zo raar, Marcas, u weet best dat…'

Voordat hij zijn zin kon afmaken, stond Antoine al op. Hij snoof nadrukkelijk.

'Ruikt u ook niet iets vies ineens?'

De man was verrast door de bruuske reactie van de commissaris.

'Eh!… Nee.'

'Het ruikt naar schimmel. Naar bederf. Gek, want we zijn hier in een fris park. Nee! Uw verhaal zit me helemaal niet lekker; zoek maar een ander.'

De man probeerde het goed te maken en pakte Marcas bij zijn mouw.

'Sorry, sorry. Maar we willen niet dat deze affaire een politiek-financiële kwestie wordt en bovendien ook nog een seksschandaal. Als die eventuele documenten in verkeerde handen vallen, kan dat een ramp worden.'

'Het zal me een worst wezen! Ik ben niet aangenomen voor het oppoetsen van het blazoen van onze politici en van broeders die het niet eens waard zijn de vuile vaat van de broedermaaltijden te mogen doen; daarvoor bestaan speciale diensten.'

'U bent juist de man die we zoeken omdat uw integriteit boven alle verdenking staat. Uw taak zal zijn om uit te zoeken wat er is gebeurd en uw bevindingen, zonder enige terughoudendheid natuurlijk, over te brengen aan het gerecht.'

'Dat zal wel… En als ik toevallig in een kluis of een lade enkele stinkende geheimen tegenkom moet ik die aan het gerecht geven?'

'Zover zijn we nog niet. Als het onderzoek leidt tot een gerechtvaardigd vermoeden dat er misdaad in het spel is, wordt er een rechtszaak voorbereid en een rechter aangewezen. Niets onrechtmatigs dus. De magistraat die het onderzoek gaat leiden is vrij om het parket te vragen om eventueel aanvullend onderzoek.'

Marcas keek zijn gesprekspartner strak aan en trok zijn jas recht.

'Vast wel, en als ik me niet vergis zal die rechter zulke oude koeien uit een pijnlijk verleden tactvol weten af te voeren.'

De man haalde zijn schouders op.

'Nee, niet noodzakelijk. Maar hij zal er zeker niet nog voor de rechtszaak mee naar de pers lopen. Nogmaals, het gaat er niet om een mogelijke affaire in de doofpot te stoppen, maar om de zaken niet door elkaar te halen. De regering heeft daar even geen behoefte aan.'

'Geen enkele regering heeft daar ooit behoefte aan.'

'Dus, doet u het? Kan ik de minister bellen?'

Marcas zweeg, de zaak trok hem aan. Kunstcriminaliteit was wel duf. Hijzelf ook, trouwens. Het gaf hem weinig positieve energie. Hij had best behoefte aan spanning, maar hij wist bij voorbaat dat deze zaak deels doorgestoken kaart zou zijn. Hij was te oud om nog te geloven in vrijheid van handelen. Waarheidsvinding was het zoveelste sprookje in een wereld die hij niet meer begreep. Hij moest verslagen schrijven, op het juiste moment de juiste telefoontjes plegen en iemand in de entourage van een hooggeplaatst persoon op de hoogte houden.

Die subtiele smerige spelletjes konden hem echt niet meer opwinden en gaven hem eerder een bittere smaak. Maar hij zou zich er weer in schikken en tegelijk zijn eigen geweten trachten te ontzien. Hoeveel compromissen had hij al gesloten sinds hij dit werk deed? Het zoontje van een parlementariër dat was betrapt op het aftuigen van een prostituee en dat werd vrijgelaten, eerder onder vriendelijke druk dan op uitdrukkelijk bevel. Er werd nooit een bevel gegeven. De oude, cocaïneverslaafde journalist die in een nachtclub op de rechteroever door het lint ging en die moest worden ontzien omdat hij ook tipgever was van de politie en op zijn redactie de onderzoeksdossiers al had klaarliggen voor publicatie.

In de ontelbare zaken die hij al behandeld had was er eigenlijk weinig druk van bovenaf geweest, maar de weinige keren dat het was voorgekomen had hij maar moeilijk verteerd. In deze wereld is niets absoluut en hij moest water bij de wijn doen. Dat was een nette uitdrukking voor al het gesjoemel dat hij op zijn niveau door de vingers moest zien.

'Goed dan, maar denk erom, geen intimidatie en geen druk. Zodra ik dat merk ben ik weg.'

Marcas wist best dat zijn gesprekspartner niet onder de indruk was. Hij wilde het gewoon gezegd hebben.

'Ik beloof het. U wordt morgenochtend om negen uur op de quai des Orfèvres verwacht. U krijgt een kantoor, twee mensen van uw vroegere team en een splinternieuwe verhoorcommissie. Uw meerderen bij de OCBC zijn op de hoogte dat u tijdelijk buiten dienst bent.'

'Ik zat net achter een valse Giacometti aan.'

'Die wacht wel. Duurzaamheid is het wezen van de kunst,' grapte de adviseur.

'Wanneer worden de media ingelicht? En vooral, wat gaat u ze voorschotelen als officiële versie?'

'De voorlichter van het ministerie van Cultuur zal een persbericht uitsturen waarin staat dat de minister al zijn verplichtingen afzegt wegens oververmoeidheid en dat hij een paar dagen vakantie neemt.'

'Denkt u echt dat de journalisten dat zullen geloven?'

'Nee, maar het geeft u even tijd om uw onderzoek te doen en hopelijk is de minister tegen die tijd weer bij zijn positieven. Als blijkt dat de dame een natuurlijke dood gestorven is, zullen we een lek organiseren dat zijn vermoeidheid in het licht van een groot liefdesverdriet stelt. De minister zal dan uit eigen beweging aftreden. Om persoonlijke redenen, zoals dat heet.'

'En als hij haar heeft vermoord?'

'Dat kan alleen de patholoog beslissen. In dat geval moeten we open kaart spelen en op onze tanden bijten tot het schandaal is overgewaaid.'

'Ik neem aan dat de president en de eerste minister hun neus ook al in deze zaak hebben gestoken?'

'Ja en nee. Ze willen op de hoogte blijven om de collaterale schade te kunnen beperken, maar ze zullen zich er niet mee bemoeien. De minister behoort niet tot hun vertrouwelingen.'

De man keek op zijn horloge en kwam overeind.

'Dat was alles. Dit inleidende onderzoek vraagt de grootst mogelijke geheimhouding. De directeur van de DCPJ* en de secretaris-generaal van het ministerie gaan akkoord. Eerlijk gezegd had ik uw naam niet boven aan de lijst gezet, maar het schijnt dat uw staat van dienst en het feit dat u bij dezelfde loge zit als die arme minister u de ideale kandidaat maakten.'

De adviseur stak een hand uit naar Marcas, die hem slapjes schudde, en liep naar het bruggetje dat het eiland verbindt met het park. Le pont des Suicidés. De brug dankt die naam aan zijn hoogte en aan de talloze wanhopigen die eraf zijn gesprongen.

De adviseur van de minister had zijn taak volbracht en pleegde ongetwijfeld een telefoontje zodra Marcas hem niet meer kon zien. Hij gaf vast door dat de commissaris meedeed, erbij zeggend dat hij onopvallend in de gaten gehouden moest worden en uit te kijken voor zijn opwellingen van onafhankelijkheid.

Marcas had geen zin om zijn bankje te verlaten; hij zou willen teruggaan in de tijd. Hij zou weer willen zijn zoals de kinderen die hun bootjes in de vijver lieten spelevaren. Hoeveel van hen zouden uitgroeien tot dikdoenerige volwassenen die zich met smerige zaakjes gingen inlaten en verfoeilijke geheimpjes zouden koesteren? Ineens overviel hem de drang om achter de man in het grijze pak aan te hollen om de hele zaak af te blazen. Het zou hem niet in dank worden afgenomen. Onzin. Hij geloofde toch haast niet meer in wat hij deed en hij hoefde niet eens bang te zijn dat hij zou worden verbannen naar een sjofel commissariaat. Hij werd beschermd door zijn broeders bij de politie. Broeders zoals hij liet men met rust, tenminste als ze hun sporen al verdiend hadden.

Iemand blies op een fluitje, de parkwachters gebaarden dat iedereen weg moest. Het park liep ineens leeg.

---

* Direction centrale de la Police judiciaire.

Marcas had geen zin om te gehoorzamen en bleef koppig zitten om de parkwachter die driftig zijn kant uitkwam te treiteren. Hij kon zich dat veroorloven, een commissaris was veel hoger dan een bewakertje, al deed hij dienst op de Buttes-Chaumont.

De bewaker, een potige Antilliaan, wees naar de hoge hekken.

'Meneer, het is tijd om het park te verlaten.'

'Nee.'

De man met de kepie keek hem verbluft over dat idiote antwoord aan.

'Regels zijn regels. Als u niet weggaat bellen we de politie en dan krijgt u een bekeuring.'

Marcas stak zijn kaart onder de neus van de bewaker.

'Ik ben de politie en ik ben iemand aan het schaduwen. Ik heb deze bank nodig in het belang van een onderzoek.'

Geschrokken door de rang op de politiepenning stamelde de bewaker: 'Neem me niet kwalijk, commissaris. Kunnen mijn collega's en ik u ergens mee helpen?'

'Jawel, ik zoek een man met een horrelvoet en een rossig sikje, een ex-hibitionist in een gewatteerde jas. Zeg uw collega's naar hem uit te kijken en vooral geen lawaai te maken. De man is niet gevaarlijk, maar ik wil hem absoluut pakken.'

De bewaker knikte en holde naar het huisje waarin zijn collega's zaten. Marcas grijnsde. Hij had gewoon zin om iemand te pesten en de bewakers van dit park waren het slachtoffer; het was machtsmisbruik, maar het luchtte op. Hij had het park nu helemaal voor zichzelf, wat een weergaloze luxe was. Hij haalde zijn MP3-speler tevoorschijn en zocht de band This Mortal Coil op, ideaal om je te ontspannen in de milde schemering. De zuivere, donkere stem van de zangeres streelde zijn gehoor.

Help me lift you up.

Op een meter of tien bij hem vandaan knapte ineens de gloeilamp van een lantaarn; Marcas zag er een slecht voorteken in.

5

Sicilië

'Calma, signorina. Stati tranquilla.'

Zodra het laken van Anaïs' gezicht was weggetrokken ging de man gauw aan het andere eind van de kamer staan, terwijl een grijze bejaarde vrouw haar geruststellend toelachte. Hun gezichten zeiden Anaïs niets; ze kende die mensen niet uit de Abdij. De man had een oude pijp opgestoken en blies rookwolkjes naar het plafond. Een geur van amber vulde de kamer en dat verzachtte enigszins de spartaanse omgeving.

De oude vrouw stak haar perkamentachtige hand uit en streelde Anaïs' voorhoofd.

Anaïs begreep geen woord van wat de Siciliaanse zei, maar de toon was geruststellend.

'Non parlo francese. Non lo capisco.'

Het oudje gaf de man een hoofdknikje.

'Giuseppe.'

De man keek dromerig naar het halfnaakte lichaam van Anaïs en verliet zichtbaar teleurgesteld de kamer. De oude vrouw pakte een kom die bij het voeteneind van het bed stond en haalde er een smoezelige lap uit die doordrenkt was van een bruin, bitter ruikend vocht. Voorzichtig depte ze er de handen en het been van de jonge vrouw mee. Anaïs schoot overeind van de pijn. Het raspen van die ruwe lap over haar blaren benam haar de adem.

'Houd op, dat brandt.'

Zonder zich iets van het protest aan te trekken bleef de oude vrouw haar huid deppen.

'Calma.'

De jonge Française beet op haar tanden, tranen van pijn rolden over haar wangen. Ze voelde daardoor ineens dat ook haar gezicht brandde en met haar vrije hand tastte ze naar haar voorhoofd en jukbeen. Het oudje glimlachte opnieuw en schudde, alsof ze haar gedachten had geraden, afkeurend het hoofd. Vervolgens, omdat ze voetstappen hoorde aankomen, trok ze het laken over Anaïs' borst.

Het was weer de man met de pijp, vergezeld van een forse jongeman in spijkerbroek en een trui waarop de naam van een rockgroep stond. Hij liep op het bed toe en trok zijn oortjes weg, die het syncopisch gejank van een basgitaar lieten ontsnappen. Hij ging op het voeteneinde zitten en kruiste zijn armen.

'Ik heet Giuseppe. Mijn vader begreep dat u Française bent. Ik spreek uw taal een beetje, omdat ik 's zomers toeristen gids om mijn studie te betalen. Als u langzaam spreekt, zal ik proberen uw vragen te beantwoorden.'

Anaïs produceerde een bleek glimlachje.

'Dank je, vertel me eerst alsjeblieft waar ik ben.'

'In de boerderij van mijn vader, op tien kilometer van Cefalù en iets buiten het dorpje Santa Rieta. U werd gevonden door een herder, die zijn schapen naar de stal bracht. Wat is er met u gebeurd?'

Anaïs kromp weer ineen, het brouwsel dat langs haar wonden liep, brandde op haar huid.

'Ik moet met de politie praten. Alsjeblieft, er zijn mensen vermoord. Ik weet door wie…'

Ze kwam niet uit haar woorden. Ze kreeg een droge keel van praten.

'Geef me iets te drinken, ik ben uitgedroogd!'

De jongeman gebaarde naar de oude vrouw die een glas water van het nachtkastje nam en het aan Anaïs gaf. Het lauwe vocht spoelde door haar mond en stroomde naar haar lege maag.

'Nog meer, alsjeblieft.'

Ze dronk het tweede glas nog gretiger dan het eerste en zakte terug op het hoofdkussen. Giuseppe klopte haar op haar voet.

'De politie is niet zo'n goed idee, *signorina*. Hier bent u veilig. Als u wordt gezocht is de politie… niet zo *safe*…'

'Je weet niet wat je zegt, ik heb mijn vrienden zien sterven, ze levend zien verbranden. Hun moordenaar moet worden gearresteerd!'

De man met de pijp mompelde iets tegen de jongen, die nog wat rechter op de rand van het bed ging zitten.

'Mijn vader zegt dat hij dat onzin vindt. We zijn hier gewend aan moorden en we regelen die dingen zelf. Hij wil er alles van weten. Ik zou maar antwoord geven, hij heeft een kort lontje.'

Anaïs las ergernis in de blik van de oudste man en begreep dat ze weinig te verliezen had; tenslotte gaven die mensen haar onderdak en verzorging. Er zat niets anders op dan ze maar te vertrouwen. Nadat ze een derde glas water had gedronken, vertelde ze kort wat ze in de uren voor haar wanhopige vlucht had meegemaakt. Terwijl ze langzaam sprak en de tranen weer over haar wangen biggelden, vertaalde Giuseppe haar woorden stukje bij beetje in een onbegrijpelijk, rul Italiaans.

Anaïs onderbrak haar verhaal toen de oude man zijn wenkbrauwen fronste en afkeurend zijn hoofd schudde.

'Waarom trekt je vader zo'n gezicht?'

'Ik begrijp niet wat dat betekent, "een gezicht trekken"…'

'Hij doet alsof hij me niet gelooft.'

De jongen aarzelde.

'Voor hem bent u een…'

'Een wat?'

'*Prostituta*, een prostituee.'

Met stomheid geslagen keek Anaïs hem aan. Daar had ze niet van terug. Heen en weer schuivend op het voeteneind zocht de jongeman naar woorden terwijl zijn vader binnensmonds tegen hem sprak.

'Hij zegt dat uw verhaal lulkoek is. Dat u het hebt verzonnen om uw pooier niet te hoeven verraden. Sinds vorig jaar zetten Albanezen hier buitenlandse meisjes aan het werk, met goedvinden van een familie uit Palermo die de prostitutie in handen heeft. De Albanezen martelen en verbranden vrouwen die niet hard genoeg werken. Buiten Bagheria zijn er twee onherkenbaar verminkt teruggevonden; op hun gezicht en lichaam waren sigaretten uitgedrukt. U heeft ook brandwonden. En u had een heel kort rokje aan toen u werd gevonden, niet echt een passende outfit voor cultureel toerisme…'

Aan het misprijzende gezicht van de oude en het ongemak van de jonge man te zien, begreep Anaïs dat haar brandstapelverhaal hen niet had overtuigd.

'Maar ik ben Française. Die prostituees zijn toch Albanees of weet ik veel? Jullie horen toch welke taal ik spreek.'

'Dat wil niets zeggen. De Albanezen halen ook vrouwen uit het Midden-Oosten en Tunesië. In die landen wordt ook Frans gesproken.'

Het kwam hard aan. Anaïs wist niet meer wat te doen om hen van haar oprechtheid te overtuigen. *Te gek voor woorden. Ze denken dat ik prostituee ben. Wat kan ik doen?*

'Wat zijn jullie met me van plan?'

Giuseppe ontweek haar blik.

'Prostituees zijn hier niet erg geliefd, ze zijn een belediging voor de vrouw. Het... het spijt me vreselijk. Mijn vader is onverbiddellijk als het om erezaken gaat en hij zou wel eens...'

'Wat?'

De jongeman keek even naar zijn vader, die gemeen grijnsde en zei zachtjes: 'Als u hem niet op andere gedachten kunt brengen, geeft hij u aan zijn arbeiders. En die brengen u direct terug naar uw pooier.'

6

Parijs,
de zetel van de Obediëntie

De muren van de tempel waren bedekt met zwarte doeken. Voor het spreekgestoelte van de Voorzittende Meester hing boven twee gekruiste botten een doodshoofd dat oplichtte door het bleekgroene vlammetje van een olielampje. Op de kolommen keken de broeders in hun formele kleding ernstig naar het midden van de parketvloer, naar drie met zwart papier omwikkelde kandelaars rondom een donker kleed met een dunne witte rand. Ten teken van rouw bedekten de officianten, de Eerste en de Tweede Opziener, omzichtig hun hamers met een wollen lap die het geluid ervan moest dempen.

Antoine Marcas zat op de kolom in het Noorden. Zijn blik werd getrokken naar de driekantige holle pilaar waarop, zwak verlicht door een kaars, een in zwarte letters geschreven naam stond. Eén enkele naam.

'Broeder Eerste Opziener, hoe laat beginnen de broeders met hun rouw?'

'Op het uur dat de dag de nacht ontmoet.'

'Waarom juist dan?'

'Het is het uur van rouw.'

'Welk uur is het nu, Broeder Tweede Opziener?'

'Het uur der tranen.'

In die trant ging het rouwritueel verder. Al eeuwenlang onveranderd. In de lente herdenken alle loges hun broeders die in het afgelopen jaar overleden zijn. De broeders die zijn overgegaan in het Eeuwig Oosten, zoals de gewijde formule luidde. Herdenken en hoop houden elkaar subtiel in evenwicht in deze ceremonie waarbij, uitzonderlijk, de families van de overledenen worden uitgenodigd. Het is de enige keer in het jaar dat profanen de tempel mogen betreden. Maar deze keer waren er geen familieleden. Anselme, de onverwacht overleden gewezen Voorzitter van de loge, had het niet nodig gevonden om te trouwen en kinderen te krijgen. Alleen zijn broeders hadden hem naar zijn laatste rustplaats gebracht. Drie plechtige hamerslagen weerkaatsten tegen het met sterren beschilderde plafond en werden direct beantwoord door gedempte klopjes van de twee Opzieners.

De broeders kwamen overeind. Als één man sloegen ze ritmisch met de palm van hun hand op hun onderarm en herhaalden ze ononderbroken: 'Wij bewenen! Wij bewenen! Wij bewenen!'

De rouwloge was begonnen.

Antoine Marcas was jarenlang bevriend geweest met Anselme, die in alles zijn tegenpool was. De voormalige Voorzitter kwam uit de gegoede burgerij, hij was een soepel mens en een geweldige charmeur. De broederschap had hen tot elkaar gebracht. In de treurige eenzame maanden van Marcas' scheiding was Anselme er altijd voor hem geweest. Die pijnlijke periode kwam in volle hevigheid weer bij hem terug. De gestreste advocaten, de verveelde rechters en een negenjarig kind in het centrum van de onenigheid en het het mislukte gezinnetje. Anselme was zijn enige houvast geweest toen die maalstroom hun leven onderuithaalde. Hij belichaamde het licht van de broederschap waarin elke vrijmetselaar moet laten delen.

'Broeder Eerste Opziener,' zei de Voorzitter, 'zijn alle leden van onze respectabele werkplaats aanwezig?'

'Daarvan moeten wij ons verzekeren, Achtbare Meester.'

'Hoe, Broeder Tweede Opziener?'

'Door na te gaan of de keten van ons verbond compleet is.'

Alle aanwezigen gingen staan en trokken hun handschoenen uit. Ze kruisten de armen voor de borst en elke broeder pakte de hand van zijn buurman. Zo vormde zich een menselijke keten die ophield bij de plaats waar de overledene placht te zitten: die schakel ontbrak nu.

De Eerste Opziener sprak: 'Helaas, hij is verbroken!'

De rituele stilte leek nog drukkender.

De Voorzitter vroeg: 'Welke schakel ontbreekt er?'

'Broeder Anselme, die de Voorzitter van onze loge was.'

Marcas keek naar de lege stoel waarop een bloemstuk met een zwart lint lag. Daar had Anselme te midden van zijn broeders op de kolommen gezeten. Antoine moest ineens denken aan een film van Truffaut, *L'homme qui aimait les femmes.* En vooral aan de laatste scène: de begrafenis van de hoofdpersoon, die een onverbeterlijke rokkenjager was geweest. Hij zag weer al die eerst beminde en vervolgens verlaten vrouwen die in het zwart gekleed en gesluierd naar het kerkhof waren gekomen. Ten slotte stonden ze tezamen rond het graf, verenigd in de onzichtbare keten van de liefde die ze allemaal gevoeld hadden voor die ene man. Zij hadden hier uitgenodigd moeten worden, dacht Marcas, alle vrouwen uit Anselmes leven. Die waren zijn echte familie. *Hij was een onverbeterlijke vrouwengek geweest.*

Links van de Achtbare was de Broeder Redenaar begonnen met het uitspreken van de traditionele grafrede. Zijn toespraak klonk heel anders dan het verhaal van een profaan geklonken zou hebben. Hij stond enkel stil bij het maçonnieke leven en de bouwstukken van de overledene. Nog vlak voor zijn dood, vertelde de Broeder Redenaar, was Anselme begonnen aan een bouwstuk over een onderwerp dat hem zeer na aan het hart lag: sekten en erotiek.

Antoine keek op. Hij herinnerde zich zijn laatste gesprekken met Anselme over collectieve zelfmoorden bij sekten. Je had de groep van Jim Jones in Frans-Guyana, de sekte van Waco in de Verenigde Staten en vooral de collectieve zelfmoorden in de Orde van de Zonnetempel in Zwitserland en Frankrijk. Alles bij elkaar honderden doden, aanhangers van megalomane, paranoïde sekteleiders. Gestoorde mannen die zwakkelingen meesleepten in hun moorddadige waanzin. Hoewel Anselme deze algemene opvatting deelde, meende hij ook dat de georganiseerde moordpartijen bijna altijd plaatsvonden met instemming van de volgelingen zelf. Alsof die daartoe werden aangezet door een en dezelfde onbekende kracht. Voor Anselme was dit een raadsel dat hem niet wilde loslaten.

De kwestie fascineerde de oud-Voorzittend Meester. Zelfs toen zijn gezondheid achteruitging en hij van veel genoegens moest afzien, bleef hij zich druk maken over de invloed van de sekten. Telkens als Antoine en hij elkaar spraken, begon hij er weer over.

Een broeder ging rond met een bos acaciatakjes die hij uitdeelde onder de aanwezigen.

'Broeders, het ogenblik is aangebroken om hem een laatste eer te bewijzen. Laten we onze acaciatakjes neerleggen op de plek van rouw, als teken dat onze broederschap over de grenzen van de dood heen reikt.'

Marcas voegde zich in de rij broeders die naar Anselmes lege plaats liepen. Hij dacht aan de hem nu nog onbekende broeders die ooit hun takje zouden neerleggen op zijn eigen stoel.

Tot op het laatste toe was Anselme een verwoede verzamelaar geweest van alles wat er te vinden was over sekten. Zijn bureau was bedolven onder boeken, briefjes en aantekeningen. Het was veel meer materiaal dan hij nodig had voor een bouwstuk voor de loge. Vooral omdat de rode draad die hij met een oneindig geduld volgde een heel speciale materie betrof.

Zijn hele leven al had de kwestie van de verleiding Anselme geïnteresseerd, maar nu was hij duidelijk in het vaarwater van de esoterie terechtgekomen. De liefde had ineens een heel andere gedaante voor hem gekregen. Marcas had de indruk dat de vroegere Achtbare op het eind van zijn leven een *terra incognita* had ontdekt en dat hij besefte dat hij zelf de rijkdommen van dat nieuwe continent niet zou kunnen proeven. Achter de liefde die altijd zijn grote passie was geweest, leek hij een andere werkelijkheid te hebben gezien. Het moet een bittere pil zijn geweest voor een man die zijn leven lang uitsluitend omwille van zijn eigen plezier had liefgehad. En ineens was daar het late inzicht dat er achter de pure bevrediging van eigen behoeften nog andere wegen bestaan, die in de loop van de geschiedenis met onvoorziene gevolgen werden bewandeld door bepaalde sekten. Antoine was er niet achter gekomen waar die onverzadigbare nieuwsgierigheid vandaan kwam. Anselme vertelde soms over deze of gene sekte die beweerde de liefde te heiligen door middel van orgastische praktijken of over leden van een inwijdingsgenootschap die door strenge seksuele onthouding de hoogste staat van verlichting probeerden te bereiken. De nuchtere commissaris begreep het verborgen verband tussen al die praktijken niet, noch het glimlachje waarmee zijn vriend hem dat allemaal vertelde.

Marcas had bedacht dat het wel een late droom zou zijn van een ouder wordende man. Maar telkens als hij zijn vriend opzocht, werd hij getroffen door de koortsachtige kennisdrang van zijn logebroeder. En als hij hem daarmee wel eens plaagde, kreeg hij van Anselme het onweerlegbare antwoord: 'Tja, dat is nu eenmaal mijn lot.'

7

Parijs,
quai de Conti

Naar buiten kijkend zag Dionysus een druilerig regentje in de grijze Seine vallen. Zulk weer paste helemaal bij het seizoen hier. Heel anders waren de zonnige lentes op Sicilië. Daar droegen de sinaasappelbomen nu al vrucht onder een stralend blauwe hemel. Midden in de nacht wegrijdend van de Abdij, had hij nog een keer omgekeken naar de boomgaard met de roerloze olijfbomen. Er kwam een scherpe geur aangewaaid van het strand. Voor hem maakte het niets uit. De knokige boomstammen die zich uit de aarde wrongen en de verteerde lichamen op de brandstapels waren manifestaties van een en dezelfde macht. Hij had die macht zichtbaar gemaakt.

Hij glimlachte en terzelfder tijd voelde hij een hete huivering door zijn leden trekken. Hij hield van die roes. In heel Europa was men naar hem op zoek zonder zijn naam en zijn gezicht te kennen. Hij was het spookbeeld van het absolute Kwaad. De leider van een moorddadige sekte die er niet tegenop zag zijn eigen volgelingen te verbranden. De politie had al snel getuigenverklaringen verzameld van omwonenden over de vreemde handel en wandel van de mannen en vrouwen in de Abdij. Televisiekanalen over de hele wereld zonden non-stop beelden uit van verkoolde lichamen en politieauto's op het Siciliaanse strand dat een voorportaal van de hel was geworden.

Vuur! Hij had zijn discipelen geschonken wat er aan hun saaie levens ontbrak. Zuiverend vuur en onsterfelijkheid. Weer voelde hij een warme tinteling opkomen. Hij kende dat gevoel. Het kon elk moment omslaan in een vloedgolf. Hij hoefde het maar te willen.

Hij liep naar de camera die was aangesloten op een plasmascherm. In dat digitale geheugen lag het ultieme beeld opgeslagen. Het beeld dat alle demonen zou opwekken en samenbrengen. Het beeld van de dood.

Niemand had die opname gezien. De meester had de beelden van het strand zelf vastgelegd. Voor zijn privégebruik.

Net toen hij naar de camera liep bromde de intercom.

'Bezoek voor u. Een meneer… meneer Edouard Kerll.'

De boekhandelaar was stipt op tijd, maar de meester had nog een andere afspraak. Met zichzelf.

'Laat hem boven komen. Een van mijn assistenten zal hem te woord staan.'

De meester liep de hal binnen. Een man in een zwart pak kwam haastig overeind uit een leunstoel tegenover de deur.

'We hebben bezoek. Antiquaar Edouard Kerll.'

'Ontvangt u hem?'

'Nee, geen tijd! Zeg maar dat ik bezet ben.'

'Oké.'

'Maar hij brengt me een boek. Ik heb een schriftelijk ontvangstbewijs getekend dat je hem moet geven.'

'Komt in orde.'

Dionysus ging terug naar het scherm. De eerste beelden kwamen door. Een bloedrode vlam spatte uiteen in een vonkenregen die de macabere dans van een kronkelende zwarte gedaante verlichtte. Zijn medewerkers hadden een uitstekende aankoop gedaan met die hypermoderne camera. De beelden waren nog mooier dan de werkelijkheid.

Behoedzaam legde de meester een hand op zijn navel. De kracht diende zich aan. Zijn onderlichaam gloeide van opwellende energie. Eén voor één vatten de brandstapels vlam en samen vormden ze een zee van licht. Zijn hand ging omhoog naar zijn borst alsof hij een onzichtbaar spoor naar boven volgde. Het hele scherm stond nu in brand. Zijn hand sloot zich met de duim omhoog rond zijn keel. Alle kracht concentreerde zich daar. Dezelfde kracht die de mensen tijdens het liefdesspel zo ondoordacht verspilden. De kracht die hij, de meester, had leren kanaliseren. Alleen hij kon dat.

Hij had lang gezocht bij allerlei inwijdingsgenootschappen. Maar niemand evenaarde er zijn begeerte naar het absolute. Tot op die dag… Hij had nooit eerder vermoed dat de kracht verborgen zat in de samensmelting van lichamen. Het was een openbaring geweest. Sindsdien had hij geleerd de kracht te domineren. Hij las de oerteksten van de ware traditie en bracht ze in praktijk. Het was een versnipperde traditie en slechts enkele zoekers naar het absolute hadden dit overwoekerde pad in de jungle van de seksuele verwarring teruggevonden.

Alleen in het Oosten werd deze in onbruik geraakte traditie in bepaalde kringen nog levend gehouden. De etnologen hadden er nauwelijks belangstelling voor. Zij zagen slechts een rommelig allegaartje van bijgeloven. En wat er in Europa bekend was van de overstijging van de seksuele begeerte beperkte zich tot een folkloristische verzameling erotische recepten. Een Kamasutra voor met impotentie bedreigde gestreste managers, een brievenrubriek voor huisvrouwen met exotische dromen.

Toch had ook het Westen zo'n queeste naar de het seksuele overtreffende liefde gekend. De meester had het pad ervan gevolgd langs bepaalde voorschriften van de kabbala, via de hoofse liefde van de middeleeuwse minnaars, tot aan de esoterische sekten in Duitsland en Italië. Uiteindelijk was hij aangekomen in het hart van dit labyrint. Maar net als in de mythe van Theseus, gaat zo'n initiatietocht niet zonder offer. Om de waarheid te leren kennen moest hij eerst de Minotaurus doden.

Doden om herboren te worden.

Het werd donker in het vertrek. Een symetrisch ballet van lichtpuntjes danste in stilte over het televisiescherm. De meester opende de deur naar de hal. Het boek dat antiquaar Kerll had gebracht, lag op een siertafeltje bij de ingang. Er lag een briefje bij.

Zoals u weet heeft de verkoop van het Casanovamanuscript heel veel media-aandacht gekregen. Ik weet hoezeer u bent gehecht aan uw anonimiteit. Maar als we de pers niet een beetje tegemoetkomen, niet een paar kruimeltjes informatie prijsgeven, lopen we het gevaar dat de autoriteiten zich verplicht gaan voelen om te reageren door uw identiteit te achterhalen. Net als u is mij er alles aan gelegen om deze privézaak ook privé te houden.

Vandaar dat ik u voorstel om, onder mijn naam, de publieke nieuwsgierigheid te bevredigen met een eenmalige tentoonstelling van het manuscript. Zo'n evenement, dat ik met genoegen en met de grootst mogelijk zorg zal organiseren, is de beste garantie dat u verder met rust gelaten wordt…

De meester vouwde de brief dicht. Het was een gewaagde, maar noodzakelijke beslissing. Gooi de honden een kluif toe.

'Bel Edouard Kerll en zeg hem dat ik akkoord ga. Hij mag het manuscript komen halen op de dag van zijn expositie.'

'Goed, meester. Ik doe het meteen. Ik…'

'Wat?'

'… Het gaat over Sicilië…'

'Ja, en…?

'De radio heeft het over negen slachtoffers. Vijf mannen en… maar vier vrouwen.'

'Je kunt gaan. Ik doe het nodige,' antwoordde de meester kalm.

Plotseling was het doodstil in de kamer.

8

Sicilië

Waanzinnig! Aan de dood ontsnappen om te worden verkracht door een stelletje boeren! Die achterlijke Sicilianen denken dat ik een hoer ben. Het ongerijmde van de situatie had een ontnuchterend effect. Voor het eerst sinds haar ontwaken kreeg de rede de overhand.

De angst vervaagde. Naakt en kwetsbaar voor deze onbekenden liggend, probeerde ze een oplossing te bedenken die deze nooit eindigende nachtmerrie kon stoppen. De man met de pijp zag er koppig uit en hij zou moeilijk te overtuigen zijn. En dan de blik waarmee hij haar bekeek...

Ze ging overeind zitten en zei zo kalm mogelijk: 'Wat moet ik doen om jullie te laten geloven wat ik zeg?'

Er volgde een ongemakkelijke stilte. De oude vrouw was klaar met haar verzorging en wrong haar vuile lap uit in de grijze kom. Giuseppe bleef maar zijdelingse blikken werpen naar de man die de gordijnen met een ruk had dichtgedaan.

'Ik heb geen papieren bij me, maar ik kan jullie alle bijzonderheden geven, waar ik de laatste dagen ben geweest, wie er bij me waren, ik...'

'*Zitta, puttana!*' blafte de oudste man.

Giuseppe leek steeds minder op zijn gemak. Hij keek Anaïs hulpeloos aan.

'Hij zegt dat u te veel praat voor een...'

'... hoer, ik heb het wel begrepen, bedankt!'

'Hij is echt de beroerdste niet, maar hij kan niet anders. Als de mensen horen dat hij een vrouw als u heeft geholpen, is dat een klap in het gezicht van de mensen die er hun brood mee verdienen. Dat kan hij zich niet veroorloven.'

'Waarom heeft hij me niet gewoon laten weggaan? Niemand kent me hier. Ik zou gewoon uit het beeld zijn verdwenen. Simpel zat.'

'Helemaal niet simpel! De herders die u hebben gevonden, zagen u in deze… kledij. En het verhaal zou het hele dorp zijn rondgegaan.'

Anaïs zuchtte. Ze zag geen enkele uitweg meer. De oude vrouw was opgestaan en had de kom tegen de muur gezet. Zij leek de enige die nog een beetje begrip toonde. Anaïs wendde zich tot haar en smeekte: 'Alstublieft mevrouw, help me. U bent ook een vrouw, u zou me toch moeten geloven!'

Het oudje ging naar de jongen toe en mompelde iets in het Italiaans.

'Wat zegt ze?'

'Dat u veel te mooi bent om zo te lijden en dat ze voor u zal bidden. Maar dat is alles wat ze kan doen; ze is hier maar de meid. Ze zegt dat ze een slaapmiddel in uw glas heeft gedaan en dat u daarvan zult opknappen.'

Iedereen was tegen haar. Opnieuw voelde Anaïs wanhoop in zich opwellen als een golf die haar zou verzwelgen. Ze begon te snikken. Alles kwam weer bij haar terug, ze zag het gezicht van Thomas voor zich en al die geluksmomenten die voorgoed verleden tijd waren. En de zo aanbeden Dionysus die hen had verraden en uitgeleverd aan het dodelijke vuur. Ze kroop in elkaar op het bed, haar energie liet haar in de steek.

Plotseling riep de oude vrouw iets, ze stak haar hand uit naar Anaïs' keel en ontrukte haar met een voor zo'n oud mens onvermoede kracht haar dunne gouden ketting. De man met de pijp kwam fronsend dichterbij. Hij pakte de ketting waaraan een albasten symbooltje hing en bekeek dat peinzend, terwijl hij schuins naar Anaïs keek. Hij draaide zich om en fluisterde zijn zoon iets in het oor.

'Hij wil weten hoe u aan die ketting komt,' vroeg Giuseppe kortaf.

Anaïs vond het een idiote vraag en zei vermoeid: 'Hoezo? Wil hij hem kopen? Zeg maar dat hij niets waard is.'

De man kwam op haar af en liet zich in de stoel naast haar bed zakken. Zijn donkere ogen leken dwars door haar heen te kijken. Ze rook een lichte leerlucht.

'Geef antwoord. Schiet op!'

'Die kregen we bij aankomst van de eigenaar van de Abdij. Het is een Egyptisch symbool, het oog van Horus. Het is een geluksbrenger.'

Terwijl ze het zei hoorde ze hoe idioot dat klonk. De zoon vertaalde het stukje bij beetje.

'Hij vraagt welke abdij?'

'Zo heet het landgoed bij Cefalù, waar ik was…'

De man vloekte, spuugde op de grond alsof ze hem had uitgescholden en stond bruusk op. Anaïs schrok ervan.

'Wat heeft hij ineens?'

'Hij kent die plek. Daar woont de duivel.'

Anaïs kon een wrange glimlach niet onderdrukken.

'De duivel! Daar heeft hij gelijk in.'

'U begrijpt het niet. Onze buurman, Don Sebastiano, heeft twee jaar geleden een dochter verloren. Ze lag dood op de weg die naar het huis gaat waar u logeerde. Ze was van de rotspunt gegooid die daar omhoog-rijst. In haar hand hield ze net zo'n hanger als u droeg. Dat meisje was vijftien jaar en was verliefd geworden op iemand van dat landgoed dat u Abdij noemt. Don Sebastiano had zijn dochter verboden om met die buitenlander om te gaan. Sindsdien is die plek vervloekt!'

Voor het eerst merkte Anaïs iets van onbehagen bij haar bewakers. Haar gedachten begonnen te tollen; het slaapmiddel had haar hersens bereikt. Ze riep: 'Zeg hem dat ik niet lieg… als hij zo de pest heeft aan de mensen van de Abdij, laat hij er dan eens gaan kijken. Dan zal hij zien wat daar is gebeurd. Ik…'

Anaïs kon niet verder spreken, ze werd draaierig. De gezichten ver-vaagden en ze kreeg het gevoel alsof ze in de matras verzonk. Ze sliep in.

9

Parijs,
de zetel van de Obediëntie

'Broeders, houd u gereed, we gaan de keten van het verbond weer herstellen die werd verbroken door de dood.'

Er klonk een hamerslag.

'Mag ik u verzoeken op te staan, broeders.'

Van broeder tot broeder vormde zich langzaam de hernieuwde keten.

'Broeders, onze keten is weer samengevoegd. Laat ons een voorbeeld nemen aan hem die wij bewenen en onbevreesd het Eeuwige Oosten tegemoet blikken.'

De Eerste Opziener nam het woord.

'Vrees is een van de grootste oorzaken van 's mensen ongeluk.'

De Tweede Opziener antwoordde: 'Enkel broederschap kan de mens aan zichzelf teruggeven.'

Het was niet Antoines eerste rouwloge. Toch ontroerde de ceremonie hem weer. Deze mannen die elkaar zonder de vrijmetselarij nooit ontmoet zouden hebben, vonden elkaar in deze viering. Op al die ernstige gezichten stond dezelfde toewijding te lezen aan de nauwgezette uitvoering van het al eeuwenlang overanderlijke ritueel. De kerken bezitten niet het monopolie op het heilige. Dat is overal voelbaar waar mensen bijeenkomen om een hogere waarheid te vinden.

Dat was ook de mening van Anselme die de wildgroei van sekten als een onstilbare honger naar het sacrale was gaan zien. Diep verlangen naar spiritualiteit kan niet worden bevredigd in de consumptiemaatschappijen; die kunnen hoogstens het Kwaad bevorderen.

Met onze doorgedraaide consumptiemaatschappijen als voedingsbodem bloeien de sekten als valse rozen op een echte mesthoop. Die sektarische groepjes zijn zelf ook onderworpen aan de wetten van de vrije markt. Er is een keiharde concurrentieslag aan de gang tussen goeroes, magiërs en andere spirituele leiders in een toenemend aanbod van mysterieën, cultussen en occulte onzin. De strijd is zo hevig dat sommige sekten zich gevaarlijk ingraven in hun eigen zekerheden. Dat leidt tot paranoia die kan uitmonden in uitzinnige praktijken die soms leiden tot massamoord.

De Achtbare Meester stond op.

'Broeder Voorbereider en Broeder Ceremoniemeester, wilt u bij de symbolische tombe gaan staan.'

De twee officieren namen hun plaatsen in. De Achtbare ging door: 'Vrijmetselaars, steek uw hand uit naar de plaats die onze broeder Anselme heeft verlaten. Laat ons plechtig beloven om de keten van ons verbond te onderhouden en ononderbroken te werken aan de universele harmonie.'

De Voorbereider wendde zich naar het Oosten: 'Ik beloof het uit naam van alle hier aanwezige broeders.'

'Ik neem akte van uw belofte,' antwoordde de Achtbare.

Marcas herinnerde zich een citaat van Paul Valéry dat hij na zijn scheiding van Anselme uit het hoofd had moeten leren: 'Don Juan jaagde vrouwen en de liefde van vrouwen na, niet voor het loutere genot en ook niet voor het plezier van de verovering... Maar hij voelde aan, en hij wist het misschien zelfs zeker, dat het ontluiken van de liefde, de eerste periode direct na de victorie, een geweldige energie, een roes en een jeugdig elan veroorzaakt die het leven licht en heftig maakt, de geest doet sprankelen en de ziel ongehoord zelfingenomen maakt.'

Als een eersteklasser die een lesje opdreunt had hij op aandringen van zijn mentor die zinnen voor de grap tientallen keren opgezegd... Anselme hoorde er een diepe betekenis in die Marcas volledig ontging.

Liefde die het leven heftig maakt? Antoine moest er stiekem om lachen. Dat Anselme zich in zo'n soort avontuur had gestort was nog wel te begrijpen. De drang om het eigen lot beter te begrijpen en er een verheffende, overstijgende zin aan te geven was een nobel streven. Maar hijzelf, Antoine Marcas? Wat had hij nog te hopen?

De Achtbare Meester gaf een hamerklop, die onmiddellijk werd beantwoord door de twee Opzieners.

'Broeder Eerste Opziener, op welk uur beëindigen de vrijmetselaars hun rouwarbeid?'

'Bij zonsopgang.'

'Welk uur zijn we, broeder Tweede Opziener?'

'Het is het uur van het morgenrood.'

'Omdat het tijd is…'

De rouwloge was voorbij. De broeders kwamen overeind voor een laatste eerbetoon. Terwijl de hamer driemaal neerkwam schalde veelstemmig de wens door de tempel: 'Laat ons hopen! Laat ons hopen! Laat ons hopen!'

De lichten werden gedoofd.

Nu stond Marcas helemaal alleen.

10

Parijs,
quai de Conti

Dionysus begon met zijn eigen ritueel. Eerst moest de leeslamp links op zijn bureau worden aangeknipt. Een lamp met een in blank hout en metaal gedraaide voet en een kap van rookglas die het felle kunstlicht verzachtte. Vervolgens moest hij rechts de kaars in de koperen blaker ontsteken. Het enige souvenir dat hij nog had van de Abdij. En ten slotte moest hij zijn rechterhand op het boek leggen.

Volgens het rapport van de expert was de boekband ingebonden in Wenen, op het eind van de achttiende eeuw. Zonder enige twijfel door een Italiaan. Het bewerkte leer was een bordeauxrode marokijn met een nauwelijks zichtbare nerf. Hij sloot zijn ogen om de lichte oneffenheid beter te kunnen voelen. Het leer voelde warm en zacht aan. Met zijn linkerwijsvinger streek de meester langs de rug van het boek. Geen titel, geen auteursnaam, slechts een fijn lijntje van bladgoud kronkelde omhoog. De binder had het bij die ene versiering gelaten. Een opmerkelijke soberheid vergeleken met de hartstochtelijke taal onder deze fijne kaft. Een simpele kunst voor het opwekken van begeerte.

De kunst om Casanova te lezen.

Kasteel Dux,
Bohemen,
2 april 1798

Vandaag ben ik drieënzeventig geworden. Als ik in de spiegel kijk zie ik een grijsaard met een tandeloze mond, een afzakkende pruik en een wanhopige grijns. Geen enkele vergelijking met de man die ik ooit was. Vijf jaar geleden, op dertien september 1793, heb ik bij het opstaan overwogen mezelf het leven te benemen. Die dag zag ik mezelf zoals ik was. Een menselijk wrak, een schrijver zonder lezers, een klaploper zonder gezin om lief te hebben, verstoken van de hoop van de liefde. Die dag had ik mezelf van kant moeten maken. In plaats daarvan greep ik naar de pen en ben ik gaan schrijven. Ik heb opgeschreven hoe ik naar de dood verlangde en door die belijdenis op papier te zetten verdween de behoefte om er een einde aan te maken. Vandaag neem ik weer de pen op, maar om een heel andere reden. Ik weet nu dat de dood nabij is. Ik heb bijna geen adem meer en mijn uitgeputte lichaam weigert dienst. Ik wacht, alleen in mijn bed, op het allerlaatste moment. Ik bid alleen dat God, waar hij ook moge zijn, me nog de kracht schenkt om af te maken wat ik nog moet doen om mijn ziel en mijn geweten rust te geven.

Dat de Grote Geometer des Heelals het ontwerp van mijn leven hier niet laat eindigen en dat het Eeuwige Oosten zijn poorten van vergetelheid pas opent als mijn uur gekomen is! Ik heb gezegd…

[doorgestreepte passage]

… De ochtend na mijn rampspoed belden er twee in het zwart geklede mannen bij me aan, die ik onmiddellijk herkende als de getuigen van graaf Terrana. Nadat ze zich hadden voorgesteld vroegen ze mij naar mijn bedoelingen. Ik antwoordde dat ik geheel tot hun beschikking stond.

'We twijfelen er niet aan dat u een man van eer bent en bereid om uw onvergeeflijke krenking van het huis Terrana met de wapens goed te maken.'

'Mijne heren, ik meen dat ik de eer van de jongedame die in het geding is, op geen enkele manier in gevaar heb gebracht, maar ik wil me schikken in de voorwaarden van haar broer, graaf Terrana.'

'Een duel met het pistool op tien passen.'

'U stelt me een treffen met de dood voor!'

'Graaf Terrana neemt met niets anders genoegen.'

'Zeg aan Monseigneur dat ik hem die voldoening ongaarne onthoud.'

'Schikt morgenochtend u?'

'Ik zal klaarstaan bij dageraad.'

'Monseigneur zal u zijn koets sturen.'

De twee getuigen namen afscheid. Ik keek naar de klok op de schoorsteenmantel die zojuist had geslagen. Het onderhoud dat mijn leven zou veranderen had nauwelijks vijf minuten geduurd.

Die avond besloot ik om niet uit te gaan. Hoewel al mijn broeders in Madrid hun bedienden hadden gestuurd met een uitnodiging voor het souper, wees ik die allemaal af omdat ik alleen wilde zijn teneinde mijn zaken in orde te kunnen brengen. De waarheid was dat ik de spiegel van mijn ziel wilde bestuderen. Door mijn filosofische aanleg en door beschouwelijkheid was ik in het geheel niet bevreesd om te sterven, maar een andere, veel beklemmender angst sloot zich om mijn hart. Voor de eerste keer in mijn leven had de begeerte mij in de steek gelaten. Voor het eerst was mijn lichaam onverschillig gebleven voor het naakte lichaam van een vrouw. En ik had geen idee hoe dat kwam.

In de verte zag ik een gesloten rijtuig met zes paarden naderen voorafgegaan door twee palfreniers en gevolgd door twee adjudanten . Zodra de koets stilhield voor mijn deur, daalde ik af van mijn derde verdieping en ik zag de graaf met zijn twee getuigen op de voorste bank zitten. Men hield de koetsdeur voor me open en een van de getuigen stond me zijn plaats af. Ik ging zitten en we reden weg. Niemand zei iets. Er zijn van die momenten dat men zich moet beheersen. Ik meende echter nogmaals mijn onschuld te moeten verkondigen.

'Monseigneur, zonder dat wat ik ga zeggen ook maar iets afdoet aan mijn voornemen om met u te duelleren, bid ik u om te geloven dat ik de onschuld van uw zuster, donna Anna, heb behoed.'

Ik moet er zo oprecht hebben uitgezien dat hij van zijn stuk gebracht leek.

'U werd nochtans aangetroffen, meneer, in de slaapkamer van mijn zuster, op een tijdstip en in een toestand die nauwelijks enige twijfel lieten.'

'Ik ontken geenszins, Monseigneur, dat de schoonheid van donna Anna mij sprakeloos maakte en dat ik heb getracht om haar mijn liefde te bewijzen, maar...'

'In dergelijke kwesties bestaat er geen "maar", meneer! Ontkent u uw staat van naaktheid? Ontkent u dat ook mijn ongelukkige zuster, God moge haar vergeven, slechts in evakostuum was?'

Ik moest de waarheid vertellen, hoe vreselijk ik mij ook schaamde…

'Niettemin, Monseigneur, konden al die verlokkingen…'

Ik kon niet uitspreken, maar de graaf verbleekte. Hij had het begrepen.

'En gelooft u mij vrij,' vervolgde ik, 'dat deze bekentenis van onmacht mij onuitsprekelijk pijnlijk is.'

'Genoeg, meneer, ik wil verder niets meer weten! U zou tenminste kunnen blozen omdat u zich geen man hebt kunnen betonen.'

De belediging deed me de knop van mijn degen omklemmen. Als de koets niet net dan gestopt was zou mijn gekwetste eer me vermoedelijk tot het ergste gedreven hebben.

Op het duelleerveld gooide ik mijn jas van me af en greep zonder te kijken een pistool. De graaf pakte het overblijvende wapen. Mijn vastberadenheid deed hem verbleken, hij trok zijn hemd uit en liet me zijn ontblote borst zien. Op mijn beurt toonde ik hem mijn borst en ik ging vijf of zes passen achteruit. Verder konden we niet terugwijken. Ziende dat hij even gehaast was als ik om de zaak achter de rug te hebben, liet ik hem de eer om als eerste te vuren. Zonder een woord legde hij aan, zijn hoofd verbergend achter de kolf van het pistool. Die lafheid stond me erg tegen. Op hetzelfde moment dat zijn schot afging, vuurde ik ook.

Ik zag hem vallen en rende naar hem toe. Zijn borst was rood van het bloed dat uit een gapende wond stroomde. Toen ik hem wilde helpen om zich op te richten, riep hij: 'Laat mij liggen. U hebt u gedragen als een man van eer. Maar vergeet niet dat u hier een vreemdeling bent en bovendien een vrijmetselaar, mijn vrienden zullen u dus niet sparen. Verlaat deze stad spoorslags en bekommer u niet om mij!'

Diezelfde avond nog vertrok ik naar Granada.

De telefoon ging. Dionysus onderbrak zijn lectuur.

'Hebt u nog nieuws?'

'De Italiaanse media bevestigen dat iemand van de brandstapel ontsnapt is. Dat moet een vrouw zijn, omdat er gesproken wordt over vijf
mannelijke slachtoffers.'

Stilte.

'Ze wordt beschouwd als kroongetuige en mogelijke verdachte.'

De meester nam het boek tussen zijn handen en streelde teder de leren band.

'De wegen van het lot zijn ondoorgrondelijk.'

11

Sicilië

Thomas leidde haar hand toen ze in het bijzijn van alle genodigden de bruidstaart aansneed. Kinderen in witte kleren holden om hen heen. Het orkestje speelde een Iers wijsje. Thomas nam haar in zijn armen en ze dansten een langzame wals onder de vertederde blikken van haar hele familie. Zelfs haar grootvader was er, hoewel die toch al tien jaar dood was, maar hij had haar altijd beloofd dat hij naar haar bruiloft zou komen. Al haar dierbaren waren present en bekeken haar liefdevol... Ze vond geen ander woord om hun blikken te beschrijven. Zelfs haar vader die altijd aanmerkingen had op haar manier van leven, glimlachte en haar moeder die naast hem stond was tot tranen toe geroerd... Ze bekritiseerden haar niet meer. Eindelijk. Ze draaide sneller en sneller in de beschermende armen van Thomas en gaf zich helemaal over aan zijn tedere kussen. Haar ogen blonken van vreugde. Dit was het gelukkigste moment van haar hele leven en het mocht niet ophouden.

Toch begon het orkest langzamer te spelen en allengs klonk de muziek doffer. De lichten doofden één voor één, de gezichten vervaagden in het donker, haar ouders en haar vrienden verdwenen stuk voor stuk. Paniek beving haar. Thomas loste op in een mist. De omhelzing van zijn armen werd losser.

In de grote spiegel in de balzaal zag ze zichzelf dansen, alleen, in haar prachtige jurk. En ze huilde. Ik houd van je...

Nooit meer wakker worden. De vuilgele gordijnen hinger er nog steeds. Ze begon wild te snikken zoals ze deed toen ze klein was. Ze wilde dat iedereen lief voor haar was. Ze had nooit iets stouts gedaan.

Na een kwartierlang gesnotter, onderbroken door momenten van bewustzijnsverlies, werd ze weer helemaal helder. Hoe lang had ze geslapen? Ze wist het niet. Ze dronk het glas water leeg dat naast haar stond. Net toen ze probeerde op te staan, ging de deur open en kwam er een doordringende uienlucht binnen.

Giuseppe liep naar haar toe en ging op de bedrand zitten. Hij zag er geschokt uit. Anaïs keek hem onderzoekend aan: 'Heb ik lang geslapen?'

'De hele middag, het is bijna zeven uur 's avonds. We zijn er gaan kijken.'

'En?'

'Er is overal politie. En ambulances en veel journalisten. U had gelijk, het was zoals u vertelde. De brandstapels stonden er nog met... wat er over is van de verbrande lijken.'

De jonge vrouw riep uit: 'Ik wist wel dat ik niet gek ben!'

'De politie heeft de hele omgeving afgezet. Mijn vader is ook ondervraagd of hij soms buitenlanders had gezien. Een buitenlandse.'

'En?'

'Hij heeft niets gezegd.'

Anaïs ging met een ruk overeind zitten.

'Maar waarom niet? Ik ben kroongetuige.'

'U begrijpt het niet. De politie heeft bekendgemaakt dat de eigenaren van de Abdij gezocht worden en dat een herder een vrouw die op u lijkt, door de velden heeft zien hollen. De pers heeft die informatie verspreid.'

'Dan moet ik toch aan de politie gaan vertellen wat er gebeurd is!'

'Zo simpel is het niet. Mijn vader heeft daar twee politiemensen lang horen praten met een man die ook betrokken was bij de zelfmoord van Don Sebastiano's dochter. Een notaris uit de streek die indertijd de zaak in de doofpot heeft gestopt. Hij werd vaak in de Abdij gezien.'

'Dan moet hij ondervraagd worden.'

'U begrijpt het nog steeds niet. Die twee politiemensen moesten die zelfmoord onderzoeken. Iedereen weet dat die man ze geld gegeven heeft om hun ogen te sluiten. Zelfs Don Sebastiano stond machteloos.'

Anaïs liet zich terugvallen.

'Omgekochte smerissen... Dat ontbrak er nog aan!'

'Als ze u te pakken krijgen, bent u niet veilig meer. Een ongeluk is gauw gebeurd en niemand zal vragen stellen. Gelukkig...'

'Gelukkig, wat? Geluk is iets waarop ik niet meer reken.'

'Mijn vader wil u helpen. Hij heeft ingezien dat hij fout zat en heeft de medewerking gevraagd van Don Sebastiano aan wie hij alles heeft verteld. Dat wil zeggen dat u moet...'

Ineens begreep Anaïs het: 'Dat ik moet...'

'Vluchten! Ja. En zo vlug mogelijk! Er wordt rondgebazuind dat elke informatie over u beloond zal worden. Er staat al een prijs op uw hoofd.'

12

Parijs

Marcas kwam uit het metrostation gare d'Austerlitz en liep in de richting van de brug die naar de rechteroever van de Seine voerde.

Een bezoek aan het Medisch-forensisch Instituut om het lichaam van
het slachoffer te bekijken kon hem niet bekoren. Hij trok al een vies gezicht bij de gedachte eraan. Hij was vroeg begonnen te vergaderen met
de twee medewerkers op zijn tijdelijke kantoor en het zou een zware dag
worden: na het Instituut wachtten hem het privéadres van de minister,
diens familie en vervolgens weer zijn kantoor. Als alles ging zoals gepland zou hij de volgende dag de minister opzoeken in de kliniek van
Louveciennes. En dan was de zaak rond. De affaire stond hem helemaal
niet aan en hij betrapte zichzelf erop dat hij vurig hoopte dat de patholoog niets bijzonders zou vinden. In één nacht tijd was hij omgekeerd
als een blad aan de boom.

Je lijdt aan stemmingswisselingen.

De verkeersstroom produceerde een dof geraas dat pijn deed aan de
oren van de wandelaars die zich voortrepten op het voetgangersgedeel-
te van de brug. Al maanden liet hij de auto staan wanneer hij afspraken
in Parijs had. Zelfs zwaailichten hielpen niet meer in sommige delen van
de hoofdstad, die compleet verstopt waren dankzij de aanleg van speciale rijstroken voor autobussen. Zoals alle Parijzenaars had hij hartgron-
dig gescholden op die minirevolutie en was uiteindelijk moegestreden
gezwicht voor het openbaar vervoer. Tot zijn eigen verrassing beviel
hem dat uitstekend. De man die al jaren meer geen metrostel van binnen
had gezien, werd tot zijn eigen verbazing een kampioen overstappen,
goochelde met aansluitingen, berekende in een oogwenk het kortste
traject van punt A naar punt B.

64

Hij liep snel over de pont d'Austerlitz en zag rechts het lager gelegen bakstenen gebouw van het Medisch-forensisch Instituut.

Medisch-forensisch Instituut…

Een serieuze, neutrale, administratieve benaming die prettiger in de oren klonk dan 'mortuarium' met zijn verzameling bevroren lijken en onappetijtelijke autopsieën.

Marcas nam de quai de la Rapée en sloeg af naar de place Mazas waar de ingang was van het eerbiedwaardige Instituut. De formaliteiten waren snel afgehandeld en binnen tien minuten werd hij de identificatiezaal binnengeleid waar een medewerker een trolley voorreed, bedekt met een blauw laken dat het gezicht van een vrouw vrij liet.

Marcas liep naar het lichaam toe. Hij had er een gruwelijke hekel aan om die gekoelde lijken van zo dichtbij te bekijken. Het zien van doden op de plaats van hun overlijden deed hem niets, het was alsof er dan nog een klein deel van ze bleef doorleven. Maar hij had het idiote gevoel dat het kille, steriele mortuarium ze voorgoed naar gene zijde stuurde.

Hij bestudeerde het slachtoffer met groeiende ontsteltenis. Eerst weet hij het aan het lichteffect en toen hij daarom van plaats wisselde en recht voor de brancard ging staan verstijfde hij van verbijstering. Het was de eerste keer dat hij een overledene zag glimlachen of in elk geval die indruk wekken. Op het mooie, ovale, fijngevormde gezicht lag een raadselachtig gelukkige uitdrukking, alsof de mondspieren op het moment van overlijden waren verstard.

'God, wat is de dood mooi. Ik kan maar niet achterhalen wie dat heeft gezegd.'

Geschrokken draaide Marcas zich om. Een man met een scherpe blik, iets gebogen in een witte jas, stond pal achter hem. Hij had hem niet horen aankomen. De badge op de witte jas vermeldde dat het dokter Pragman was. Marcas herkende de naam van de patholoog die de autopsie deed.

'Goedemorgen, commissaris, ik heb u toch niet te lang laten wachten?'

Marcas schudde de ferme hand die de arts hem toestak.

'Nee, ik stond naar die jonge vrouw te kijken. Als ze niet zo blauw zag, zou je denken dat ze elk ogenblik wakker kon worden.'

'Helaas niet, jammer genoeg. Het was een heel mooie vrouw die een heel mooie dood is gestorven.'

'Dat wil zeggen…?'

De gerechtsarts haakte een plastic mapje van een stang van het rijdende bed en haalde er een blauwkartonnen dossier uit. Hij zette een vierkant brilletje op en las wat er stond: 'Ik bespaar u de details en geef u direct de voorlopige conclusie. Deze vrouw stierf aan een hersenbloeding, hoogstwaarschijnlijk als gevolg van een zeer intens seksueel verkeer. Het is betrekkelijk zeldzaam bij vrouwen, maar het kan gebeuren. Hoewel...'

Dokter Pragman zocht naar woorden.

'Ja...'

'Hoewel ze geen van de gebruikelijke tekenen vertoont die erop wijzen dat het hart een te grote hoeveelheid bloed ineens te verwerken kreeg, waardoor een bloedvat barstte, maar zonder pijn te veroorzaken. Heel curieus.'

Marcas werd ongeduldig.

'Dokter, het enige wat me interesseert is de vraag of het om moord gaat. Is volgens u de minister verantwoordelijk voor dit overlijden?'

Het gezicht van de arts betrok.

'Die politiemensen toch, altijd haast... Ik zou zeggen van niet, het is zo goed als onmogelijk.'

Marcas liet een voldaan geluid horen.

'Mooi zo. Met die conclusie kan de rechter het lichaam vrijgeven en deze affaire snel afsluiten. Uitstekend. Er is geen aanleiding voor een regeringscrisis. Zaak gesloten.'

Hij schaamde zich een beetje dat hij de zaak van de minister zo onverschillig afdeed, maar de idee dat hij van het corvee verlost was luchtte hem enorm op. Het inleidende onderzoek was voorbij voordat het zelfs maar was begonnen. Hij kon terug naar zijn vervalsers en misschien zelfs op vakantie naar Argentinië. Hij wilde al afscheid nemen van de gerechtsarts, maar die bleef staan.

'Is er nog iets anders, dokter Pragman?'

'Ik wil nog verder onderzoek doen.'

'Waarom? De doodsoorzaak staat toch vast?'

'Ik heb u alleen gezegd dat hoogstwaarschijnlijk, met nadruk op dat woord, de minister geen schuld heeft aan de dood van deze vrouw, maar ik wil nog biologisch en toxicologisch onderzoek doen. Dit CVA lijkt me verdacht.'

Marcas kreeg langzaam de pest in. Zolang de gerechtsarts zijn rapport niet had afgerond, bleef het inleidend onderzoek geopend.

'Zonder u te willen opjagen, hoe lang duurt dat nog?'

'Ik weet het niet. Drie, vier dagen misschien, in elk geval tot begin volgende week.'

'U weet dat deze geschiedenis op hoog niveau gevolgd wordt; iedereen wil het zo snel mogelijk achter de rug hebben. Ik heb Binnenlandse Zaken, de premier en de president op mijn nek. Een minister die in een inrichting zit en…'

'Ik weet het wel,' onderbrak de arts hem, 'maar u hoeft mij mijn vak niet te leren. We hebben hier al andere gevoelige zaken behandeld. In dat soort geschiedenissen, zoals u ze noemt, kunnen de conclusies van de autopsie heel erg onder vuur komen te liggen. Als de familie van het slachtoffer een klacht indient, wordt mijn autopsie het middelpunt van een eindeloos juridisch getouwtrek. Alleen maar omdat ik broddelwerk heb geleverd op het snuggere advies van een dociele politieman. Bespaar me dus in hemelsnaam uw politieke tips, commissaris. Goedemorgen.'

Dokter Pragman draaide zich om en liet Marcas alleen met het lijk in de grote lege zaal. De reactie van de gerechtsarts had hem witheet gemaakt. *Dociel.*

De dokter had het woord met een ijzige minachting uitgesproken. Het lef om hem voor slaafse ambtenaar uit te maken, hém, met zijn reputatie van onwankelbare onomkoopbaarheid. Wat dacht die vent wel? Marcas keek nog een keer naar de vrouw en stormde het Medisch-forensisch Instituut uit.

Buiten was de wind opgestoken en blies zwerfvuil over de trottoirs langs de Seine. Marcas zette er chagrijnig de pas in. Hij was dodelijk beledigd door de kwetsende opmerking van de gerechtsarts. Even zon hij op manieren om hem dat betaald te zetten door zijn dossier uit te pluizen op akkefietjes die hij hem een volgende keer onder de neus kon wrijven. Hij trapte tegen een kartonnen doos, maar dat koelde hem niet af.

Eerst dat toneelstukje van de adviseur van de minister op Buttes-Chaumont en nu weer die verwaande pil. Alles zat tegen.

Trouwens, Marcas' hele leven zat hem tegen. Al sinds zijn breuk met Jade*. Ze waren dolverliefd geweest, maar de idylle was na enkele maan-

* Zie *Het schaduwritueel*

den samenwonen verzuurd. Zij was gewoon te onafhankelijk, te zelfverzekerd, te mooi, te uitgesproken, te verschillend. Te veel voor Marcas die niet had geleerd met dit soort vrouwen om te gaan. Hun relatie was ten onder gegaan in het drijfzand van kleingeestige dagelijkse ergernissen en uiteindelijk gingen ze opgelucht uit elkaar. Zij had een baan aangenomen bij de Franse ambassade in Washington en liet hem eenzaam achter in de rue Muller in Parijs.

Zijn leven werd vergald door sluipende rancune en twijfel. Zijn arts, een broeder, had hem aangeraden om een tijdje vakantie te nemen en schreef hem Prozac voor die hij in de vuilnisbak had gegooid, toen hij na drie dagen de eerste bijeffecten begon te voelen. Zijn werk boeide hem niet meer zoals vroeger en zelfs de bijeenkomsten in de loge lieten hem onverschillig.

Hij was pas eenenveertig en hij kon zo niet doorgaan, hij overwoog serieus om in therapie te gaan. *Bij een psychiater-vrijmetselaar?* Die vraag leek hem tegelijkertijd ongepast en zinnig. Enkel een broeder begreep het belang van het werken aan zichzelf dat het doel van de trouwe bezoeker van de tempel was. Hij zag niet hoe hij aan een profane psychiater kon uitleggen dat hij de ruwe steen moest bewerken tot een kubus. Bestond er eigenlijk een specifieke therapie voor vrijmetselaars? Hij moest het eens aan zijn Achtbare vragen. In alle ernst.

Het ging harder waaien en het grauwe water van de Seine werd onstuimiger. Werklui worstelden met een dekzeil om de grote hoop zand te beschermen die klaarlag voor werkzaamheden aan de kademuren. Een waarschuwingsbord voor het scheepvaartverkeer raakte los en vloog naar de quai d'Austerlitz.

Marcas liep gebogen tegen de wind in en kwam met moeite vooruit. Van de overkant van de brug naderde heel voorzichtig een jonge zwangere vrouw die duidelijk bang was omver geblazen te worden.

De jonge vrouw was niet lang bestand tegen de rukwinden en viel twee meter voor Marcas op de rijweg, waar net een scooterkoerier kwam aangeracet. Ze gilde, de scooter remde uit alle macht en belandde slippend tegen de brugleuning. Marcas rende naar de vrouw, terwijl een andere voorbijganger met brede gebaren het verkeer omleidde. Hij hielp haar met opstaan, zo te zien was ze ongedeerd.

'Dank u, ik ben me lam geschrokken.'

'Geen dank, gaat het?'

De aanstaande moeder glimlachte.

'Ik ben nog heel.'

Achter hen klonk een schorre stem.

'Hé, muts, kijk in het vervolg een beetje uit. Mijn scooter ligt in puin. Het moest hier verboden worden voor dikbuiken als het zo waait.'

De koerier, een kalende vent met een buikje, probeerde zijn scooter overeind te hijsen.

Marcas liet de vrouw bijkomen en stapte op de koerier af.

'Een beetje beleefder kan ook.'

'Had ik het tegen jou, eikel? Hou je er dan even buiten. Ik moet werken voor mijn brood.'

Marcas was verrukt dat hij een slachtoffer had gevonden om zijn woede op te koelen. Hij stak de koerier zijn politiekaart onder de neus.

'Weet je wat deze eikel gaat doen... Hij pakt je op wegens belediging van een ambtenaar in functie en poging tot het toebrengen van letsel aan een weerloos slachtoffer.'

De man verbleekte onder zijn helm en liet zijn scooter weer zakken.

'Sorry... sorry. Dat wist ik niet.'

Marcas greep hem bij de kraag van zijn motorjack.

'En nu bied je mevrouw je excuses aan en je helpt haar de brug oversteken. Dan lever je een bijdrage aan de toekomst. En als ik tevreden over je ben, mag je gaan. Doen we dat?'

'Natuurlijk... Ja, meneer.'

'Meneer wát?' informeerde Marcas ijzig.

'Meneer euh...'

'We zeggen: meneer de commissaris.'

'Ja, meneer de commissaris.'

'Vooruit, man, ik ben eigenlijk nog veel te goed.'

De koerier bood de jonge vrouw zijn arm. Bij wijze van dank zond ze Marcas een stralende glimlach.

Zijn boosheid was door het voorval gezakt. Hij probeerde zijn kalmte te herwinnen.

Je reageert je af op die arme koerier, je maakt je schuldig aan machtsmisbruik bij die parkwachter. Marcas, je wordt een oude zeikerd.

Langs de kade lopend, dacht hij terug aan het gesprek met de gerechtsdokter. Pragman had helemaal gelijk.

Hij deed zijn werk belabberd. Niet uit dociliteit, maar uit egoïsme, wat nog veel erger was. Hij had gewoon geen zin meer om het zich moeilijk te maken en daarmee pleegde hij verraad aan de uitgangspunten van zijn loopbaan bij de politie: een niet-alledaags leven te leiden en recht te doen zegevieren. De maatschappij helpen verbeteren. Hetzelfde ouderwetse, hoogdravende, maar wezenlijke ideaal dat hem naar de vrijmetselarij had gedreven om daar te arbeiden aan tempels van deugd en duistere kerkers van ondeugd.

Hij dacht aan de kille verstarring op het gezicht van de dode vrouw dat binnenkort zou wegrotten in een eenzaam graf. Vergeten door de mensen en door het gerecht, alleen maar omdat hij, Antoine Marcas, met vakantie wilde en geen trek had in de beslommeringen van het bestaan van de doorsnee smeris.

Hij was nijdig op zichzelf omdat hij zijn roeping verloochend had. Hij zou de volgende dag de minister gaan opzoeken in de kliniek. Hij nam zijn mobieltje en belde zijn tijdelijke kantoor op de quai des Orfèvres.

Een van zijn mensen nam op.

'Ja?'

'Vergadering morgenochtend om acht uur.'

'We hebben de familie van de vrouw opgezocht. Ik...'

'Vertel me dat morgen maar. Ik ga nu naar het huis en dan naar het kantoor van de minister. Ik ga inbrekertje spelen.'

'Hoezo?'

'Laat maar, ik neem mezelf op de hak.'

13

Parijs,
Hôtel de Pimodan,
negen uur 's avonds

Geleidelijk nam het verkeerslawaai af. In de mist leek het eeuwenoude île Saint-Louis op een schip zonder mast dat midden in Parijs aan de grond was gelopen. Uit het Seinewater langs de quai d'Anjou steeg een dichte mist op die de omtrekken van de huizen deed vervagen en de brede koetsdeuren met hun wapenschilden aan het oog onttrok. Het gelige schijnsel van lantaarns en licht dat uit woonkamers naar beneden viel drong nauwelijks door de lentenevel die door de smalle straatjes woei.

Het natgeregende trottoir weerkaatste voetstappen die zich naar de ingang van Hôtel de Pimodan haastten. Een klamme wind die de geuren van de rivier meevoerde, deed bontmantels opwaaien. De mannen zetten de kraag van hun smoking op. Men vroeg zich af wat de antiquaar Kerll bezielde om de jetset van Parijs in een dergelijk oord uit te nodigen. Maar de man en zijn dolle invallen waren nu eenmaal bekend en aangezien de eerste camera's flitsten, liet iedereen zijn mooiste VIP-glimlach vastleggen voor de vluchtige eeuwigheid.

Eindelijk gingen de deuren open. Het complex uit de tijd van Lodewijk XIV was gebouwd rond een binnenplaats met oneffen bestrating, waarop gevels met hoge ramen uitkeken. De eerste gasten beklommen het bordes al. Gelach en gepraat steeg op langs de enorme trap die naar de ontvangstzalen leidde. Op het breedste gedeelte van elke trede stond een bronzen zuil met daarop een sfinx die een brandende kaars in zijn gekromde klauwen klemde. Een nagalm van de Grand Siècle, de tijd waarin het hôtel, een van de meest praalzieke uit die periode, was gebouwd. De sfinxen herinnerden tevens aan *La Mille et Deuxième Nuit* van Théophile Gautier, want tussen deze muren gaven Balzac, Baudelaire, Nerval en Delacroix zich over aan het genot van de hasjiesj, die ze savoureerden als een exquis gerecht.

Edouard Kerll die op het bordes stond, was waarschijnlijk de enige die de literatuurgeschiedenis voldoende kende om van dit verhaal te genieten. Met een brede glimlach ontving hij zijn gasten, met een hoofdknikje voor de heren en een buiging voor de dames. Die ouderwetse hoffelijkheid ontleende hij aan zijn afkomst, die hij gebruikte om mensen te maken en te breken. In kringen van kunsthandelaars en -verzamelaars werd meneer Kerll gevreesd. Hij was gespecialiseerd in incunabelen, onbetaalbare bibliofiele uitgaven en handgeschreven opdrachten van literaire reuzen. Hij had een belangrijke positie bevochten op de Parijse financiële markt. Geen enkele eerste uitgave uit de renaissance, geen enkel onuitgegeven manuscript ontsnapte aan zijn zakelijk instinct. Bij erfgenamen van grote schrijvers en in kringen van door de wol geverfde verzamelaars was bekend dat alles wat hij aanraakte in goud veranderde. Binnen enkele jaren had hij de antieke boeken- en handschriftenmarkt op zijn kop gezet door opdrachten van Proust als belegging te verkopen aan Japanners en door Picasso geïllustreerde eerste uitgaven van André Breton aan Amerikaanse pensioenfondsen. Zo kwam hij aan zijn fortuin en zijn reputatie die hem in staat stelden om van de stad Parijs het beroemde hôtel te huren voor deze mondaine soiree, de meest geruchtmakende van de nieuwe lente.

Net als de vedettes van het moment waren de journalisten tot alles bereid om aan een uitnodiging te komen. Sinds de verkoop van het Casanovamanuscript hadden ze er allemaal over geschreven. Die na twee eeuwen weer opgedoken bladzijden ontketenden een mediastorm. De beste redacteuren van de grote kranten hadden hun superlatieven geslepen, hun adjectieven opgepoetst en daarmee tot op de laatste dag kunstige slingers van lofprijzingen gevlochten.

Nochtans had Kerlls uitnodigingenbeleid voor verrassingen gezorgd. De hotemetoten van de gedrukte media hadden weliswaar allemaal hun felbegeerde invitatie gekregen, maar ook minder bekende journalisten konden zich tot hun eigen verbazing tussen de kopstukken uit het vak mengen. De grillige methode-Kerll bestond eruit om nooit het toekomstige potentieel van krullenjongens en naamlozen te verwaarlozen. Dat dacht tenminste de groep aankomende journalisten die tegen een schoorsteenmantel met friezen vol mythologische voorstellingen leunden. Ze maakten een mentale foto van iedereen die de grote zaal betrad.

De zaal waarin het manuscript lag was nog afgesloten en werd onopvallend bewaakt door twee bodyguards in smoking. Het wachten was nog op de afgevaardigden van het ministerie van Cultuur om te kunnen beginnen met de toespraken. Edouard Kerll kwam aanslenteren in gezelschap van een man in een scherp gesneden maatpak. Het geroezemoes verminderde op slag. Iedereen herkende Henry Dupin, de ontwerper die na mei '68 de revolutie in de vrouwenmode teweeg had gebracht en die zich nadien had teruggetrokken in zijn villa bij Nice. Zijn aanwezigheid verbaasde de oningewijden, maar zeker niet de verzamelaars die de hartstocht van de couturier kenden voor literaire werken met opdrachten. Al dertig jaar kocht hij systematisch manuscripten en boeken die van een opdracht waren voorzien. Zijn privéverzameling Cocteaus sloeg alles wat de openbare bibliotheken bezaten. Sinds enkele jaren strekte zijn verzamelwoede zich ook uit tot de achttiende-eeuwse literatuur. Er werd gefluisterd dat hij een ongepubliceerde brief van Rousseau over homoseksualiteit bezat en zelfs een onbekend fragment van de *Liaisons dangereuses*. En vooral deed het verhaal de ronde dat hij de grootste bieder was geweest voor het Casanovamanuscript en dat hij zijn nederlaag maar moeilijk kon verteren. Toch stond hij daar, kaarsrecht ondanks zijn leeftijd, een felle blik achter de hoornen bril, zwijgend te luisteren naar wat de boekhandelaar hem in het oor fluisterde.

'Dames en heren,' klonk het vanaf een podium aan de overkant van de zaal. 'Dames en heren, even stilte alstublieft. Over enkele minuten zal onze gastheer de zaal openen waar zich het zwaarbewaakte en tot nu toe ongepubliceerde manuscript bevindt van Giacomo Casanova. Het nog onbekende hoogtepunt der letterkunde dat onze vriend Edouard Kerll heeft aangekocht.'

'... heeft aangekocht namens een cliënt die anoniem wenst te blijven, maar die zo goed is dit bijzondere manuscript tijdelijk af te staan, zodat ik het voor één avond aan u kan tonen,' onderbrak de antiquaar hem.

De televisiepresentator die de aankondiging had gedaan applaudisseerde uitbundig en werd daarin gevolgd door alle aanwezigen.

'Namens alle aanwezigen dank ik hierbij hartelijk deze mecenas, die de ontelbare liefhebbers van Casanova in de wereld ongetwijfeld spoedig zal verblijden met een uitgave die deze onuitgegeven memoires waardig zal zijn.'

Opnieuw klaterde er applaus op in de zaal.

'En nu, Edouard, is het langverwachte moment aangebroken…'

Bij de ingang ontstond gedrang. Tientallen flitslichten gingen af. Alle blikken richtten zich op de scharlaken avondjurk die in de menigte zichtbaar werd. Voorafgegaan door lijfwachten in donkere pakken baande de gestalte zich een weg door het publiek, terwijl haar naam rondzong door de zaal. Dit was de klapper van Edouard Kerll: de Frans-Spaanse filmactrice Manuela Réal, wier engelachtige glimlach en uitdagende boezem de voorpagina van alle bladen zou halen.

De presentator op zijn podium voelde de situatie haarscherp aan.

'Dames en heren, een hartelijk applaus voor…'

Een donderende ovatie barstte los. De actrice legde haar hand op haar hart bij wijze van groet, haar ogen vochtig van de kunstmatige tranen.

'Heerlijk dat je bij ons wilt zijn vanavond, Manuela. Dank je voor je komst… En nu…!'

Een klavecimbel begeleid door violen begon zachtjes te spelen. Er klonk een concert van Vivaldi, eerst lichtvoetig als een windvlaag, dan ernstiger naarmate de akkoorden van de cello samensmolten tot een trage klaagzang.

Edouard Kerll gaf de bewakers een teken. Op slag stopte de muziek en vielen de gesprekken stil. De grote dubbele deuren zwaaiden open, een gele lichtbundel floepte aan uit het niets.

14

Sicilië

Anaïs werd met een schok wakker uit een droomloze slaap. Het was doodstil in de kamer, maar toch had ze het gevoel dat ze niet alleen was. De deur stond op een kier. Ze tuurde in het duister, maar zag niets verontrustends. De wekker wees elf uur 's avonds aan.

Je verbeelding slaat op hol.

Ze nam een glas met water dat naar sinaasappelbloesem rook, het bewijs van de nieuwe achting die de familie haar toedroeg, gemengd met de flauwe medicijnlucht van een opgelost slaapmiddel. Ze dronk het in een teug uit, in de hoop weer weg te zakken in een bodemloze slaap. Na een minuut of vijf stond ze toch op en liep naar de commode waarop de oude vrouw naast de spiegel een kom water had klaargezet.

Ze bekeek haar eigen vermoeide spiegelbeeld. Waar was de prinses van de Abdij gebleven, de betoverende vrouw in haar mooie jurk? Ze vond zichzelf niet om aan te zien. En moederziel alleen, in deze vieze kamer.

Ze verlangde smartelijk terug naar haar saaie leventje. Haar baan als junior – nog geen senior – analiste grondstoffenmarkt. Naar haar kantoor aan de Défense, de pesterijen onder collega's en naar de bleke gezichten van haar medereizigers in de RER. Haar buurvrouw had haar verklikt bij de beheerder omdat ze een deurmat met een roze varken erop had neergelegd, wat een overtreding was van de huisregels betreffende deurmatten. De zondagen doorgebracht onder haar warme dekbed, al dan niet met het vriendje van de week, dvd's van oude Hollywoodfilms kijkend. Het soort films waarin smeerlappen als Dionysus op het einde altijd het onderspit delven. Ze miste zelfs de druilerige, regenachtige namiddagen.

Kleine Parisienne met een baantje en vriendjes. Een petieterig leventje.
Geen wonder dat die onzin van Dionysus met zijn zogenaamde leer erin ging
als koek. Hij heeft je ingepakt met vleierij. Hij liet je geloven dat je anders
bent dan de rest. Dat je een bijzonder iemand bent. Beter dan de kudde met
wie je elke ochtend in de metro zat. Dat je een ster bent.

Anaïs wreef met haar wijsvinger onder haar ogen. Uitgelopen mascara maakte de donkere kringen nog erger. Ze wilde haar reinigingsmelk, haar superzachte wattenschijfjes, haar nachtcrème, haar…

Ik wil mijn eigen badkamer. Ik wil naar huis, naar mijn tweekamerflatje in de rue Montorgueil. Ik wil hier weg!

Vastbesloten om niet toe te geven aan een opkomende nieuwe huilbui liet ze zich op het bed vallen.

Ze putte troost uit het contact met het zachte hoofdkussen. Ze voelde zich een beetje, een héél klein beetje, veiliger.

Het gezicht van Dionysus verscheen voor haar geestesoog als de akelige herinnering die je probeert te verjagen, maar die zich hardnekkig blijft opdringen.

Ze dacht terug aan haar eerste ontmoeting met hem, zes maanden eerder. Ontmoedigd in haar werk, ontgoocheld door de laatste man met wie ze had samengewoond en die haar had bedrogen, was ze op zoek naar een ideaal en had zich ingeschreven voor een cursus persoonlijke ontwikkeling in de Provence. Op de laatste cursusdag gaf hij als gastspreker een voordracht over tantra en oosterse spiritualiteit.

Zijn geheimzinnige aantrekkelijkheid was onweerstaanbaar. Hij stelde zich voor als de oprichter van een inwijdingsgenootschap, de Adbij van Thelema, dat 'bij mannen en vrouwen verzoening wilde teweegbrengen tussen hun vleselijke zijn en hun spirituele beginsel. Opdat ze de volmaakte staat van androgynie zouden bereiken.'

Hij liet zich Dionysus noemen, naar de Griekse god van de wijn en het zinnelijke genot. Lachend zei hij erbij dat hij die naam veel mooier vond dan zijn alledaagse familienaam, die hij alleen nog maar gebruikte voor administratieve formaliteiten.

Hij was zelfs zo bescheiden om zich niet op te stellen als de goeroe van een nieuw openbaringsgeloof, maar als nederige discipel van 'entiteiten die hem waren voorgegaan', zoals Gandhi, Krishnamurti, en zelfs Casanova wiens reputatie van schandelijke vrouwenverleider volgens Dionysus een kwalijke geschiedvervalsing was. 'De grote monotheïstistische godsdiensten hebben zich altijd verzet tegen elke notie van het genot, dat de voorwaarde is van ontplooiing voor mannen en vrouwen. De genotservaring is de bevrijding van het echte kwaad, genot voelen betekent dus het goede doen.' Anaïs zou die woorden nooit meer vergeten.

Aangetrokken als ze was had ze vervolgens andere leden van de Abdij leren kennen en had ze zich verdiept in de leer van Dionysus, een wonderbaarlijk allegaartje van magisch-occulte teksten vermengd met seksuele theorieën. Hoewel Anaïs op erotisch gebied weinig taboes kende joeg die combinatie haar wel een beetje schrik aan. Haar twijfel werd weggenomen toen ze merkte dat Dionysus geen enkele seksuele relatie onderhield met zijn volgelingen, terwijl hij de meesten van zijn vrouwelijke volgelingen toch zonder probleem in bed kon krijgen.

Na enkele maanden had Anaïs eindelijk gevonden wat ze zocht. Mensen die van haar hielden om wat ze was, met al haar kwaliteiten en gebreken en die haar geen enkele moraal probeerden op te dringen. Ze liet bijna al haar vrienden, die ze niet meer de moeite waard vond, in de steek voor die nieuwe zorgzame, attente, gecultiveerde familie. Eén van hun lijfspreuken was: 'Doe wat ge wilt', wat niet zoals ze eerst dacht een verwijzing was naar Rabelais, maar naar een onbekende Engelse geestelijk leidsman, wiens naam ze alweer vergeten was.

Na te zijn ingewijd op een landgoed van de groep in de Var, had ze gretig ingestemd in een langer verblijf in de Abdij op Sicilië. Haar ontmoeting met Thomas was de vervulling van een lang gekoesterde droom.

Een droom die was veranderd in een nachtmerrie.

Vechtend tegen de slaap gooide Anaïs zich nogmaals op haar andere zijde.

Een sekte van gekken. Dat was het. En ik heb niets zien aankomen. Helemaal niets.

15

Parijs,
Hôtel de Pimodan

Het manuscript van Casanova met zijn pagina's vol met doorhalingen lag midden in de kamer en suite op een eenvoudig withouten tafeltje. Het werd belicht door het gele licht van een paar spots in het plafond.

Merkwaardig genoeg bevond er zich geen obstakel tussen het manuscript en het publiek.

Geen veiligheidsglas, geen bewegingsmelder. Het boek was opengeslagen op een willekeurige pagina. Je kon het nauwelijks vergeelde papier bijna aanraken en met je wijsvinger over de opgedroogde inkt gaan. Niemand voelde zich daar kennelijk toe geroepen. Men wierp er een snelle blik op, mompelde iets en stortte zich vervolgens op het buffet. 'Ik heb het gezien' was minder belangrijk dan 'ik was erbij'. Maar één gast bleef er gefascineerd naast staan. Henry Dupin. Hij keek ademloos naar het krullerige geschrift, naar de woorden die koortsachtig op papier waren gekrast door de avonturier wiens liefdesperikelen al eeuwenlang bleven boeien.

'Vreemd, hè, al die doorhalingen!' zei een vrouwenstem. 'Andere manuscripten van Casanova die ik heb gezien, waren veel vloeiender geschreven. Dit is voor het eerst dat…'

'Vergeet niet dat dit een laat manuscript is, geschreven door een oude man,' onderbrak de hoge stem van de kenner. 'En het is een kladversie. Een tekst die Casanova nooit heeft afgemaakt. Een eerste schets!'

De glimlach van de conservatrice van de Bibliothèque nationale was niet oprecht.

'Ongetwijfeld! Ongetwijfeld! We weten trouwens heel weinig over de schrijftechniek van onze Venetiaan.'

'Voldoende toch om de echtheid van dit manuscript te kunnen bevestigen. Zestig inderhaast geschreven pagina's. En het laatste werk van een man die de hete adem van de dood in zijn nek voelde.'

'Een soort testament eigenlijk?' vroeg Manuela Réal.

De kenner maakte een buiging voor de actrice.

'Meer dan dat, mevrouw, veel meer!'

Bij een met fluweel bespannen tafel waren technici microfoons aan het testen. Daartegenover gingen al journalisten zitten. Er was aangekondigd dat ter afsluiting van de avond Edouard Kerll de media te woord zou staan. Hij was dol op zo'n soort duel waarin hij kon schitteren.

De eerste hand ging omhoog.

'Meneer Kerll, waar hebt u dit manuscript gevonden?'

Het antwoord was scherp, snel en onverwacht als een zweepslag.

'Daar waar je het niet zou zoeken.'

'Kunt u iets concreter zijn?'

'Ik kan alleen zeggen dat het manuscript al twee eeuwen ergens in de provincie lag. Casanova had een broer, François, een in zijn tijd bekende schilder die in Frankrijk leefde voordat hij naar Wenen uitweek. Vlak voor zijn dood stuurde Casanova een pakje aan de Franse familie van zijn broer, die hij al tijden uit het oog verloren was. Een pakje… met een verzoek.'

'Een verzoek?'

'Ja, in de brief die bij het manuscript zat, maakte hij de wens kenbaar dat…'

De antiquaar keek zijn gehoor glimlachend aan: 'Hij wilde dat het manuscript werd overhandigd aan een aristocraat, hertog de Clermont.'

'Hertog…?'

'Hertog de Clermont. Een prins van den bloede. Maar Casanova wist niet dat de hertog al in 1771 was gestorven.'

Er werden verschillende vragen tegelijk afgevuurd. Edouard Kerll liet de eerste golf aan zich voorbijgaan.

'Waarom moest het manuscript juist aan die hertog worden gegeven?'

'Ik weet het ook niet. Wellicht als aandenken…'

'Aandenken aan wat?'

De glimlach van de antiquaar werd nog breder.

'Vergeet u niet dat Casanova zijn memoires aan het schrijven was. Zijn hele leven passeerde de revue. Zijn ontmoetingen. Zijn Parijse tijd. Zijn vrienden… Zijn broeders.'

Een zware stem vroeg: 'Zei u… "zijn broeders"?'

'Jawel, *zijn broeders*! Hertog de Clermont was Grootmeester van alle reguliere loges in Frankrijk. Hij was het die Casanova inwijdde in de hoge graden van de vrijmetselarij.'

Er brak tumult los in de zaal.

'Meent u dat?'

'Absoluut! Casanova werd ingewijd in Lyon, in juni 1750. Het staat in zijn Mémoires. Deel drie. Hoofdstuk zeven.'

'En daarna?'

'In Parijs werd hij daarna Gezel en vervolgens Meester in de loge Saint Jean de Jérusalem. Dat heeft Casanova zelf nog toegevoegd aan de tweede versie van het manuscript van zijn Mémoires. U kunt het zelf nalezen.'

'Maar u zei dat hij was ingewijd in de hoge graden?'

'Dat klopt. In 1759 was Casanova in de Nederlanden. Hij woonde er een bijeenkomst van vrijmetselaars bij in de loge La Bien Aimée in Amsterdam. En zoals elke bezoeker tekende hij het visiteurenboek. Hij deed dat als "Soeverein Groot-Inspecteur Generaal", wat overeenkomt met de drieëndertigste en de allerhoogste graad van de Schotse ritus.'

Het opsteken van een hand ging gepaard met veel gerinkel van zilveren armbanden.

'Ja, mevrouw?'

'Ik heb hier de beschrijving die het veilinghuis maakte van het manuscript. Ik was heel verbaasd, en ik ben vast niet de enige, door wat we maar zullen noemen de "beknoptheid" ervan. Je vindt er wel uitvoerige details over de oude band, over de niet altijd kloppende nummering, de gebruikte papiersoort, de grafologische analyse van het handschrift. Kortom, over alle dingen die moeten aantonen dat het manuscript echt van Casanova is. Maar over de inhoud wordt niets gezegd. Behalve dat het gaat om, ik citeer: "een ongepubliceerd hoofdstuk uit de Mémoires waarin Casanova, op de drempel van de dood, terugkijkt op bepaalde markante gebeurtenissen in zijn leven, daarbij intieme herinneringen vermengend met filosofische bespiegelingen".'

'Hebt u ook de eerste pagina van de catalogus gelezen, mevrouw?' onderbrak Kerll.

'Ja, die heb ik gelezen. Daar staat de gebruikelijke informatie. Plaats en datum van de veiling… naam van de veilingmeester… de expert…'

'En mijn naam, gevolgd door een cursief zinnetje: "… staat ter beschikking van belangstellenden". Mijn klanten lezen daar zelden overheen.'

'Wil dat zeggen dat nadere informatie voorbehouden is aan uw beste klanten?' vroeg de journalist die de cultuurrubriek van *L'Humanité* deed.

'Net zoals uw krant indertijd de duistere geheimen van het Kremlin onder de pet hield!'

Bulderend gelach in de zaal. Eén nul voor Edouard Kerll.

'Serieus nu, meneer Kerll, wat onthult Casanova eigenlijk in dat manuscript?'

De vraag kwam van de redacteur van de *Directory of Casanovists*, Lawrence Childer, een specialist in deze materie.

'Wel, ten eerste een reis die in de gepubliceerde Mémoires niet werd vermeld.'

'Een reis?'

'Ja, of liever gezegd, een verblijf.'

'Waar dan?'

'In Granada, in 1768. In die periode was Casanova in Spanje. Hij was drieënveertig en de jaren begonnen hun tol te eisen. Het was een keerpunt in zijn leven. Hij ging nadenken over zijn leeftijd en zijn omzwervingen.'

Henry Dupin, die aan de overkant van de zaal stond, verbleekte. Die laatste woorden van de antiquaar leken een gevoelige snaar bij hem te raken. Hij tastte naar een stoel, ging zitten en staarde naar de grond.

'In die Spaanse tijd is Casanova aan het schrijven gegaan. Niet het soort aantekeningen die hij gewoonlijk maakte voor zijn dagboeken, maar een essay. Een filosofisch werk dat hij zijn leven lang bij zich hield. En dat hij vlak voor zijn dood weer opnam.'

Lawrence Childer vroeg andermaal het woord.

'Meneer Kerll, Casanova heeft zijn leven lang geschreven. Filosofische essays. Wetenschappelijke verhandelingen. Politieke utopieën. Theaterstukken. Opera's. Literaire kritieken… Alles is teruggevonden, geïnventariseerd en bestudeerd. We kennen inmiddels elk zinnetje dat hij heeft geschreven. Dus wat voegt dit manuscript daar nog aan toe?'

Het gezicht van Edouar Kerll verstrakte.

'Meneer Childer, die vraag kunt u beter stellen aan de nieuwe eigenaar. Die had ongetwijfeld goede redenen om voor die zestig pagina's een miljoen euro neer te tellen!'

Bij het horen van dat bedrag perste de conservatrice van de Bibliothèque nationale nijdig haar lippen op elkaar. Het ministerie van Cultuur was maar tot de helft gegaan. Henry Dupin was de enige die was blijven bieden, totdat hij net voor de grens van het miljoen had moeten afhaken.

'Wie is de eigenaar, meneer Kerll?'

'Een anonieme verzamelaar die anoniem wenst te blijven.'

'Is hij van plan die onuitgegeven pagina's ooit te publiceren?'

'Dat heb ik hem niet gevraagd. Maar wie weet? U moet niet denken dat alle verzamelaars vrekkige zonderlingen zijn. Ze zitten niet in totale afzondering van hun verborgen schatten te genieten. Het zijn eerder gedreven mensen die, wanneer ze een uniek stuk op de kop tikken, discretie moeten betrachten. Dat is alles.'

'Laten we nog even daarop doorgaan. Wat maakt deze tekst die behalve u en nog een paar gelukkigen niemand kent, de recordprijs waard die ooit voor een ongepubliceerd manuscript werd betaald?'

Edouard Kerll begon te lachen.

'Geen enkel geheim en geen onthullingen. Maar wel het feit dat het de ultieme overpeinzing is van een man die altijd uitsluitend geleefd heeft voor het genot.'

Het interview was afgelopen. De journalisten stonden op.

De klanken van de viool vulden de zaal. Bij het buffet vormde zich een luidruchtige schare mensen rond Manuela Réal, die lachend de fotografen met champagne besproeide. Opnieuw flitsten de camera's. Een ogenblik verlichtten ze een man die alleen naar de uitgang liep. Op de muur verscheen even de uitvergrote schaduw van Henry Dupin.

Deel twee

Elke man en elke vrouw is een ster.

Aleister Crowley

16

Parijs,
de moordbrigade

Marcas stormde zijn kantoortje binnen en deed de deur achter zich dicht. Zijn twee assistenten zaten tegen de muur geleund te roken zonder zich te storen aan de dikke witte mist boven hun hoofden.

'Walgelijk. Kom ik na een jaar terug en hoor ik nog steeds jullie longen om hulp roepen.'

Het was een grapje. Marcas was zelf kettingroker.

Een bulderend gelach vermengde zich met de rookslierten.

'Leuk dat u er weer bent. Was u die intellectuelen zat?'

'Ja, ik snakte naar jullie beperkte woordkeuze. Die is zo heerlijk rustgevend.'

Hij ging zitten op een wankele stoel en keek zijn assistenten vragend aan: 'En, wat zegt de familie van dat meisje?'

De donkerharige, de jongste, raadpleegde een rood notitieboekje.

'Die weet nergens van. Het zijn in pruimenjenever ingelegde, soaps kijkende AOW'ers. Hun dochter had vijf jaar geleden het contact verbroken. Haar dood leek ze nauwelijks te raken. Ze komen er niet eens voor naar Parijs. We zijn helemaal voor niets zes uur op en neer naar de Oise gereden. En u?'

Marcas pikte een sigaret van zijn assistent en stak op.

'De vrouw van de minister was in alle staten: ze wil haar man absoluut zien... zodra ze terug is van een reisje naar de Maldiven. Ze schijnen in scheiding te liggen. Ze heeft me alleen verteld dat ze slaande ruzie hadden over dat meisje. Volgens haar heeft die Gabrielle hem meegesleurd naar een bizar psychotherapiegroepje. Ze wist niet hoe die club heette.'

Marcas zweeg wijselijk over zijn kijkje in de kluis van de minister. De echtgenote had hem zonder tegenstribbelen de code gegeven, maar was hem wel op de vingers blijven kijken. Het was de enige mogelijkheid, want in dit stadium van het inleidend onderzoek was een huiszoeking nog niet mogelijk. Hij vond geen enkel belangwekkend document.

De oudste assistent deed nu ook zijn mond open.

'En in zijn kantoor in Palais-Royal, waar ze ten hemel is gevaren?'

'Ik heb zijn assistent gesproken, een koude kikker is dat. Hij zweert dat zijn baas het meisje niet heeft vermoord. Maar hij heeft me ook verteld dat hij samen met haar een cursus of zoiets volgde, maar hij wist geen naam en ook niet waar. Maar de minister was nooit gewelddadig geweest. Hij was veel te dol op haar.'

De kluis had ook geen documenten met betrekking tot de loge Regius opgeleverd. Goddank! Dat verloste hem in ieder geval van het meest onwelriekende deel van dit onderzoek.

'Wat doen we verder? De hoofdcommissaris was niet echt blij met onze tijdelijke overplaatsing om u te assisteren. Het leek aanvankelijk een zware klus.'

'Dat begrijp ik. Ga maar eens in de bestanden graven om te kijken of de vrouw misschien al een strafblad heeft. Of zoiets. Ik ga de excellentie opzoeken in zijn privékliniek. Ik denk niet dat we ver zullen komen in deze zaak.'

Marcas stond op, zijn voorbeeld werd gevolgd door de twee inspecteurs. De man die aantekeningen had gemaakt riep ineens: 'Ik ben iets vergeten te zeggen. De vader riep na het zoveelste glas en vlak voordat hij de deur voor onze neus dichtgooide, dat zijn dochter haar ziel al lang geleden aan de duivel had verkocht.'

17

Sicilië

Het lege bord van blauw aardewerk blonk in het zonlicht. Anaïs was zo uitgehongerd dat ze er geen kruimeltje op had laten liggen. Ze had alle specialiteiten verorberd die de oude kokkin had klaargemaakt. *Arancini*, balletjes van rijst en vlees; *panelle*, een soort beignets van kikkererwten; een hele berg *involtini*, aubergines gevuld met tomaten, en zelfs *caponata*, een verrukkelijke koude groentensalade.

Voldaan genoot Anaïs met half dichte ogen en haar voeten op een houten stoel van de lentezon, terwijl ze een glas Moscato uitdronk.

Ze was weer aardig op krachten gekomen, haar gelukkig maar oppervlakkige brandwonden waren door het papje van de oude dienstbode wonderbaarlijk snel genezen en haar spierpijn was over. Dankzij Giuseppe had ze vier dagen respijt en langzaam maar zeker had zich een brandende wraakzucht van haar meester gemaakt. Haar tranen waren opgedroogd en het verdriet had plaatsgemaakt voor haat jegens Dionysus. Het was een allesoverheersend gevoel dat ze nog nooit eerder had gekend. Het proefde als een wrange wijn die een morbide roes veroorzaakte. Ze stelde zich voor hoe de 'meester' gillend zou verbranden in een zee van vlammen die zij hoog had opgestookt.

Sterf, smeerlap, lijd net zo erg als zij geleden hebben. Die ochtend had ze in de spiegel voor het eerst tegen zichzelf geglimlacht.

Haar hersens maakten overuren.

Als het haar lukte van het eiland af te komen en terug te keren naar Frankrijk, kon ze daar de autoriteiten waarschuwen en die krankzinnige laten arresteren. Maar de Italiaanse politie zat achter haar aan.

Samen met Giuseppe had ze alle mogelijkheden bekeken om Frankrijk te bereiken.

Vanaf het terras neerkijkend op zee maakte Anaïs plannen voor haar vertrek uit de boerderij, de volgende ochtend.

Don Sebastiano had erop gestaan om Anaïs, die hem deed denken aan zijn overleden dochter, in bescherming te nemen. Hij kon niet veel doen, want hij waagde het niet de louche notaris die de beschermeling was van maffiafamilies van Palermo te dwarsbomen. Toch had hij iets kunnen regelen om Anaïs onopvallend en snel te laten ontsnappen.

Een bediende had het lange haar van de jonge vrouw kortgeknipt en Venetiaans blond geverfd. Vervolgens kwam er een fotograaf die haar nieuwe uiterlijk vastlegde. Die foto was voor het paspoort dat de vorige dag was gestolen van een jonge Belgische vrouw. Giuseppe had grinnikend verteld dat de *scippatore*, de lokale zakkenroller, zelf het slachtoffer de weg naar het politiebureau had gewezen. Een medeplichtige agent had de aangifte van de diefstal opgenomen en zou ervoor zorgen, natuurlijk werd hij daarvoor beloond, dat die pas enkele dagen later in de centrale computer werd ingevoerd. Pas nadat Anaïs het vliegtuig had genomen.

Tot het zover was doodde ze haar tijd met het kijken naar de non-stopbeelden van de Abdij en de politiewagens rond het hoofdgebouw, die de televisie bleef uitzenden

De ontdekking van het massagraf had een mediastorm veroorzaakt in Italië en daarbuiten. Televisieploegen uit de hele wereld waren in Cefalù neergestreken om het verloop van het onderzoek te volgen. De hotelhouders wreven zich in de handen over die ongewone vorm van toerisme, maar de inwoners waren helemaal niet blij met de vreemdelingen die rondreden en de idiootste vragen stelden.

'*Buona sera, signorina, come va?*'

Giuseppes welluidende stem paste bij het landschap, dacht Anaïs. In andere tijden en als hij niet zo jong was geweest, zou ze best gevoelig zijn voor de charme van de jonge Siciliaan. In andere tijden. Voortaan leefde ze in een boosaardige wereld waarin het Kwaad domineerde. De jongeman droeg een wit hemd, waartegen zijn donkere huid prachtig afstak. Hoewel zijn stem zelfverzekerd klonk, leek hij toch zenuwachtig.

'Don Sebastiano heeft net gebeld. Uw vertrek wordt vervroegd.'

'Waarom?'

'De notaris is geweest en hij weet dat u hier bent. Een schaapherder heeft zijn auto gezien. Hij was er al de hele ochtend. Pak uw spullen, ik breng u naar Palermo.'

Het was duidelijk dat ze niets had in te brengen; er stond nu geen jongeling meer voor haar, maar een volwassen man. Beverig kwam Anaïs overeind.

Ze keek een laatste keer naar de kust en de met eiken begroeide hellingen die afliepen naar zee. Oostwaarts moest de kreek liggen waar ze bijna het leven gelaten had en ze voelde zich misselijk worden. Ze had gedacht dat het over was, maar de angst huisde nog steeds in haar ingewanden en kon elk ogenblik de kop opsteken.

18

Louveciennes

Geluidloos openden de kopergroene hekken zich na een druk op de knop die verscholen zat in de muur van grijze steen. Marcas reed over een laantje langs prachtig onderhouden bloemperken en stopte bij een wachthuisje dat vanaf de weg niet te zien was. Een nors uitziende bewaker kwam naar buiten en gebaarde hem het raampje open te draaien. Marcas hield zijn legitimatie op, liet zich uitgebreid bekijken door de beveiliger met zijn stierennek. Die was duidelijk niet onder de indruk van zijn rang en stak hem een zwart schrift toe dat dienst deed als bezoekersregister. Hij kreeg er een ballpoint bij om zich te kunnen inschrijven en mocht doorrijden tot de parking beneden bij een kasteeltje.

De donkerblauwe dienstauto reed langzaam over een kiezelwegje. Marcas had met het parket gebeld om de benodigde toestemmingen te krijgen. Het bezoek aan het huis van de minister had niets opgeleverd. Tot zijn genoegen hoorde hij wrevel in de stem van de ministeriële adviseur, toen hij hem per telefoon op de hoogte bracht van het ontbreken van compromitterende documenten. *Mooi, mooi, maar blijf zoeken*, had de topambtenaar geïrriteerd gezegd.

De hoge, donkere bomen hielden het zonlicht tegen en vormden een scherm rond het park. Marcas parkeerde op de aangegeven plaats en bekeek het gebouw geïnteresseerd. De torens met hun renaissancistisch aandoende leien daken gaven het geheel een verrassende Italiaanse sfeer, die de strengheid van het typische Île-de-France-hoofdgebouw een beetje verzachtte. Schitterende eikenbomen omzoomden het hele kasteel dat op de binnenplaats een Franse tuin had met taxusboompjes in de vorm van omgekeerde tollen. Bij de ingang, naast een trap van witte steen, stonden twee eigentijdse betonnen sculpturen.

Marcas kon nauwelijks geloven dat hij voor een psychiatrisch ziekenhuis stond. Het geheel zag er eerder uit als een Relais & Châteauxhotel, waaruit elk moment een livreiknecht kon opduiken om zijn bagage aan te pakken.

Voor hoge dienaren van de Republiek die aan depressies leden was de Ormeau doré-kliniek een behandelcentrum. Voor zwaardere gevallen, bijvoorbeeld mensen die aan wanen leden, was het een doorgangshuis naar het gesticht. Om pottenkijkers te weren werd het gebouw dag en nacht bewaakt door een regiment politiemensen.

Marcas was ingelicht over deze onopvallende instelling, die onbekend was bij het grote publiek en werd gefinancierd uit een apart potje van het ministerie van Algemene Zaken. Hij zou er een zekere dokter Anderson ontmoeten, de hoofdpsychiater van de kliniek, die de minister behandelde sinds zijn overbrenging uit de Val-de-Grâce. De secretaresse van de dokter had hem die ochtend gebeld met de mededeling dat hij de minister kort mocht ondervragen.

Marcas legde zijn regenjas over zijn arm en liep de twintig meter naar de ingang.

Boven aan de trap werd hij opgewacht door een lange man met brede schouders. Hij had een kalende schedel, hoge jukbeenderen, spleetogen en een olijfkleurige huid. Ingehouden kracht en voor zijn witte jas gevouwen handen gaven hem duidelijk de uitstraling dat hij hier de heer en meester was. Marcas liep behoedzaam op hem toe en keek recht in de smaragdgroene roofvogelogen die hem volgden.

Roerloos boven aan de trap staand versperde de reus de ingang. Weer een waakhond, dacht Marcas en korzelig haalde hij zijn door het kabinet van Binnenlandse Zaken getekende dienstopdracht tevoorschijn. Toen hij vlak bij de man was gekomen, begreep Marcas ineens waarom dat gezicht en die gestalte hem zo bekend voorkwamen.

De Gele Schaduw. De duivelse tegenstander van Bob Morane, de held uit de populaire avonturenreeks die hij als jongetje had verslonden. Die vent zou in een Hollywoodfilm ongeschminkt kunnen figureren als huurmoordenaar. De witte jas spande om zijn gespierde lichaam, de brede borstkas en de bicepsen konden het textiel elk moment doen scheuren.

Ineens kwam er beweging in het marmeren gezicht van de man, het levende standbeeld kwam in actie en een verrassend warme glimlach brak door.

'Commissaris Marcas, welkom in de Ormeau. De minister heeft me van uw komst op de hoogte gesteld. Ik ben dokter Anderson. Jacques Anderson.'

Marcas verstijfde, ontsteld over zijn foute inschatting van de man. Hij nam de uitgestoken hand van de arts, een voor iemand van zijn postuur opmerkelijk fijne hand die de zijne ook niet, wat hij even had gevreesd, tot moes kneep. Het leek of die fraaie handen er waren aangezet om de logheid van de gestalte een beetje te verzachten.

'Aangenaam, dokter. Een mooi optrekje hebt u hier. Bij mijn volgende depressie kom ik er graag een paar dagen logeren.'

De man in de witte jas keek hem met zijn bleekgroene ogen onaangedaan aan.

'Ik hoop u hier nooit onderdak te hoeven bieden, commissaris. Ons centrum heeft alle gemakken van een palacehotel met een verwarmd zwembad en een fitnesszaal, massage en een sterrenrestaurant, maar onze cliënten lijden aan ernstige psychische aandoeningen. In alle bescheidenheid kan ik zeggen dat we met onze behandelingen schitterende resultaten boeken die helaas nooit de vakpers halen, maar ik vrees dat u hier geen leuk verblijf zou hebben. Laten we naar mijn kantoor gaan, dan kunnen we rustig praten.'

De reus draaide zich energiek om en duwde een minstens drie meter hoge glazen deur open. Marcas volgde hem en betrad een hal van indrukwekkende afmetingen. Aan niets was te merken dat hij in een kliniek was. Een receptiebalie van gepolitoerd hout, nog meer sculpturen, koppen van gepolijst metaal, misschien vroege Brancusi's, parket bedekt met tapijten met warme kleuren, aan de muren schilderijen van middeleeuwse veldslagen, vier chesterfieldfauteuils en een chesterfieldcanapé om de opmerkelijke decoratie te completeren. Achter de balie zaten heel discreet een man en een vrouw onder een groot wandtapijt, een schitterende reproductie van *La Dame à la licorne*.

Dokter Anderson liep de hal door en gaf het stel achter de balie een knikje, dat glimlachend werd beantwoord.

'Mijn kantoor is op de eerste verdieping van de oostelijke toren, een kleine luxe waarmee ik mezelf heb verwend toen ik hier aantrad. Het kantoor van mijn voorganger beviel me niet.'

'Waarom niet? Niet groot genoeg? Of was de decoratie niet mooi?'

Anderson versnelde zijn pas.

'De decoratie… Dat zou je kunnen zeggen. Hij is er doodgebloed nadat hij de aderen van zijn polsen en enkels had doorgesneden. Zijn bloed was in het parket getrokken en had er een akelige bruine vlek achtergelaten. Jammer, want dat kantoor heeft een prachtig uitzicht over het park. Het was een tamelijk banale zelfmoord…'

Terwijl Marcas zijn uiterste best deed om de gigant bij te benen, kon hij zweren dat er een vage glimlach rond diens mondhoek speelde. Ze liepen door een lange, brede gang met lichte muren die vol hingen met kleurige afbeeldingen van wapenschilden. Vervolgens namen ze een wenteltrap naar de eerste verdieping van een van de torens. De arts stak een sleutel in het slot van een zware eikenhouten deur en stapte opzij om zijn gast te laten voorgaan.

Marcas kreeg het gevoel dat hij teruggeschoten werd in de tijd, naar de middeleeuwen om precies te zijn. In het midden van het ronde vertrek stond een ridder in blinkende wapenuitrustig die met beide vuisten een zwaard vasthield. Mysterieus en dreigend, leek hij elk moment uit zijn lange slaap te kunnen ontwaken om zijn zwaard te laten neerkomen op de indringer. Tegen de witgekalkte muur van de zaal stonden een matglazen bureau en een beige canapé. Er hing een wat weeë lucht, een flauwe onprettige amandelgeur.

De arts legde zijn hand op de schouder van het harnas en richtte zijn scherpe blik op Marcas.

'Welkom in mijn hol. Ik stel u baron Von Hund voor, mijn trouwe lijfwacht en het symbool voor wat we in deze kliniek doen.'

'Ik kan u niet volgen.'

Geamuseerd over het effect van zijn woorden, trommelde Anderson met zijn vingers op het schouderstuk, wat een blikkerig geroffel veroorzaakte.

'Dit harnas is een perfecte kopie van het exemplaar dat toebehoorde aan een middeleeuwse Pruisische landheer uit de familie Hund. Deze ridder deed niets anders dan oorlogvoeren en terreur uitoefenen op zijn eigen land en op dat van zijn buren. Tijdens zijn moorddadige rooftochten droeg hij altijd dit harnas, dat was gemaakt door de beste wapensmid van zijn tijd en hij verkondigde overal dat hij onoverwinnelijk was. Bij steekspelen slaagden zelfs zijn taaiste tegenstanders er niet in om hem te verwonden; het ijzeren harnas leek hem echt onkwetsbaar te maken.'

Marcas glimlachte beleefd. De arts vertelde dit verhaal vast voor de zoveelste keer aan een bezoeker op wie hij indruk wilde maken. *IJdelheid is een eerste teken van zwakte*, dacht hij. Anderson vervolgde zijn verhaal alsof hij er zelf heilig in geloofde: 'Op een dag viel hij in een hinderlaag van huurlingen van een heer uit een naburig graafschap, waar onze vriend enkele slachtingen had aangericht die zelfs voor de ruwe mentaliteit van die tijd te ver gingen. Ze bonden hem aan een boom vast en lieten door de openingen van zijn harnas kakkerlakken en spinnen naar binnen glijden. Voordat hij eindelijk stierf onderging de wild om zich heen slaande ridder de vreselijke foltering dat zijn harnas een metalen kerker was geworden waaruit hij zich niet kon bevrijden.'

'Het waren moeilijke tijden.'

'Die zo machtige man was de gevangene van hetgeen hem onoverwinnelijk had gemaakt en werd geveld door stomme insecten op zijn gevoeligste delen. Wel, hier in de Ormeau-kliniek behandelen we machtige mannen die worden aangevreten door een inwendig kwaad. Hooggeplaatste mensen die ineens worden geveld door een vreemde indringer in hun hersenen. In het harnas van hun psyche. Het pantser dat u hier ziet staan verbeeldt de illusie van macht die wel heel indrukwekkend oogt, maar toch kwetsbaar is.'

'Mooie vergelijking, dokter. Kunnen we het nu over de minister hebben?'

Marcas wilde laten merken dat hij geen bezoeker was die zich liet inpakken met pseudo-intellectuele praatjes. De man streek hem juist tegen de haren in met die aanstellerij.

Talmend opende de arts een rode map met verslagen van medische onderzoeken.

'Om kort te gaan, we weten nog steeds niet wat er zich afspeelt in het hoofd van onze minister. De MRI's en de scans van mijn confrères uit het Val-de-Grâce laten niets speciaals zien. Dat is niets ongewoons aangezien mijn werk pas begint als er geen duidelijke neurologische beschadigingen te zien zijn. Voorlopig is hij in observatie, tot we met het echte werk gaan beginnen.'

Marcas bespeurde een aperte zelfgenoegzaamheid in die uitleg.

'Hoe is zijn toestand?'

'Hij wisselt buien van diepe somberheid af met wat je waanzin zou kunnen noemen. Ik betwijfel het of u iets zinnigs uit hem zult krijgen met dat verhoor.'

Expres verhief Marcas zijn stem: 'Toch wil ik het proberen.'

Dokter Anderson verstrakte: 'Waarom? Bent u psychoanalyticus? Een klassiek politieverhoor heeft echt geen zin en zal hem eerder onwillig maken. Voor de bestwil van onze patiënten heb ik strenge regels uitgevaardigd. Die noem ik trouwens grondwetten, want tenslotte zijn we dienaren van de Republiek.'

'De grondwetten van Anderson... is dat niet een tikje prententieus?'

Het spel was begonnen, de twee mannen smeten hun kaarten op tafel. Marcas vervolgde ijzig: 'Ik verbeeld me niet dat ik door zijn pantser heenkom, maar het is de procedure dat ik met een verdachte spreek om uit te maken in welke mate hij verdacht kan worden van moord. Als u vindt dat hij niet in staat is mijn vragen te beantwoorden, ondertekent u een verklaring die ik aan de rechtercommissaris geef, of anders brengt u me naar zijn kamer.'

Anderson trok een stalen gezicht. Marcas doorstond zijn blik. Dat spelletje kon hij best winnen: op logebijeenkomsten hield hij soms urenlang zijn mond. Deze sessie in dat middeleeuwse decor met een geharnaste ridder als scheidsrechter van hun zwijgduel was wel heel bizar.

Langzaam, zonder zijn blik af te wenden, pakte de arts zijn telefoon en belde met een onbekende gesprekspartner.

'Is patiënt Sable wakker?'

Hij luisterde enkele seconden naar het antwoord, hing op en wees naar de deur.

'Komt u maar mee, ik breng u naar de vertrekken van de minister,' verduidelijkte hij ironisch.

Marcas knikte. De eerste ronde tegen de Gele Schaduw is gewonnen.

'Zijn kamer heet "Sable". Het was mijn idee om elke kamer te noemen naar een heraldische kleur of metaal. In plaats van een kamer gewoon "zwart" te noemen, zeggen we "Sable" en voor "groen" gebruiken we "Sinople". De invloed van ridder Hund, zullen we maar zeggen.'

Marcas herinnerde zich een bouwstuk over heraldiek en symboliek door een van zijn medebroeders en probeerde een nieuwe ronde van het steekspel op gang te brengen.

'Voor zover ik weet komt elke heraldische kleur overeen met een planeet, een steen of een ideaal.'

De arts liep voor hem uit de trap af.

'Dat klopt. Sable of de kleur zwart staat voor droefenis. De diamant is zijn steen en Saturnus zijn planeet. Omdat onze minister voortdurend in tranen uitbarst, vond ik het een passende kamer voor hem.'

Beneden aan de trap gekomen waren de twee mannen een gang ingegaan die langs een rechthoekige zaal met vier glazen deuren liep. Eigenaardig. Marcas liep op een van de deuren toe en was verbijsterd over wat hij zag.

Achter een spreekgestoelte op een verhoging hield een man in driedelig kostuum een donderende toespraak voor een gehoor van een dertigtal mannen en vrouwen die op houten banken tegenover hem zaten. Een televisieploeg filmde de scène die ook te volgen was op een reusachtig scherm achter de redenaar. Marcas drukte zijn neus tegen het glas en herkende de zwetende man die de zaal toesprak.

'Dat is kamerlid Censier. Ik dacht dat hij een maand of drie geleden met zijn motor tegen een boom was geknald.'

'Dat werd de media verteld. In werkelijkheid had het kamerlid een depressie. Hij stierf van angst als hij een menigte moest toespreken. Hij is nu bijna genezen. De mensen die u ziet zijn personeelsleden van de kliniek, allemaal zorgvuldig geselecteerde specialisten. Er is zelfs een ex-journalist bij die hem moet ondervragen.'

'Komen veel politici zich hier laten behandelen?'

'U hebt geen idee van het aantal depressies bij politici. Die mensen moeten voortdurend de schijn ophouden dat alles zo goed gaat en de kiezers een stralend en vertrouwenwekkend beeld van zichzelf voorschotelen. Maar het zijn ook maar mensen en sommigen wordt die tegenstrijdigheid op den duur te veel. Dan komen ze zich hier afgeschermd voor het oog van de wereld laten behandelen. Ze lijden onder barsten in hun zelfbeeld. Het harnas, altijd weer dat harnas…'

In de zaal klonk luid applaus. Het kamerlid lachte stralend. Marcas liep naar de volgende glazen deur. Daar zag hij een vrouw in een zwart mantelpakje aan een grote ovale tafel een soort raad van bestuur voorzitten. In het midden van de tafel stond een schaal met daarop een dikke dode kip. Aan de rechterkant van de zaal bevond zich een regiekamer waar twee mannen in witte jassen naar een rij monitoren staarden.

Marcas vroeg aan de arts: 'En dat? Die kip is je reinste surrealisme.'

'Claire D., ENA*-lichting 1985. Ze was een briljante directrice van de

* Ecole Nationale d'Adminstration.

96

kabinetten van verschillende ministers. Compleet ingestort op het hoogtepunt van de vogelgriepcrisis. Ze werd op een ochtend aangetroffen in haar kantoor, bezig met het doodsteken van een kip. Ze lijdt aan een kippenneurose. Als ze een kip ziet, gaat ze door het lint. Naast haar therapie, leren we haar in teamverband te werken, alsof ze nog gewoon functioneert.'

'Moet ze hier lang blijven?'

'Geen idee, de psyche van de republikeinse elite is een tamelijk ondoorzichtige materie.'

Marcas wist niet wat hij daarop moest zeggen en wilde net naar de derde deur lopen, toen er een man in een witte jas kwam aanhollen.

'Dokter Anderson, er is een probleem met Sable.'

'Wat is er aan de hand?'

'Hij heeft stuipen en hij heeft…'

De politieman zag hoe de verwatenheid week van het gezicht van de arts.

'Wat heeft hij?'

De man stotterde: 'Het is niet leuk om te zien.'

19

Sicilië

De oude gele Fiat racete over het landweggetje dat aansloot op de rijksweg naar Palermo. Anaïs keek zwijgend naar het landschap terwijl de
jonge Siciliaan nerveus stuurde, voortdurend in de spiegel keek en
stuntelig aan zijn sigaret trok.

Na een scherpe draai gooide hij ineens het stuur om. De auto verliet
de verharde weg en hotste over een modderig spoor tussen dik struikgewas. Ruw opgeschrikt uit haar overpeinzingen, klampte Anaïs zich vast
aan het handvat van haar portier. De Fiat stopte met een schok achter
een groepje knoestige olijfbomen. Voordat ze iets kon zeggen, legde
Giuseppe een vinger op haar lippen.

'Blijf zitten.'

Hij had het nog niet gezegd of een zwarte auto verscheen op de weg
die ze net hadden verlaten. Anaïs zag in het voorbijgaan nog net het gezicht van een man met een haakneus. Haar vingers klauwden in het
plastic van de autobank.

Eén van de helpers van Dionysus.

Een golf van angst ging door haar heen. Die man had geholpen met
het bouwen van de brandstapel, hij zocht haar om zijn werk te kunnen
afmaken. Heftige krampen trokken door haar benen, ze beefde over
haar hele lijf. Ze wilden haar weer kwaad doen.

Giuseppe hield haar stevig vast om haar te kalmeren. Tevergeefs,
want de jonge vrouw verzette zich als een gewond dier en krabde bloedige striemen in de huid van haar beschermer. Hij wist niet wat hij
moest doen en voelde hoe hij in haar paniek werd meegesleurd. Hun
achtervolgers zaten hen al op de hielen sinds ze weggereden waren van
het ouderlijk huis. Het zou niet lang duren voordat ze doorkregen dat

hun slachtoffers de hoofdweg verlaten hadden en zouden omkeren. Elke minuut die verliep bracht ze dichterbij. Giuseppe vloekte, zette de jonge Française ruw overeind en schudde haar door elkaar: 'Houd op, Anaïs. Die auto is voorbijgereden. We kunnen ze afschudden.'

'Nee, je kent ze niet. Het zijn monsters, ze zullen me vinden.'

De jonge Siciliaan schudde haar nog heftiger.

'Het gevaar is geweken. Beheers u een beetje.'

Anaïs voelde het beven afnemen. Ze slikte en ging rechter zitten.

'Voelt dat beter?' glimlachte Giuseppe.

Hij startte de motor. De Fiat liet een okerkleurige stofwolk achter zich, reed een eindje terug op de verharde weg en draaide een zandweggetje in dat naar de heuvels voerde. Tussen twee rijen olijfbomen in slalomde de auto langs de gaten in de weg. Na een kwartier hotsen, kwam de wagen weer op een verharde weg. Anaïs herkende de omgeving van Cefalù, met de donkere rotsmassa van de Rocca die de stad beschermde. Ze kende het hier. Met haar vrienden uit de Abdij had ze deze weg eens genomen om een avondje te gaan stappen in de havenwijk van de stad.

Ze zag het allemaal weer voor zich. Thomas in zijn witte kabeltrui die haar bij haar arm nam en uit het groepje wegvoerde naar de 'Normandische' kathedraal. Het moment waarop hij haar had gezoend in een smal steegje onder een met bloemen versierd balkon, vermaakt gadegeslagen door een oude vrouw die op haar balkonnetje zat te breien. Thomas' geur, zijn armen...

Dood. Houd toch op, hij is dood. Ze verjoeg de beelden en keek weer voor zich op de weg.

'Ik zweer je dat die rotzakken ons niet te pakken krijgen,' gromde Giuseppe met slecht gespeelde zelfverzekerheid.

Anaïs onderschepte in de achteruitkijkspiegel de ongeruste blik van haar chauffeur en rilde.

20

Parijs,
quai de Conti

Dionysus zat voor zijn computerscherm en had net de zoekmachine gestart. Met een muisklik kwam hij op de site die als forum diende. De adepten communiceerden middels een piramidesysteem. Sinds de gebeurtenissen op Sicilië kende iedere discipel slechts twee andere sekteleden. Eén gewone discipel zoals hijzelf en één adept die deel uitmaakte van een hogere driehoek. Zo bleven de contacten tussen de diverse geledingen tot een minimum beperkt en kon slechts een handjevol ingewijden van de hogere graden hopen op contact met de meester.

Alleen algemene informatie werd aan iedereen doorgegeven: iedere discipel bracht aan zijn meerdere in de driehoek verslag uit van zijn activiteiten. Het rapport werd versleuteld en doorgestuurd naar wisselende fora, op elk niveau opnieuw gecodeerd en doorgestuurd naar een volgend forum, voordat het eindelijk verscheen op het scherm van de meester. Het werd direct gedecodeerd; de webpagina verscheen.

De meester las aandachtig. Het was hem zwaar gevallen om het Casanovamanuscript uit te lenen, al was het maar voor een avond. Vooral voor zo'n mondaine toestand. Maar het beoogde doel leek bereikt. Niemand had het meer over het manuscript, het ging alleen nog maar over de gala-avond van Kerll en alle bekendheden die erbij waren. De beproefde tactiek van het rookgordijn.

Hij sloot het venster, tikte op het toetsenbord en logde in op de satellietontvanger. Er verscheen een mozaïek van televisiezenders.

Dionysus leunde achterover in zijn fauteuil en zoomde in op de vierkantjes met wriemelende beelden. Geboeid en laatdunkend bekeek hij die eindeloze, onsamenhangende stroom programma's die televisiekijkers over de hele wereld onder ogen kregen. Dag en nacht werd een stortvloed van films, series, sportwedstrijden, praatprogramma's en documentaires uitgezonden. Hij koos de actualiteitenprogramma's voor nieuws over zijn Siciliaanse vreugdevuur.

Hij begon met de Italiaanse zender die hij bijzonder waardeerde omdat de journalisten die er werkten graag bange gezichten in beeld brachten. Een brunette van een jaar of vijftig duwde haar microfoon onder de neuzen van voetgangers in de straten van Cefalù.

Kenden ze de bewoners van de Abdij? Hadden ze al eens iets verdachts opgemerkt? Stomme vragen die stomme antwoorden uitlokten.

Een slager met een wantrouwige kop vertelde dat hij altijd had geweigerd om aan de Abdij te leveren, want hij had die mensen altijd al louche gevonden. Dionysus barstte in lachen uit toen hij de man herkende die de groep alle weken van vleeswaren voorzag. Hij had zelfs aangeboden voor prostituees te zorgen voor de ontspanning van de gasten.

Hij zapte naar een andere zender die nog eens de al honderden keren vertoonde beelden uitzond van de verkoolde resten op de brandstapels. Dionysus keek op zijn horloge en klikte op een Franse non-stop nieuwszender. In een inzetje van het scherm herkende hij de gevel van de Abdij. Een serieus ogende vrouw, die werd voorgesteld als een sektedeskundige, had het over de motieven van andere bekend geworden aanstichters van massazelfmoorden: 'Het gaat hier ongetwijfeld om een sekte, vergelijkbaar met die van dominee Jim Jones uit Guyana en de Orde van de Zonnetempel in Zwiterserland. Maar deze goeroe heeft helaas kunnen ontkomen en is daarom nog gevaarlijker. De mise-en-scène die wordt beschreven door de politie, laat ons...' Dionysus luisterde niet langer, maar keek naar het gezicht van de vrouw, Isabelle Landrieu, die hem een plaats gaf in het pantheon van de magiërs.

Binnenkort zou hij ze allemaal overtreffen.

'Die leiders van dergelijke parareligieuze groeperingen zijn dikwijls begiftigd met een uitzonderlijke intelligentie. Degene of degenen die de moord op Sicilië hebben gepland lijken me extra gevaarlijk omdat ze in de schaduw blijven. Misschien zijn ze bezig andere moordpartijen te beramen. In mijn laatste werk over de invloed van sekten, geef ik...'

In gedachten bedankte Dionysus de sekte-expert voor het compliment en schakelde de computer uit om weer in het Casanovamanuscript te kunnen duiken.

Hij snakte naar het contact met het soepele leer, de zachtheid van het papier onder zijn wijsvinger en naar de bij elke nieuwe bladzijde groeiende opwinding.

De dag na mijn aankomst werd ik bij broeder Eques van de loge Capite Galeato gebracht.

Zo liet markies de Pausolès zich in de de loge noemen. Nadat ik hem mijn brief had laten overhandigen, werd ik binnengeleid in zijn slaapkamer waar een forse man opstond die me lachend vroeg wat hij in Granada kon doen voor een man die hem was aanbevolen door graaf de Clermont.

Ik vertelde hem over mijn avonturen in Madrid, die me halsoverkop hadden doen uitwijken naar Granada. 'Eigenlijk,' reageerde hij, 'zou u me zonder dat duel nooit hebben opgezocht.'

'Ongetwijfeld. Maar nu prijs ik me gelukkig dat ik mezelf op deze manier de eer heb verschaft om in Uwe Excellentie een broeder te leren kennen die men zich in alle loges van Europa nog heel lang zal blijven herinneren.'

Hij antwoordde dat nu hij zich door de brief van graaf de Clermont verplicht voelde mij te helpen, hij me wilde laten kennismaken met drie of vier broeders aan wie ik wellicht iets zou kunnen hebben.

Alle vrijdagen was ik uitgenodigd voor het diner en hij beloofde me te laten ophalen door een bediende.

Aangezien de graaf me in zijn brief een man van studie noemde, stond hij op en zei dat hij me zijn bibliotheek wilde tonen. Ik volgde hem door de tuin. We kwamen in een vertrek met getraliede en door gordijnen beschermde kasten.

Maar ik barstte in lachen uit toen ik, zodra hij enkele deurtjes had ontsloten, in plaats van boeken flessen wijn zag staan.

'Dit is,' zei hij, 'mijn bibliotheek en mijn harem. Want nu ik oud ben kunnen vrouwen mijn leven alleen nog maar bekorten. Een goede wijn, daarentegen, zou me moeten conserveren en maakt me het leven in elk geval een stuk aangenamer.'

'Ik veronderstel dat Uwe Excellentie van de kerkelijke overheid dispensatie heeft gekregen om te mogen drinken op vrijdagen, op dagen van onthouding.'

'U vergist u. In Spanje staat het iedereen vrij om zich de verdoemenis op de hals te halen als men dat wenst. U moet er alleen voor zorgen dat uw geneugten niet publiek worden. Dan krijgt u met de inquisitie te maken. Neem die raad ter harte als u nog lang en plezierig wilt leven.'

In de twee uren die ik met hem doorbracht, vroeg hij me nieuws van verschillende van onze broeders uit Parijs en vooral van abbé Pernety wiens Dictionnaire mytho-hermétique veel wordt geraadpleegd door de vrijmetselaren, die nu eenmaal verzot zijn op mysteries. Tijdens mijn tweede verblijf in Frankrijk, in 1758, zag ik hoe heel Parijs dit werk verslond, dat heel slecht is geschreven, maar dat alle geheimen van de alchemie zou openbaren. Op de vraag van mijn gastheer, vertelde ik hem dat broeder Pernety nog steeds de Koninklijke Kunst beoefent en ervan overtuigd is dat hij ooit de Steen der Wijzen zal vinden. Hij antwoordde dat hij geen enkel geloof hechtte aan die nonsens en dat de echte waarheid, zo zij al bestaat, in onszelf te vinden moet zijn en niet in een verzonnen materie.

'Ik weet zeker,' zei hij me, 'dat onze geest alle rijkdommen bevat die nodig zijn voor ons geluk.'

'Ik beaam dat volmondig,' antwoordde ik, 'hoewel ik maar al te goed weet hoezeer onze geest, indien hij wordt gekweld, ons een hel kan zijn.'

'Dan kan hij wellicht ook ons paradijs zijn. Maar u gewaagt, beste Casanova, van gekweldheid. Wat kan een man als u zijn overkomen dat hij zo spreekt?'

Bij zo veel belangstelling en broederlijke goedheid vergat ik mijn terughoudendheid en vertelde ik hem mijn meest recente belevenissen. Hij luisterde aandachtig en slaakte soms een zucht als ik hem sprak over mijn innerlijke gekweldheid.

'U bent,' zei hij, 'begiftigd met een grote gevoeligheid, zowel voor genietingen als voor lijden. En het relaas van uw liefdes, dat u me zojuist in alle vertrouwen deed, bewijst dat u een gave hebt.'

'Een gave die me nu doet lijden, omdat hij mij in verwarring brengt.'

'Het vermogen om lief te hebben en vooral dat van bemind te worden is de grootste aller gaven, Casanova. Soms maakt het ons gelijk aan de goden en op andere momenten zijn wij voor onze naasten erger dan satanskinderen. Maar als die gave te groot is, moeten we leren hem te beheersen.'

'Ik begrijp wel wat u bedoelt, maar ik bezit een dergelijke wijsheid nog lang niet.'

'Tot nu toe had u enkel oog voor de genietingen en hebt u alle verleidelijke bloemen geplukt die het lot langs uw levenspad plantte. Maar nu vraagt u naar de zin van die bekoringen. En u vindt het antwoord niet.'

'Ik moet bekennen dat het zo is. Tot mijn diepe ontreddering.'

'Dus uw ziel wordt gekweld door een beeld van de liefde dat u vruchteloos najaagt. En elke verovering lijkt slechts een flauwe afspiegeling van het ideaal. Als dat echt het geval is... maar loopt u eens met mij mee.'

Andermaal stond hij op en we liepen door zijn magnifieke tuinen.

'Kijk eens naar deze tuinen, Casanova, ze werden aangelegd door onze oude leermeesters, de Moren. Mijn familie koestert dat erfgoed en ik deed alles wat in mijn vermogen lag om het mijne aan deze erfenis toe te voegen. Op zekere avonden lees ik er het grote verhaal van de mensheid in. De kracht van het verlangen doet de planten zich naar het licht buigen. Dat doet ze in schoonheid bloeien. Het grote werk van de mensheid bestaat eruit dit grandioze ontwerp te helpen bloeien. Met de liefde is het net zo; zij vraagt inspanning en zelfoverwinning om tot de waarheid te komen.'

'Volgens u is er dus een einddoel en is de liefde slechts de weg daarheen?'

'Voor sommige mannen is de liefde hun hele leven. Zij verkwisten haar in hun zoektocht naar die altijd wijkende droom van de gelukzaligheid. Voor die mannen heeft de weg geen eindpunt. Anderen kiezen een andere weg. Maar men moet eerst struikelen alvorens te beseffen dat men onderweg is.'

Mijn hart beefde bij het aanhoren van dit betoog. Het was alsof een mysterieuze bron zuiver fris water deed vloeien ter laving van de verdwaalde reiziger.

'Uw woorden overrompelen en bekoren me. In dit tijdperk van de Rede te spreken over de liefde als een weg tot zelfverwezenlijking. Dat is heel wat anders dan wat we te horen krijgen van de filosofen van de Verlichting. In Parijs zou u vierkant uitgelachen worden!'

'U bent in Granada, beste vriend. In het oude land van de liefde. In de Moorse paleizen zindert nog het gezang van de dichters die de ware kunst van het liefhebben kenden. Wie weet? Misschien hebt u het geluk hun gezang te mogen horen!'

Een bediende bracht een brief. Het was tijd om afscheid te nemen. Van elkaar gecharmeerd gingen we uiteen. Hij zei dat hij met onge-duld uitkeek naar een volgende ontmoeting. Ik verliet hem met een hart dat barstte van verwachting, iets wat ik al lang niet meer had gevoeld.

21

Sicilië

Giuseppe zette de radio aan. Italiaans gebrul, waarschijnlijk van een voetbalwedstrijd, volgde op het gekrijs van een rapper en een vioolconcert. Hij drukte op de gebarsten toets van de cassetterecorder. Een schelle trompetsolo vulde de auto. Anaïs herkende de trieste melodie, maar kon zich de titel niet herinneren.

Voor het eerst waagde Giuseppe een glimlach toen hij haar even aankeek. Anaïs zag hoe schitterend wit zijn gebit was.

'Waarom lach je?'

'Herkent u die muziek?'

'Het zegt me wel wat, wat is het?'

'*Il Padrino!*'

'Wat is dat, *Il Padrino*?'

'De film! De *Peetvader*! De Corleones, Brando, Pacino, De Niro, die heeft u toch wel gezien?'

'Ja, heel lang geleden. Ik vond hem een beetje overtrokken. Vinden jullie zulke films niet vervelend, gezien dat etiket van maffioso dat jullie krijgen opgeplakt?'

De auto haalde een vrachtwagen in die amechtig een lading biervaten vervoerde.

'Dat is juist een compliment, Coppola heeft Sicilië beroemd gemaakt. Een burgemeester uit de buurt heeft nog een standbeeld van Marlon Brando midden op het dorpsplein willen zetten. De Cosa Nostra was heel blij met die drie films en stuurde de crew cadeaus. Sicilië en de maffia, dat werkt op de verbeelding. Die stakkers op Sardinië hebben niets waarover je kunt fantaseren.'

Nu grijnsde Anaïs. Ze herinnerde zich nu Brando weer met die opdikkende watten in zijn wangen. En Pacino, als jonge banneling op het eiland, die verliefd wordt op een Siciliaanse schone die wordt opgeblazen in een bomauto.

'Iedereen zegt dat ik op Pacino lijk,' zei hij, haar een snelle blik toewerpend. 'Vindt u dat ook?'

Anaïs wist niet wat ze hoorde. Het is niet waar, hij zit me te versieren. Na alles wat ik heb meegemaakt. Ze verkoos stilzwijgen. Na twee minuten begon Giuseppe weer te praten.

'Ik overdreef een beetje over de maffia. Die lui hebben wel veel mensen vermoord, te beginnen met prima kerels als rechter Falcone. We moeten er maar mee leven.'

'En dan draai je die filmmuziek terwijl je als een kleine maffioso Don Sebastiano en zijn vriendjes rondrijdt?'

Giuseppe grinnikte en keek even in de achteruitkijkspiegel.

'Nee hoor, die muziek is voor de toeristen. Die hebben graag *couleur locale*. Dus dan trek ik mijn witte overhemd en een zwart vest aan, zet ik een oude pet op en sleep ik ze het achterland in waar ik ze Cosa Nostra-legendes vertel. Met een stop in een dorpje waar wat ongeschoren vrienden aan de toog de harde bink staan te spelen. Ik heb zelfs een oud geweer in de kofferbak liggen, dat ik zogenaamd verkoop aan een vent uit het dorp.'

'Vinden je klanten dat mooi?'

'Prachtig, ze krijgen er geen genoeg van, vooral de vrouwen niet...'

Daar gaan we weer, dat joch legt het er erg dik op. Anaïs keek bedenkelijk, maar ging er niet op in. Ze had een droge keel.

'Kunnen we even stoppen om wat te drinken?'

'Dat is niet verstandig!'

'Ik heb vreselijke dorst!'

De Siciliaan gromde. Anaïs dacht al dat hij zijn eigen zin zou doen, maar na vijf minuten zette hij de richtingaanwijzer aan om een zijweg te nemen. Bij een kruising doemde de verveloze gevel van een café op. Giuseppe stopte een meter of twintig van de ingang, in een verborgen hoekje achter drie enorme cypressen. Hij wees naar de deur.

'Tien minuten, maximaal. Ik zal intussen Don Sebastiano bellen om te zeggen dat we gevolgd zijn. Het is nog ongeveer een kwartier rijden naar het vliegveld.'

'Bedankt, ik ben zo terug.'

Anaïs stapte uit en rekte zich omstandig uit. Het zonlicht was verblindend, een zalige warmte trok door haar leden. Ze ging het lege café in waar een kelner haar een groot glas citroenkwast met ijs serveerde. Verfrist en verkwikt liep ze terug naar de auto, relaxter dan tevoren. Ze dacht aan de man die achter hen aanzat en vond dat dit een mooie plek zou zijn om te sterven, op deze kaap tegenover de azuurblauwe zee. Haar enige liefde was dood, wat bleef haar nog over? Ineens verlangde ze naar de omhelzing van een man, die haar een beetje tederheid en troost zou geven.

Bij de auto zag ze Giuseppe met bloot bovenlijf over de kofferbak van de Fiat gebogen staan, bezig met een kartonnen doos. Ze betrapte zich erop dat ze keek naar zijn fijngebouwde, gespierde lichaam. Kleine zweetdruppels glommen in de holte van zijn lendenen.

Het wond haar op. Ze voelde een bruuske, bijna dierlijke lust om met deze onbekende de liefde te bedrijven. Ze wilde zich weer, al was het maar voor even, begeerlijk voelen.

Dat kan je niet maken. Houd het bij fantasie. Ben je Thomas nu al vergeten?

Ze verjoeg haar erotische gedachten. Het was echt niet het goede moment! Giuseppe draaide zich om toen hij haar hoorde naderen. Hij strekte zich uit in zijn volle lengte en zond haar een hartelijke glimlach.

'Sorry voor mijn uiterlijk, ik ging net een ander hemd aantrekken. Ik wilde u niet choqueren.'

Zijn plagerige donkere ogen logenstraften zijn schroomvallige woorden. Zelfverzekerd liep hij naar haar toe. Zijn ironische glimlach, geaccentueerd door een baard van twee dagen, maakte hem inderdaad een imitatie van de jonge Al Pacino. Ze staarde naar de gespierde ronding van zijn schouder.

'Ik ben niet zo'n zwijmelende toeriste,' hijgde ze, terwijl ze een stap in zijn richting deed.

Hij stak minstens een kop boven haar uit en ondanks zijn jeugd ontbrak het hem niet aan zelfvertrouwen. Voordat ze ook maar iets kon doen, pakte hij haar bij haar middel en kuste haar gulzig. Zijn handen kropen onder haar jurk en zochten haar katoenen slipje. Ze voelde zich smelten van genot, maar worstelde zich los.

'Nee, ik wil niet.'

Ze werd verteerd door schuldgevoel.

Thomas is dood. Ik mag hem dit niet aandoen.

Ze probeerde hem van zich af te duwen.

Jij gaat misschien ook binnenkort dood, geniet nog maar een laatste keer.

De jonge man versterkte zijn greep. Met een hand streelde hij haar rug. Ze weerde hem af.

'Niet doen, Giuseppe.'

Zonder op haar uitvluchten te letten, perste hij zijn lippen op de hare. Ze voelde zich in het nauw gedreven, maar beantwoordde niettemin zijn kus met overgave. Ze tuimelden de kokende auto binnen en sloegen het portier achter zich dicht. Anaïs voelde de opwinding groeien, elk ogenblik konden ze overvallen worden.

Wat kan mij dat schelen, laat mij nog een keer vrouw zijn.

Ze trok de rits van de Siciliaan open en beroerde zijn penis, terwijl hij zijn tong in haar oor liet glijden. Zijn hete adem wakkerde de begeerte aan die haar hele lichaam doorgloeide. Hijgend stroopte ze haar slipje af. Brandend van ongeduld.

Nog één keer…

Hij nam haar met een verrassende tederheid. Zijn warme lichaam bewoog onder de bevende handen van Anaïs. Haar begerige tong verkende zijn lippen. Zijn zoute huid. Haar hele lichaam schokte, ze plantte haar nagels in zijn bezwete rug en in zijn billen die golfden op het ritme van zijn stoten. Hij voerde het tempo op. Ze stond op het punt om klaar te komen, maar Giuseppe was haar voor en kreunde zacht.

Er voer een siddering door haar heen. Op datzelfde moment wist ze zeker dat ze nooit meer met deze man zou neuken. Ze wachtte tot hij op adem was gekomen en duwde hem zachtjes van zich af.

Hij keek haar aan met grote vragende ogen.

'Je bent… zo mooi.'

Anaïs kleedde zich vlug aan, terwijl hij zijn broek in orde bracht. Ze schaamde zich diep. Ze had zich nooit zo mogen laten gaan. Ik heb Thomas verraden. Heimelijk pinkte ze een traan weg die langs haar wang biggelde.

De auto startte en reed verder in de richting van Palermo. Zwijgend luisterden ze naar de nieuwsberichten op de radio. Rechts stond een bord dat de richting van het vliegveld aangaf. De Fiat slalomde tussen de rijen aanschuivende auto's door. In enkele minuten stonden ze in de ondergrondse parking van de luchthaven. Giuseppe zette de motor af en legde een hand op haar dij.

'Ik wou nog zeggen dat…'

Anaïs onderbrak hem: 'Nee, laat maar.'

'Maar vond je het lekker wat ik bij je heb gedaan?'

Anaïs bedacht dat – de meeste – mannen er niets van begrepen.

'We hebben het er niet meer over. Het was een vergissing. Laten we het daarbij laten.'

Aan de beweging van zijn hand voelde ze dat hij de boodschap begrepen had. Ze stapten uit en liepen naar de ingang van het luchthavengebouw. Giuseppe zei aarzelend: 'Don Sebastiano heeft overal voor gezorgd. Je kunt gewoon met je ticket en het paspoort naar de incheckbalie gaan. Vergis je niet in de naam!'

Ze bleef staan en pakte zijn pols beet: 'Ik weet niet hoe…'

Plechtig zei hij: 'Zo is onze erecode. We zijn niet allemaal maffiosi, weet je…'

Ze ging op haar tenen staan en kustte hem op de wang. Hij keek op zijn horloge: 'We zijn al laat, je moet nog de hele terminal door om in de vertrekhal te komen.'

De stem van de grondstewardess riep de vertrekkende vluchten om. De parking was uitgestorven.

Giuseppe en Anaïs kwamen bij de automatische deuren naar de hal. Op het moment dat de twee glazen wanden opengleden, dook er links van hen ineens een man op.

Anaïs' hart sloeg over van schrik.

Ze kende die man. De helper van Dionysus trok een mes: 'Dag, lieve kind, de meester kan haast niet wachten om je terug te zien.'

22

Louveciennes

Marcas verbaasde zich over de snelheid waarmee de zwaargebouwde arts holde. In minder dan een minuut doorkruisten ze het hoofdgebouw van de kliniek. Vanuit de deuropening van kamer 'Sable', zagen ze dat twee verplegers een man in een blauwe pyjama op het bed gedrukt hielden. Hij probeerde niet eens zich te verweren.

'Wat gebeurt hier?' riep de arts, terwijl hij de kamer binnenstormde.

Marcas had het antwoord van de verplegers niet nodig om te begrijpen wat er aan de hand was. De muren van de kamer waren besmeurd met bloed. Grote rode lussen vormden voorstellingen afgewisseld met woorden. Het felle rood contrasteerde obsceen met de crêmekleurige muren die eruitzagen of ze zelf gewond waren; net met littekens bedekt levend weefsel.

'Hij heeft zijn polsen doorgesneden om de boel opnieuw te schilderen,' legde een van de verplegers vlijtig uit.

'Ik dacht dat hem alle scherpe voorwerpen waren afgenomen,' zei Anderson onaangedaan terwijl hij zich over de patiënt boog.

'Hij wilde zich scheren. We dachten dat het geen kwaad kon,' fluisterde een van de mannen in het wit.

'Imbecielen, laat je onmiddellijk vervangen,' gromde de arts.

De minister staarde glimlachend naar een denkbeeldig punt boven het hoofd van de dokter, de lakens en het hoofdkussen waren een grote bloedvlek. Marcas liep ook naar het bed toe, beseffend dat dit een slecht begin van zijn ondervraging was.

Er verscheen een andere verpleger met een kar vol verband en een infuusstandaard. De arts ging opzij en nam Marcas bij de arm.

'Het lijkt me beter dat u weggaat; we gaan hem sedatie en een bloedtransfusie geven. Hij heeft zeker een liter bloed verloren met dat ge-knoei.'

Zijn toon maakte duidelijk dat hij geen tegenspraak duldde. Tegen-over elkaar staand keken de reus en de politieman elkaar uitdagend aan. Marcas besloot dat hij beter kon vertrekken en zette om de krachtme-ting nog een beetje te rekken een ferme stem op: 'Goed, maar ik kom voor het eind van de week terug. Ik moet hem absoluut verhoren.'

'Natuurlijk, maar nu is dat onmogelijk; hij is er niet toe in staat en u doet…'

Hij kon niet uitspreken vanwege een schreeuw uit de ziekenkamer.

'Nee!'

Marcas en Anderson draaiden zich om naar het bed. De minister keek hen aan met wijd opengesperde ogen.

'Ik wil best praten. Ik heb niets te verbergen voor de politie.'

De arts maakte een gebaar, maar Marcas was sneller en stond al met een zwart opschrijfboekje in de hand voor het bed.

'Weet u zeker dat u in staat bent te praten, meneer de minister?'

Dokter Anderson mopperde: 'Ik verbied u om mijn patiënt onder druk te zetten, commissaris. Het is mijn verantwoording om…'

'Bemoei u er niet mee, dokter!' onderbrak de zieke die weer helemaal helder leek.

'Maar…'

'Zo is het genoeg. Luister. Behandel me niet als een klein kind. Ik heb geen idee wat me bezielde; ineens was ik bezig mijn polsen door te snij-den en toen verloor ik mijn bewustzijn. Ik ben wakker geworden door-dat uw krachtpatsers me op het bed smeten. Goede god, wat gebeurt er toch met me?'

Marcas schoof een stoeltje bij het hoofdeinde van het bed. Het was een gouden kans de man te ondervragen voordat hij weer onder zeil ging. Het zweet stond op zijn voorhoofd, zijn vale gelaatskleur wees op algehele verzwakking.

'Daar zouden we graag achter willen komen, meneer de minister. Ik ben commissaris Marcas en ik doe het inleidende onderzoek naar het overlijden van… de dame die bij u op het ministerie was.'

Het gezicht van de minister verstrakte, zijn ogen rolden in hun kas-sen. Marcas zocht naar een manier om hem op zijn gemak te stellen; de minister was toch een broeder? Het bracht hem op een idee. Hij boog zich over naar de patiënt en fluisterde hem de gewijde formule in die elke vrijmetselaar kende: 'Geef mij de eerste letter…'

De minister ontspande zich. Hij begreep het en beloonde de politieman met een zwakke glimlach voor hij antwoordde: '… en ik zal u de tweede geven.'

De arts stond zwijgend aan het voeteneinde van het bed en keek nors naar de politieman. De minister probeerde zijn hoofd op te heffen, toen de verpleger het infuus in zijn onderarm prikte.

'Mijn god, dat is waar ook. Het was geen nachtmerrie… Ze is echt dood. De opperste extase…'

Hij begon te hakkelen en uit zijn mondhoek liep speeksel. De zieke moest vechten om niet weg te zakken. Hij boorde zijn harde nagels in Marcas' pols. Op een knikje van de arts bond een andere verpleger riemen rond de buik en de benen van de minister. Die had steeds meer moeite om begrijpelijke zinnen te formuleren en omklemde Marcas' arm of hij een reddingsboei was. Tranen liepen langs zijn ongeschoren wangen.

'Ik… ik zak weg… De muur, broeder, de muur, je zult het wel begrijpen… De sterren… We zijn allemaal sterren…'

Hij verloor het bewustzijn op het moment dat hij naar zijn bloedige graffiti wees, die hier en daar langs de muur van zijn kamer naar beneden dropen.

Alsof hij dit moment had afgewacht, stapte de arts dreigend op Marcas af.

'Kijk in wat voor toestand u hem hebt gebracht, commissaris. Ik gelast u om deze kamer en mijn kliniek onmiddellijk te verlaten. U komt pas terug als ik het goedvind. Is dat duidelijk?'

'Heel duidelijk,' zei Marcas en stond langzaam op.

Zonder zich te bekommeren om de boze blikken van de arts liep hij naar de muur met de raadselachtige tekeningen. Machinaal taste hij in zijn binnenzak en haalde er zijn mobiele telefoon uit.

'Het is verboden te telefoneren in de ziekenkamers.'

Grijnzend doorstond Marcas zijn blik.

'O ja? Zeker een artikel uit de grondwet van Anderson? Wees niet bang, ik film het alleen even.'

Marcas hield zijn gsm ter hoogte van de tekeningen en scande langzaam de hele muur.

'De vooruitgang is niet te stoppen, ik kan hem zelfs als camera gebruiken. Dan kan ik deze muurschildering thuis eens rustig bekijken.'

Hij maakte dezelfde beweging, nu in tegengestelde richting. Voldaan stopte hij het mobieltje in zijn zak en groette de arts.

'Doet u geen moeite, ik vind de uitgang wel.'

De reus stond hem met gekruiste armen kwaadaardig op te nemen.

'Weet dat ik uw gedrag zal rapporteren, commissaris, en uw broeders op het ministerie zullen u niet uit de wind kunnen houden.'

Marcas begreep dat de arts had gehoord wat hij tegen de minister had gezegd. Hij haalde zijn schouders op en liep de kamer uit. Op de drempel zei hij, zonder om te kijken: 'Sorry dat ik het zeg, maar die harnastheorie is reuze simplistisch. Ik heb haar al eens gehoord, in een soapserie. Tot ziens.'

Opgetogen over zijn eigen gevatheid, liep Marcas de lange gang naar de receptie in. Hij was niet veel wijzer geworden en hij zag nog altijd niet het verband tussen de momenten van de verstandsverbijstering van de minister en de dood van die jonge vrouw. Bovendien had hij zich de woede op de hals gehaald van de baas van de kliniek, die ongetwijfeld hooggeplaatste relaties had. Hij beende door de ruime middeleeuwse hal en bereikte opgelucht het bordes. Dat luxegesticht voor dienaren van de Franse Republiek had hem onrustig gemaakt; hij zou er zelf ook terecht kunnen komen. Hij kreeg kippenvel bij het idee in handen van de Gele Schaduw te vallen. Met vier treden tegelijk rende hij de trap af.

Beneden was net een nachtblauwe Peugeot zachtjes komen uitrijden. Een witgejaste verpleger hield omstandig het achterportier open om een man met kortgeknipt haar en gekleed in een bruine kamerjas te laten uitstappen. Vlak achter hem verscheen een kleine man met een diplomatenkoffertje. Marcas kwam hen op de trap tegen. Hij herkende de man in de kamerjas onmiddellijk als de hoge militair die het nieuws had gehaald omdat hij was berispt na een mislukte operatie in een Afrikaans land die hij onder de pet had willen houden. Ook hij verdween enkele maanden uit het beeld. Marcas spitste zijn oren toen hij langs het groepje liep en ving de woorden 'ernstige terugval' en 'schuldig verzuim' op. Terwijl hij instapte vroeg hij zich af of militairen door Anderson behandeld werden in een leslokaal met saluerende nepsoldaten en de dag, net als in de kazerne, begonnen met een vlagceremonie.

Hij startte de motor en reed langs het smalle wegje naar de uitgang.

De slagboom ging open om hem door te laten en een minuut later reed
hij over de rijksweg naar het centrum van Louveciennes. Hij zette de radio aan en luisterde verstrooid. Die aandrang van de minister dat hij
diens tekeningen moest bekijken, kwam vast voort uit zijn wanen.

Sterren, we zijn allemaal sterren.

Voor een profaan had het woord *ster* nauwelijks bijbetekenis, maar
voor een vrijmetselaar als Antoine lag dat anders. De *Vlammende Ster*
was een van de voornaamste symbolen van de Gezellengraad. Verlichter
van het pad én einddoel tegelijk. Elke broeder kende de vijfpuntige
ster… En als de minister niet malende was…

Marcas had tijdens het filmen alle tekeningen op de muur aandachtig
bekeken, maar alles leek te kloppen. De lijnen en tekeningen leken inderdaad op sterren en op schots en scheve letters. Dokter Anderson zou
zijn hart kunnen ophalen met de analyse van die krabbels.

Onder aan een helling remde hij af, moest stoppen voor een rood licht
en profiteerde ervan door een sigaret op te stekken. Deze zaak was echt
volslagen absurd, er was geen touw aan vast te knopen. Een vrouw die
overlijdt tijdens het rampetampen met een minnaar die de kluts kwijt-
raakt. Er was niets wat steek hield. Hij licht sprong op groen en hij sloeg
rechtsaf, naar Parijs. Hij aarzelde of hij op de *route nationale* zou blijven.
Hij zou Parijs dan aan de westkant binnenrijden en waarschijnlijk vast
komen te zitten in de file, vooral ter hoogte van de Arc de Triomphe. Dat
was niet te doen om die tijd, de Étoile zou compleet verstopt zijn. Hij
kon beter via Saint-Cloud rijden en… Étoile… De Ster…

Ineens schoot hem een detail te binnen dat hem was opgevallen in de
tekeningen van de minister.

De Ster. Waarom had hij daar niet eerder aan gedacht? Hij moest absoluut stoppen om iets te checken op dat filmpje van zijn gsm. Hij parkeerde in de berm en zette de motor af. De minister was een broeder. Hij
dacht dus als een vrijmetselaar en zijn tekeningen…

Hij speelde het filmpje af en pauzeerde bij een bepaald beeld.

Hij had misschien een spoor te pakken. Eindelijk.

23

Het doffe lemmet van de dolk kwam met draaiende bewegingen dichterbij. De man die hem vasthield glimlachte kwaadaardig, zeker van het effect dat hij teweegbracht.

'Einde van de rit. Iedereen uitstappen. Jullie zijn een stelletje sufkoppen. Ik had jullie bijna te pakken op de parking van dat café, het scheelde maar een minuutje... En de spaghettivreter houdt zich gedeisd. *Capisci!'*

Anaïs bevroor. Haar keel was dichtgeschroefd, instinctief klampte ze zich vast aan de pols van Giuseppe die haar reistas droeg.

De man kwam dichter bij het stel staan.

'Ik heb haast. Gebeurt er nog wat?'

Giuseppe rukte zijn pols los en gaf Anaïs een duw. Hij keek even naar de jonge vrouw en zei toonloos: 'Ik zoek geen rottigheid. Ik doe alleen wat me werd opgedragen.'

Anaïs verstijfde. Giuseppe was de enige die haar tegen haar beulen kon beschermen. Geschokt zag ze haar beschermer ruim baan maken voor de helper van de meester.

'Ga naar je auto en donder op. Ik zorg wel voor de jongedame. Haar tripje op dit eiland is nog niet afgelopen.'

Net toen hij dichterbij kwam en haar hand wilde grijpen, gingen de automatische toegangsdeuren open voor een grijs dametje met een bagagewagentje. Nietsvermoedend piepte ze tegen de belager: *'Please, could you...'*

De man keek om en besefte meteen zijn fout. De reistas van Anaïs trof hem met volle kracht. De toeriste gilde verschrikt. Giuseppe was al boven op de man gesprongen en ze rolden samen over de grond. Stokstijf keek Anaïs naar het gevecht. De bejaarde dame mopperde iets waarin Anaïs het woord 'maffia' meende te verstaan en duwde zonder nog verder om te kijken haar karretje naar de parkeergarage.

De twee mannen vochten nog steeds, Giuseppe had zijn aanvaller in de houdgreep, maar de dolk naderde gevaarlijk dicht zijn buik. Hij brulde: 'Rennen, Anaïs! Je ticket en het paspoort zitten in de tas.'

De Française aarzelde even, greep haar linnen tas, deed enkele stappen naar de deur en bedacht zich toen. Met een dreun raakte de handbagage opnieuw het hoofd van de moordenaar, waarbij de veiligheidsgesp zijn wang openhaalde. Brullend van de pijn liet de man Giuseppe los en rolde opzij. Giuseppe profiteerde ervan door op hem in te beuken.

Met een hand tegen zijn ribben gedrukt stond de jonge Italiaan op: 'Schiet op! In de vertrekhal kan je niets meer gebeuren. Ik red me wel!'

Anaïs slikte: 'Hij zal zijn vrienden waarschuwen. Als ze me hier niet krijgen, wachten ze me op in Parijs.'

'Nee, ik zorg wel voor deze hier. Laat dat maar aan mij over. Ga dan!'

De moordenaar probeerde overeind te komen. Giuseppe trapte hem in zijn ribben.

Anaïs liep achterwaarts naar de glazen deur.

'Het beste met je!'

Zonder het antwoord af te wachten spurtte ze naar de ingang. Voor omkijken had ze geen tijd meer. Boven aan de roltrap maande ze zichzelf tot kalmte. Diep inademend probeerde ze de wurgende angst te bedwingen, want elk moment kon die vervloekte helper van Dionysus achter haar opduiken.

Als Giuseppe hem echt had kunnen uitschakelen, had ze een kans om te ontkomen. Ze keek achterom en zag tot haar grote opluchting dat niemand haar volgde. Bezwerend kruiste ze de vingers van haar vrije hand en liep iets zelfverzekerder naar de vertrekhal voor binnenlandse vluchten. Een wandklok gaf 15.30 uur aan; ze had nog maar een kwartier om in te checken.

Aan het einde van de gang naar de vertrekhal stond haar hart stil.

Vijf met machinepistolen bewapende politieagenten versperden de doorgang achter een afzetting van brede geplastificeerde stroken die enkel werd onderbroken door een veiligheidspoortje. Ervoor stond een lange rij passagiers die vooruitschoven op het ritme van de paspoortencontrole. Giuseppe had wel voorzien dat er bij de binnenlandse vluchten ook gecontroleerd zou worden, maar de agenten waren er wellicht minder pietluttig dan voor de internationale vluchten.

Ze zochten haar. Ik kom er nooit door. Anaïs ging in de rij staan en keek nog eens om. Als Giuseppe zijn tegenstander had uitgeschakeld, had hij er nu al moeten zijn. Ongerust haalde ze het gestolen paspoort uit de zak van haar jack. De kringen onder de ogen van het gezicht op de foto verriedden een diepe vermoeidheid, de haarcoupe gaf het een harde uitdrukking. Die vrouw ben jij, hield ze zichzelf voor, niet te geloven. En wat een stomme naam, Jocelyne Grignard, hoe bedenk je het. Echt een naam voor iemand die zijn papieren laat pikken. Jocelyne Grignard, geboren op 21 juli 1970 in Luik. Ze was nog nooit in Luik geweest, ergens anders in België trouwens ook niet. Beducht voor de vragen van die agenten had ze allerlei volmaakt onbelangrijke details lopen bedenken, alsof ze een Gestapoverhoor moest ondergaan.

Mijn naam is niet meer Anaïs Lesterac. Ik ben Jocelyne Grignard. Grignard…

Naarmate de rij voortschoof, werd de knoop in haar maag harder. Het lukt me nooit, ze merken meteen dat mijn paspoort gestolen is. Ik heb geen Belgenhoofd. Anaïs voelde zich stupide, wanhopig alleen en stupide.

Ineens voelde ze iets achter zich, iemand stond bijna tegen haar aan. Haar hart sloeg over.

Hij had haar gevonden en ze had niets gemerkt. Ze durfde niet om te kijken uit angst dat het haar aanvaller was. Tranen sprongen in haar ogen. Hij zal me meenemen om me weer aan Dionysus uit te leveren. Een doffe, ondermijnende paniek beving haar. De enige uitweg was naar de agenten te hollen en zich bekend te maken.

Ik heb geen keus meer. Dat is het beste, dan word ik tenminste beschermd. Jammer dan als die agenten ook corrupt zijn.

Haar handen trilden. Ze liet haar tas vallen. Op datzelfde moment hoorde ze achter haar rug een mannenstem in het Frans zeggen: 'Kunt u niet doorlopen, zometeen mis ik mijn vliegtuig nog.'

Ze keek om en zag het norse gezicht van een drukgebarende oudere man met een pet. Anaïs slaakte een zucht van opluchting.

Hij is het niet. Ik maak misschien nog een kans.

De rij voor haar was ineens weer opgeschoven en er zat minstens anderhalve meter tussen haar en haar voorganger.

Er liep een straaltje zweet langs haar rug. Anaïs nam haar tas weer op en liep ook door. Ze keek naar het bord met de vertrekkende vluchten, ze had nog maar vijf minuten om in te checken. De volgende vlucht naar Rome ging pas over vijf uur. *Ondenkbaar.* Ze moest nu weg van dit eiland. Nog vijf uur op de luchthaven van Palermo betekende haar doodvonnis.

24

Parijs,
de moordbrigade

In het halfdonker van Marcas' kantoor boden de bloedige tekeningen van de minister een onprettige aanblik. De meetkundige sterpatronen trokken een bruinig spoor over het computerscherm. Marcas zette het beeld stil en zoomde in op een tekening die hem tamelijk begrijpelijk leek.

Een ster die in een spiraal ronddraaide.

Hij klikte op het uitvergrote gebied en nog eens op printen om er een papieren versie van te hebben. Het gezoem van de printer verstoorde nauwelijks de stilte op de verdieping van zijn afdeling, die op dit late uur uitgestorven was. Doodmoe van deze eindeloze dag wreef Marcas in zijn roodomrande ogen. Het was elf uur 's avonds en hij was nog steeds bezig. Hij vroeg zich af waarom hij zo halsstarrig was geweest om terug te gaan naar kantoor, in plaats van direct naar huis te rijden en een heet bad te nemen. Het ministerie van Binnenlandse Zaken vergoedde geen overuren. Die bestonden in zijn vak niet eens. Die hele vijfendertigurige Franse werkweek was trouwens belachelijk.

Er klonk een hoog gepiep. Marcas zuchtte, de printer vertoonde weer eens kuren. Er was nog niets veranderd sinds zijn vertrek. Voor de vorm gaf hij een klapje op het apparaat en ging weer voor zijn scherm zitten.

Zijn blik werd onweerstaanbaar naar de tekening van de minister getrokken.

Eigenaardig. Idioot. Een draaiende ster.

Wat beweegt een man van zo'n niveau om met zijn eigen bloed te gaan knoeien? Marcas begreep niets van die hele zaak, hoewel dit symbool hem niet onbekend was. En dat was nu juist zijn probleem. Het verband dat hij legde was totaal betekenisloos.

De laatste keer dat hij zo'n ster had gezien was samen met zijn ex-vrouw in een vegetarisch eetcafé in de rue Saint-Martin, in het eerste arrondissement. Het was het soort gelegenheid waar zij dol op was, met oosterse muziek en zijden kussens. Ze hadden er afgesproken om over hun scheiding te praten. Na het eten probeerde ze een laatste lijmpoging te doen en had ze begeesterd een voorspellend tarotspel op tafel uitgelegd. Om de juiste beslissing te nemen. Modejournaliste Anne François wilde altijd haar man en al hun vrienden de toekomst voorspellen. Jammer genoeg met een slagingspercentage dat omgekeerd evenredig was aan de energie die het haar kostte om iedereen van haar gave te overtuigen. Marcas had weinig op met waarzeggerij in het algemeen en nog minder met die van zijn vrouw, maar speelde het spel mee door haar op elke trouwdag andere kaarten te geven. Hoewel hij absoluut niet geloofde in hun voorspellende kracht, waardeerde hij wel de esthetiek van de symbolische voorstellingen. Bij het dessert had ze haar kaarten tevoorschijn gehaald, haar plaatjes, zoals ze ze noemde, om hun huwelijksleven aan een laatste legging te onderwerpen. De uitkomst was duidelijk; ze moesten niet scheiden. De kaarten logen nooit. Marcas was ontroerd door de ontwapenende naïviteit en de vochtige ogen van zijn vrouw. Ze had de laatste kaart getrokken en had 'Ster' gemompeld, dat was het teken van de hoop. De kaart stelde een vrouw voor die water van de ene schaal in de andere goot. In de linkerbovenhoek van de kaart stond een ster.

Een draaiende ster.

Ze had hem de kaart gegeven en liet hem beloven die geluksbrenger altijd te bewaren. Die avond hadden ze voor het laatst samen geslapen. Dat was nu twee jaar geleden. Hij was 's ochtends weggeslopen met de kaart in zijn zak en zes maanden later waren ze officieel gescheiden. De kaart had ruim een jaar in een la gelegen en toen had hij hem opgeborgen in een doos met aandenkens die bij zijn ouders stond.

Het geknetter van een motor op de quai des Orfèvres deed hem opschrikken uit zijn mijmerij.

Hij moest die tarotkaart zien terug te vinden. Hij klikte op het interneticoontje en gaf de zoekterm 'waarzeggende tarot' op. Tot zijn stomme verbazing verscheen er een indrukwekkend aantal hits. Hij koos de eerste en kwam terecht op een site waar je tegen betaling je toekomst kon laten voorspellen. Vijf euro per seance! Hij was de 657.000^e bezoeker. Een goudmijntje! Hij ging naar een andere site. Hij werd begroet met newagemuziek en een donkere schoonheid met amandelvormige ogen beloofde hem wegwijs te zullen maken in het mysterieuze universum van de tarot. Hij bekeek de eenentwintig belangrijkste kaarten van het beroemdste tarotspel dat 'Marseille' heette, maar hij kreeg er geen goede uitleg over het raadsel dat hem bezighield. Teleurgesteld ging hij naar een andere site, maar ook die gaf geen serieuze informatie.

Om een beetje te ontspannen ging hij naar de maçonnieke blog, zijn grote houvast als hij iets wilde weten wat maar enigszins met vrijmetselarij te maken had. De Belgische broeder die de site onderhield had een Amerikaanse site gevonden met spotprenten over de vrijmetselarij. Hij klikte zijn favoriete 'antimaçonnerie' aan, die alle internetaanvallen tegen de vrijmetselaars bijhield. Deze keer had Jiri een nieuwe site gevonden met grimmige complottheorieën die vrijmetselaren verantwoordelijk stelden voor pedofilie, de aanslagen van 11 september, alle oorlogen in de wereld, en dat alles in samenwerking met de 'afvallige' Joden. Marcas grinnikte, de menselijke stompzinnigheid kende geen grenzen en de vrijmetselaren betaalden daarvoor vaak het gelag.

Hij leunde achterover en stak een sigaret op. Dat tarotverhaal bleef aan hem knagen.

Zijn ex had hem uitgelegd dat er minstens honderd verschillende tarotspellen bestonden, waarvan de meeste leken op het oervoorbeeld, het tarot van Marseille. Of hij bleef hier de hele nacht zitten internetten, of hij reed naar het ouderlijk huis om in de doos te kijken, of hij belde nu zijn ex. Geen van de drie opties lokte hem aan.

Met frisse tegenzin nam hij zijn mobiel en belde het nummer van Anne.

Bezopen, om haar om elf uur 's avonds te bellen over de naam van een tarotspelletje. Ze zal me uitlachen. Hij veranderde van gedachten, maar ze nam op net toen hij wilde opleggen.

'Ja?'

De stem van zijn ex werd overstemd door gepraat en technomuziek. Zoals gewoonlijk meldde ze zich met een koel 'ja'. En zoals altijd verplichtte hem dat als eerste tot de begroeting. Zo ging het om de twee weken en aan het begin van de schoolvakanties, als hij zijn zoon kwam halen.

'Hallo, met Antoine. Ik moet je een kleine… dienst vragen.'

'Als je het weekend met Pierre wilt afzeggen, is het "nee". Ik ga naar het zuiden. Ik heb ook recht op een beetje vrijheid.'

Marcas voelde zich schuldig, hij had al op het laatste moment een weekje wintervakantie met zijn zoon afgezegd vanwege zijn werk.

'Nee, maak je geen zorgen. Ik neem hem het volgend weekend. Ik wilde… Ik wilde graag weten hoe dat tarotspel heette, waarvan je me een kaart hebt gegeven. Weet je nog?'

'Maak je een geintje? Ik heb vrienden te eten.'

'Nee, ik meen het serieus. Ik moet het weten voor een moordzaak waaraan ik werk.'

Marcas hoorde bulderend gelach op de achtergrond en meende de stem van de vriend van zijn ex te herkennen. Er verstreken enkele seconden voordat ze temerig zei: 'De rationele, intelligente commissaris Marcas verdiept zich in tarot. Hoop je dat de sterren je de dader zullen aanwijzen?'

Marcas begon de pest in te krijgen, maar probeerde kalm te blijven.

'Oké, laat maar zitten. Prettige avond nog en doe Pierre de groeten.'

'Word nou niet kwaad. Het was het Thot-tarot en je kunt het vinden in de betere esoteriewinkel. Waarom moet je dat weten?'

'Sorry, dat kan ik niet zeggen.'

'Dat dacht ik al. Nou ja, kijk maar. Trouwens…'

'Trouwens?'

'Ik heb dat spel niet meer. Begrijp je een beetje waarom?'

Ze klonk zachter nu en Marcas hoorde weer de stembuigingen die hij ooit zo aantrekkelijk had gevonden. Hij antwoordde een beetje hartelijker: 'Het spijt me dat ik je heb lastiggevallen. Ik weet…'

'Jij weet altijd alles, natuurlijk.'

Gefrustreerd viel ze weer terug op sarcasme.

'Ik houd je niet langer op.'

'Vergeet Pierre niet. Zaterdagochtend om tien uur en geen minuut later.'

Ze hing op.

Marcas legde zijn gsm op tafel en wendde zich weer naar de computer. Na twee jaar waren de wonden nog lang niet geheeld. Hij vroeg zich af hoe lang dat bitse geruzie nog ging duren. Hij voerde 'boek Thot' en 'tarot' in als zoektermen.

De oogst was overdadig. Hij klikte de site aan die hem het meest uitvoerig leek.

De site was helemaal gewijd aan de Angelsaksische tarottraditie, waartoe ook het Boek van Thot behoorde, het spel dat begin 1900 werd ontworpen door de Britse kunstenares Frieda Harris. De introductie gaf de namen van de eenentwintig kaarten. Hij doorliep de lijst en vond wat hij zocht.

Kaart nummer zeventien. De Ster. Hij klikte de link aan en de kaart verscheen op het scherm.

Het was de kaart die hij zich herinnerde. Een zittende vrouw die water uitgoot en in de linkerhoek de draaiende ster. Midden in een paarse planeet, draaide nog een ster van hetzelfde type.

Hij maakt er een vergroting van en vergeleek die met de tekening van de minister. De gelijkenis was volmaakt. Behalve de kleur, wit op de kaart, en rood op de ziekenhuismuur, waren de twee symbolen identiek aan elkaar.

Voldaan stak Marcas een nieuwe sigaret op en staarde peinzend naar het scherm. In zijn wanen had de minister een aanwijzing willen geven, maar waarvoor? De site leverde verder weinig bruikbare informatie op en Marcas ging terug naar de resultaten van de zoekmachine. Uiteindelijk vond hij een pagina die helemaal gewijd was aan het Boek van Thot. En weer was de verbinding tergend langzaam.

Op het scherm verscheen eerst een bonte kleurexplosie, gevolgd door een driedimensionaal boek, met daarop in zwarte letters de titel: *Het Boek van Thot – het arcana der arcana's*. Hij moest lachen om die uitbundige presentatie en klikte op de inhoudsopgave van het boek om naar de hoofdstukken te kijken. Hij kreeg pagina's lang uitleg van de betekenis van elke kaart, in het in dat wereldje gebezigde mystiek-esoterisch taalgebruik.

De Ster.

Hij vond bij *Oorsprong van het Boek van Toth* de naam terug van de kunstenares die het spel had ontworpen. Volgens de maker van de site, was zij niet de bedenkster ervan. De kaarten waren gemaakt op aanwijzingen van een soort raadgever in occulte zaken, een zekere Frater Perdurabo, de oprichter van een groep die zich aan magische praktijken wijdde. Weer zo'n charlatan, in alle tijden vind je toch altijd weer lui die gebruikmaken van de goedgelovigheid van de mensen. Hij klikte op het portret van de Engelse magiër. Een kale, gezette man met een sensuele blik en een vreemde driekantige steek op zijn hoofd dat hij steunde op beide handen. Een potsierlijke houding, ware het niet dat zijn blik bikkelhard was.

Marcas kon niet eens meer lachen om al die nonsens waar je niets mee opschoot.

De vermoeiheid sloeg toe. Hij had nog maar één wens en dat was zo snel mogelijk thuis te zijn. Hij gaf het commando om de inhoudsopgave van de site uit te printen en pakte zijn jas, de machine had nog minstens een uur nodig om alles af te drukken. Hij deed het licht uit en wilde net weggaan toen zijn blik naar het verlichte scherm werd getrokken. De dode magiër leek hem kwaadaardig aan te staren.

25

Sicilië,
de luchthaven van Palermo

De file schoot maar niet op; een stuk of twintig Japanners voor haar konden hun reispapieren niet vinden en stonden in hun enorme koffers te rommelen.

Anaïs ontplofte bijna. Achter de veiligheidsafzetting stonden drie reizigers etiketten voor hun bagage in te vullen. Ik ga mijn vlucht missen, verdomme. Ze moest iets doen om uit deze fuik te komen. Flink zijn, meid. De oude toerist bleef mopperend tegen haar aanrijden en zijn stinkende adem in haar nek blazen.

Ineens had ze een idee. Ze brulde: 'Ouwe viezerik!'

Ze stapte uit de rij, ging pal voor de verbluffe man staan en gaf hem een klinkende oorvijg, gadegeslagen door ontstelde reizigers en de politieagenten. Een van hen onderbrak zijn bezigheden en liep fronsend op haar toe.

Anaïs keek hem recht in de ogen en deed of ze zeer verbolgen was: '*Io non parlare italiano.* Die engerd staat me al een uur lastig te vallen en nou knijpt hij in mijn billen. Begrijpt u mij?'

Ze had niet terug van haar eigen lef. Olivier, een bevriende cartoonist die dol was op Jiddische woorden, noemde dat 'gotspe'. Hij vertelde altijd de anekdote van de Jood die zijn beide ouders vermoordde en de jury smeekte om geen wees te veroordelen.

Ze was bezig met vlag en wimpel te slagen voor haar 'gotspe'-diploma.

Ze tastte naar haar bil en begon die tot groot vermaak van de agent te masseren. De oude man keek verwilderd rond, zag dat hij door iedereen afkeurend werd bekeken en probeerde nog met de agent te soebatten.

'Ik deed niks, dat mens is gek.'

'Smeerlap! Je moet je laten behandelen.'

Anaïs pakte de agent bij de arm en keek zo hulpeloos als ze maar kon. Als een lief moederskindje.

'Ik zal het vliegtuig naar Rome missen. Mag ik alstublieft voorgaan? Ik heb nog maar een paar minuten om in te checken.'

De agent zette zijn borst uit.

'Natuurlijk. Kom maar hierlangs en geef me uw ticket en uw paspoort.'

Anaïs haalde diep adem en stak hem het paspoort toe van Jocelyne Grignard, woonachtig in Luik.

'Bent u Belgische?'

'Ja.'

Ze durfde hem niet meer aan te kijken, doodsbang dat ze door de mand zou vallen.

'Een mooi land, mijn neef heeft een pizzeria in Brussel. Kent u Brussel.

'Nou en of, mijn moeder woont in de straat van Manneken-Pis.'

Als je me nu bezig zag, Olivier. Ik slaag met vlag en wimpel voor mijn 'gotspe'-diploma!

De agent bekeek haar aandachtig en gaf haar het paspoort even later met een brede grijns terug.

'Goede reis, mevrouw. U hebt nog net tijd om in te checken, maar houd uw papieren wel bij de hand, vlak voor het instappen is er nog een identiteitscontrole.'

Anaïs lachte terug, wuifde even naar hem en holde naar de balie van Alitalia. Over een kwartier moest ze aan boord, vlak na de vlucht naar Milaan. Triomfantelijk nam Anaïs haar transitticket in ontvangst en passeerde douane en politie.

Ze was nu in de passagierszone van de luchthaven, buiten bereik van haar achtervolgers en beschermd door een grote glazen wand. Het is gelukt, ik ben ontsnapt. Ik verlaat dit vervloekte eiland.

Hier en daar wachtten groepjes mensen voor vluchten over heel Italië. Ze vond gate c voor de vlucht naar Rome en zag het bordje van de toiletten. Ze kon nog net eventjes haar gezicht gaan verfrissen en zich wat opknappen. Ze wierp nog een laatste blik op de ruimte achter de controlepost, min of meer in de verwachting daar Giuseppe te zien en hem nog eens te kunnen bedanken voor zijn hulp.

Haar bloed bevroor in haar aderen. Drie meter voor haar, net achter de glazen deur, stond de moordenaar en keek haar aan met een hatelijke blik.

127

26

Parijs,
de zetel van de obediëntie

Andermaal deed de Grootmeester van de obediëntie zijn best om zich te beheersen. Zwijgend keek hij naar de gezichten van de adviseurs van de Orde van Vrijmetselaars die hem omringden. Ze hadden hem nog maar enkele maanden geleden gekozen en nu zou hij te weten komen waarom.

'Waarom hebt u dat niet eerder gezegd?'

Iemand zei: 'We dachten dat het maar een bijkomstigheid was. We kunnen de loges toch moeilijk allemaal gaan inspecteren. Op het moment van uw verkiezing ging het om de eenheid van de obediëntie. Om tegemoet te komen aan de wensen van alle vrijmetselaars die…'

'Bespaar me dat refrein, broeder! Ons aantal groeit zienderogen; we zijn in de hele wereld aanwezig. En hoe komt dat? Omdat we onafhankelijke vrijmetselaars zijn! Omdat we elke dubieuze spiritualiteit afwijzen die mensen van zichzelf vervreemdt. En nu komt u me vertellen dat we al maandenlang een loge in onze obediëntie hebben van… halve magiërs?'

'Maar dat wisten we niet! We dachten gewoon dat de broeders van die werkplaats graag eens wat meer wilden weten over de Europese magisch-mystieke tradities. Ze zijn…'

'Ze zijn knettergek geworden! Dat zijn ze! Het begint met het veranderen van rituelen, dan worden er nieuwe ceremonies bedacht en voor je het weet beland je in mystieke hysterie… En zeg niet dat ik overdrijf! Willen jullie weten over wie het gaat?'

'Die broeder is te ver gegaan en…'

'Die broeder is een minister van de Franse Republiek en hij zit, met een lijk op zijn geweten, ondergedoken in een gesticht!'

De Grootmeester verhief zijn stem.

Een van de adviseurs klapte zachtjes in zijn handen, een manier in de loge om het woord te vragen. Die stilzwijgende verwijzing naar het ritueel kalmeerde de gemoederen een beetje.

'Broeders, het helpt niets als we ons gaan opwinden. Momenteel is het grote publiek nog niet op de hoogte van de problemen van onze broeder, noch van het feit dat hij bij onze obediëntie hoort. Officieel heeft de minister van Cultuur enkele dagen rust genomen. Dat is echt geen mededeling die de media zal opwinden.'

De Grootmeester glimlachte. Die broeders toch! Altijd maar denken dat ze de toestand meester zijn. Hij drukte op een knop van de intercom.

'Kunnen we koffie krijgen? Ja... En de ochtendkranten, alsjeblieft. Dank je, Claire.'

Hij keek de kring rond.

'Niets voor de media? Dacht u dat echt?'

De gezichten betrokken. De deur zwaaide open en de secretaresse zette een koffiekan op tafel en legde er de kranten naast.

'Schenk ons nog niet in, Claire. Lees eerst even voor wat er op deze voorpagina staat.'

'*Dode in Palais-Royal.*'

'En daaronder?'

'*Betrokkenheid van minister van Cultuur.*'

De Grootmeester zag de adviseurs wit wegtrekken.

'Dank je, Claire, tot straks.'

Hij wachtte tot de secretaresse de deur achter zich had gesloten en vervolgde: 'Ik bespaar u de hoofdartikelen die in grote lijnen uit de doeken doen wat zich op het ministerie heeft afgespeeld. Leest u liever het inzetje onder aan de pagina. Dat tekstje bij de foto van een Meesterschootsvel. Er liggen fotokopieën op tafel.'

MINISTER VOORMALIG LID VAN LOGE REGIUS

Niemand weet nog met zekerheid wat er is gebeurd en de hypothese van een ongelukkige afloop van een heftig liefdesspel kan niet worden uitgesloten. Maar er doen de wildste geruchten de ronde en politieke vrienden zijn nooit te beroerd om een bijdrage te leveren. Volgens onze bronnen bezit de minister de graad van Meester-vrijmetselaar en bezocht hij lange tijd de beroemde loge Regius, die ook genoemd werd in de affaire van de valse facturen die nu bijna tien jaar geleden zo veel stof deed opwaaien. In kringen dicht bij de obediënties wordt steeds luider gefluisterd dat de minister al enige tijd gefascineerd scheen te zijn door bepaalde experimenten, een fascinatie die hij deelde met enkele vrienden, of broeders, die regelmatig samenkwamen in zogenaamde logebijeenkomsten. Dat maakt de haast begrijpelijk waarmee de maçonnieke obediëntie waarvan deze nogal bijzondere loge deel uitmaakte, deze affaire in de doofpot tracht te stoppen. We herinneren eraan dat de intriges van hooggeplaatste leden van de loge Regius, onder wie de minister van Cultuur, nog nooit werden opgehelderd. De broeders, die zo talrijk zijn in de politieke wandelgangen, zijn er niet op gesteld dat de waarheid boven tafel komt over ontsporingen binnen de organisatie.

'Wel, broeders, wat hebt u daarop te zeggen? Hebben we die loge Regius nog lang op onze nek? Als ik me bedenk dat ik nota bene een van de eersten was die de toenmalige Grootmeester heeft gewaarschuwd voor de intriges van die boeven!'

De adviseur nam het woord: 'Regius is al tien jaar ter ziele; het merendeel van de leden is geroyeerd. Het is nog maar een spookloge. Om terug te komen op onze zaak, het ministerie van Cultuur houdt vanochtend nog een persconferentie. Bovendien zijn er al maatregelen genomen. In tegenstelling tot wat dit… dit blaadje beweert. Het ministerie van Binnenlandse Zaken heeft al een inleidend onderzoek laten starten.'

De Grootmeester verbleekte: 'Dat betekent…'

'… Dat betekent dat alles onder controle is. Al vanaf het begin van de affaire.'

'En dat onderzoek, wie gaat…?'

'Een broeder.'

'Ken ik hem?'

'Nee. Het is Antoine Marcas, oudgediende van de moordbrigade en tegenwoordig gedetacheerd bij de bestrijding van kunstcriminaliteit. Hij was ook betrokken bij de Thule-affaire*. Hij schrijft artikelen over de geschiedenis van de vrijmetselarij. Een eenzaat en een idealist.'

* Zie *Het schaduwritueel*.

'Weet u zeker dat…'

'We zullen hem bijstaan,' voegde adviseur Alexandre Parell er aan toe.

De Grootmeester had geen verdere vragen meer.

Hij wist nu tenminste waarom ze hem hadden gekozen.

27

Sicilië,
de luchthaven van Palermo

Ze zou wel willen gillen, maar kon geen geluid uitbrengen. Gemeen grijnzend maakte de man met zijn duim een gebaar of hij zijn keel doorsneed. Zijn lippen vormden daarbij woorden die ze niet begreep.

Anaïs deinsde terug alsof de moordenaar door de glazen scheidingswand zou stappen. Razendsnel schatte ze de situatie in; dat hij daar in levenden lijve voor haar stond betekende dat Giuseppe dood was. Ze voelde een intense haat opkomen en ze keek hem recht in de ogen, om hem goed te laten voelen dat hij haar er niet onder zou krijgen. De zwijgende krachtmeting duurde enkele seconden, toen draaide de jonge vrouw haar belager de rug toe en liep langzaam naar de gate. Ze verzamelde haar gedachten. Hoe groot was de kans dat hij haar te pakken kreeg? Hij had geen transitticket, dus hij kon niet weten welke vlucht ze nam. Van waar hij stond kon hij de gates niet zien. Er vertrokken zes vluchten. Dionysus kon niet overal mannetjes hebben om haar op te wachten. Trouwens, in Rome bleef ze tot haar vlucht naar Parijs vertrok in de transitzone. Haar hersens werkten op volle toeren. De moordenaar zou zeker niet gaan informeren bij de agenten en de hostesses en hij had er geen enkel belang bij om haar te verraden. Dionysus kon zich niet veroorloven dat ze in handen van de politie zou vallen die de hele omgeving had afgezet.

Ze versnelde haar pas om de afstand te vergroten tussen haar en de moordenaar wiens blikken ze in haar nek voelde. Giuseppe is ook dood. De tweede man op dit eiland die om me gaf. Ik breng ongeluk. Ze zag opgelucht dat bij gate C het instappen al bezig was. Anaïs haastte zich naar de slurf. Een streng uitziende stewardess controleerde haar instapkaart en wees haar plaats in de staart van het toestel aan. Tien minuten later stegen ze op. Anaïs kon zich eindelijk ontspannen.

Het contact met het vliegtuigraampje verkoelde haar bezwete gezicht. Een paar honderd meter beneden haar verdween langzaam de Siciliaanse kust. Rechts lag Palermo, tot het toestel van richting veranderde en ze alleen nog maar het turkooisblauw van de Middellandse Zee zag. Met een beetje moeite had ze de Rocca van Cefalù nog kunnen zien, maar ze had er de moed niet meer voor en leunde uitgeput achterover.

Het laatste stukje kust verdween uit haar gezichtsveld en daarmee ook de beangstigende, alomtegenwoordige dreiging van de sekte die haar ter dood veroordeeld had. Ze dacht aan haar vermoorde vrienden wier as voor altijd op dit eiland achterbleef. Ze moest er niet aan denken dat ook zij in een urn had kunnen eindigen.

En nu… wat ga je nu doen? De laatste dagen had ze alle opties de revue laten passeren. Haar eerste idee om zich in Parijs meteen bij de politie te melden, had ze verworpen op aandringen van Giuseppe. Zodra ze een politiebureau binnenstapte zou ze in hechtenis worden genomen, urenlang worden verhoord en daarna zouden alle media zich op haar storten. Anderzijds was ze de enige getuige van die monsterlijke misdaad en verkeerde ze in levensgevaar zolang Dionysus en zijn kompanen vrij rondliepen. Tegenstrijdige signalen leiden altijd tot psychotisch gedrag, zou de conclusie zijn van de psychiater bij wie ze al jaren in therapie was.

Ze kon niet meer naar haar eigen huis; de leden van de Abdij-groep kenden haar adres. Ze had ze tijdens hun meditatieavondjes nota bene zelf bij haar uitgenodigd. Dan waren er nog haar vrienden en familieleden. Ze kon wel gaan rondbellen, maar de meeste mensen waren al weg voor de paasvakantie. Haar moeder had Alzheimer en zat in een inrichting. Haar vader gaf al niet meer thuis sinds haar geboorte.

Eenzaam en moederziel alleen.

Er was maar één man die zou kunnen helpen, de enige ook bij wie ze wel had willen aankloppen. Oom Anselme, met wie ze zo'n daverende ruzie had gekregen toen ze toetrad tot de groep van Dionysus. Anselme. De vrijmetselaar van de familie die op haar zenuwen werkte zodra hij zijn mond opendeed om zijn mening ten beste te geven en dat deed hij over bijna alles. Ze waren elkaars tegenpolen: zij voelde zich aangetrokken tot spiritualiteit en mystiek; hij was overtuigd ongelovig en onwrikbaar rationeel, altijd bezig om god en de gelovigen onderuit te halen. Oom Anselme, haar enige familielid sinds haar moeder niet meer aanspreekbaar was. Hoewel ze hem niet meer had gezien sinds de kerst, toen hij in woede was uitgebarsten nadat ze hem had opgebiecht dat ze bij de groep van de Abdij was gegaan. Ze zag hem nog staan in zijn appartement in de rue des Martyrs. Hij had zijn armen ten hemel geheven en wierp haar met zijn donkere ogen vernietigende blikken toe.

'Mijn nichtje bij een sekte, je houdt het niet voor mogelijk! Je bent gek! Ze gaan je hersenspoelen, je wordt een slavin.'

Ze had meteen een bijtend antwoord klaar: 'Moet jij nodig zeggen, je hoort zelf bij een sekte van oplichters met een schort voor, een club macho's die iedereen zo nodig lessen in normen en waarden moeten geven. Je bent een echte oude zak aan het worden!' Ze was de deur uitgelopen zonder de handtas die hij haar cadeau had gedaan.

Het toestel helde weer over, nu naar links. De waarschuwingslampjes voor de veiligheidsgordels floepten aan. Anaïs keek uit het raampje en zag in de diepte een wit stipje in een blauwe oneindigheid. Waarschijnlijk een cruiseschip vol met onbezorgde toeristen. 'Onbezorgdheid', een woord dat voortaan taboe voor haar was.

Ze had drie boodschappen ingesproken op het antwoordapparaat van haar oom. Tevergeefs. Zelfs als hij niet thuis was, zou ze bij de conciërge van het flatgebouw de sleutels kunnen halen, zoals ze deed voor hun ruzie. Anselme en zij hadden niet dezelfde achternaam en geen van de groepsleden zou hen met elkaar in verband brengen. Ze had haar oom maar één keer genoemd tegen Dionysus die met zijn eigenaardig zachte, bedwelmende stem meelevend had gezegd: 'Neem het je oom niet kwalijk; hij wordt niet beschenen door het licht van de liefde. Wie in onwetendheid verkeert moet je kunnen vergeven.'

De gedachte aan de moordenaar van haar minnaar bezorgde haar koude rillingen. Ze gleed weg in een slaap zonder dromen. En zonder enig uitzicht.

28

Parijs,
rue Muller

De telefoon rinkelde. Marcas had nooit kunnen wennen aan die schrille bel. Toch deed hij het toestel niet weg. Vergeleken met de nieuwe generatie telefoons was het een antiquiteit, maar hij had hem al sinds zijn huwelijk. Alles was nog hetzelfde in het appartement. Behalve de slaapkamer, waar de boeken zich in wankele kolommen bleven opstapelen. Zijn ex had er nooit meer één voet gezet en toch had hij het niet over zijn hart kunnen verkrijgen dingen te veranderen. Antoine bleef alles neerleggen op hun vaste plaatsen. Af en toe overviel hem een vernieuwingsdrang: te gaan verhuizen of een weekend uit te trekken om alles opnieuw te schilderen. Net als de vrijgezellen uit de zelfhulpboekjes die, met een zacht achtergrondmuziekje uit de radio, zich met verfkwast en troffel een nieuw leven knutselen. Maar Marcas was geen doe-het-zelver. Een lampje moest weken wachten op vervanging, de deurknop aan de voordeur zat los. Zijn sporadische vriendinnen bemoeiden zich nooit met het huishouden. Als ze die met boeken volgestouwde slaapkamer zagen, wisten ze meteen dat ze in het hol van een verstokte vrijgezel waren.

De telefoon bleef rinkelen. Marcas haatte het om zo vroeg al te worden gestoord. In de vroege ochtend kon hij het beste nadenken, in een Schotse plaid gewikkeld uitgestrekt op zijn canapé. Hij stond toch maar op.

'Antoine Marcas?'

'Jawel,' zei hij knorrig.

'Hier Antoine Parell. Adviseur van je obediëntie. Goedemorgen, broeder.'

'Goedemorgen,' zei Marcas iets toeschietelijker. 'Wat verschaft me de...?'

'Je onderzoek, broeder.'

'Mijn onderzoek?'

'Ja. Heb je de kranten van gisteren gezien?'

'Eentje was wel genoeg.'

'Dan heb je het al begrepen. Een minister en vrijmetselaar die wordt verdacht. De obediëntie heeft besloten in actie te komen en je te helpen.'

De broeders schaamden zich echt nergens voor. En de zelfverzekerde woorden van zijn gesprekspartner gaven hem de kriebels.

'Nou, breng de broeders mijn dank over voor hun spontane en zo onverwachte steun. Maar ik heb ze niet nodig bij mijn onderzoek.'

'Jammer genoeg vrees ik van wel.'

'Ik weet zeker van niet.'

Aan de andere kant van de lijn klonk een diepe zucht: 'Ze hadden gezegd dat je geen makkelijke was, maar…'

'Dan hadden ze gelijk. Verder nog iets?'

'We moeten elkaar spreken.'

'Ik zei net dat het niet nodig was.'

'Denk daar nog even over na. Ik ben om tien uur in het café van de passage Vivienne. Ik wacht een kwartier op je en…'

'Verdoe je tijd niet.'

'… en ik raad je aan te komen.'

Dat toontje vond hij net zo storend als het gerinkel van de telefoon.

Het is een traditie onder broeders om elkaar te helpen. Iedere nieuwe inwijdeling die de maçonnieke eed aflegt belooft daarbij om iedereen bij te staan die een beroep doet op de broederschap. Een belofte die bijna altijd wordt nagekomen. Zelfs als de grenzen van wat hulp is en wat niet soms nogal rekbaar zijn.

Hoever moet een broeder gaan in het bijstand verlenen aan zijn gelijken? Hoever moet een obediëntie gaan om een broeder bij te staan? En vanwaar dit specifieke aanbod? Marcas wenste dat Anselme nog leefde. Die had hem kunnen adviseren. Maar nu stond hij alleen.

Alleen. Dat was hij zeker. Met een ex die zich voorgoed van hem had afgekeerd. Met vluchtige liefdesaffaires. En met een deeltijdzoon. Een doorsnee-smeris die helemaal opging in zijn werk en een veertiger wiens slapen nog helemaal zwart waren. Hij had zelfs geen aantrekkelijke zilvergrijze tochtlatten om indruk mee te maken.

Sedert enkele weken zag Marcas zichzelf tamelijk scherp. Het was een nieuwe deugd die hij best had kunnen missen. 's Avonds werd hij uit zijn slaap gehouden door meer of minder herkenbare beelden. Zijn hele leven passeerde de revue. Vakanties op het platteland. Overleden vrienden. De gezichten van vrouwen die niet waren verouderd, maar die verstild waren in hun beloftevolle jeugd. Landschappen, een bijzonder moment uit een vergeten herinnering. Een heel verleden dat om verantwoording kwam vragen. Veertig jaren die hun tol eisten. De leeftijd van de eerste balans. De teleurstellingen en de wroeging. De waaier van mogelijkheden die werd dichtgeklapt. Zelfs zijn publicaties over de geschiedenis van de vrijmetselarij gaven hem niet echt voldoening meer. Hij schreef ze ongeïnspireerd. Hij zocht er vergetelheid in.

En toch… Net als voor katholieken die hun mis hebben, bleef er voor hem één zuil overeind. De arbeid in de Tempel. Zwijgen, nederig blijven, luisteren, het ritueel nauwgezet en bescheiden uitvoeren. Aan de deur van de Tempel zijn metalen afleggen. Het voelde goed.

En dan was er zijn werk. Met die zaak die moeilijk beloofde te worden. Opstaan dus maar. De luiken opendoen. En misschien toch naar die afspraak gaan. Hij zou wel zien, maar eerst moest hij nog een vriend spreken.

Een uurtje later sprong hij in de rue Monsieur-le-Prince uit de taxi.

DE TRANEN VAN EROS
ANTIEKE BOEKEN

Het opschrift in verschoten goudkleurige letters prijkte op een puilijst van donker hout waar zeker al generaties lang niets aan veranderd was. In de etalage lagen en stonden al een eeuwigheid dezelfde ingebonden boeken. De eigenaar deed duidelijk niets om klanten te trekken. De rue Monsieur-le-Prince was trouwens ook geen winkelstraat. Eerder een kalm straatje dat uitkwam bij de hoofdingang van de jardin du Luxembourg. Alleen de kenners kwamen hier en de enkele antiquaars, gespecialiseerd in specifieke literaire genres, die hier hun winkel hadden.

Om de boekwinkel te betreden moest Marcas stevig tegen de knellende deur duwen. Ergens achter in de winkel klonk een belletje, maar dichterbij verhief zich een stem, die werd gevolgd door een lang, dun lijf: 'U zoekt… Ha, ben jij het!'

137

'Ja. Goedemorgen broeder.'

'Vrede en broederschap, broeder. Zoek je een vervalser? Kom je me waarschuwen voor een zwendelzaakje of ben je op bedevaart in het Luxembourg?'

Het waren de gebruikelijke grappen en grollen tussen Antoine en Stéphane Belleau. Op zijn nostalgische wandelingen door de tuinen van het Luxembourg wipte Antoine altijd even bij *De Tranen van Eros* langs om over literatuur te kletsen. Ze hadden het over Gide, die als kind hier had rondgespookt, over de oude librairie Corti, de Senaatsbibliotheek waar het werk van ambtenaar Anatole France stond. Over een vergeten culturele wereld, waarvan Marcas en Belleau de erfenis koesterden.

'Nee, ik heb een zakelijke afspraak en ik heb je raad nodig.'

'Van een oude vrijdenker als ik?'

Stéphane Belleau was gespecialiseerd in zeldzame erotische literatuur, waar nog altijd een markt voor was. Er waren heel wat verzamelaars van dit genre. Een anonieme achttiende-eeuwse uitgave of een eerste druk van De Sade met vrijpostige prenten, waren over de hele wereld goud waard. Op de tafel lagen twee banden in prima staat, klaar om ingepakt te worden.

'Wat zijn dat?'

Stéphane Belleau keek er verstrooid naar.

'*Le Portier des Chartreux* en *Les Fureurs utérines de Marie-Antoinette*. Een revolutionair pamflet over de perversiteiten van deze arme vrouw. Een ongelukkige koningin en een verwaarloosde echtgenote. Vreselijke pornografie.'

'En de *Portier des Chartreux*?'

'Wel goed geschreven. Maar erg afgezaagd, als je het mij vraagt. Wat gebeurt er 's avonds in een mannenklooster? Je kunt het je wel voorstellen. Maar in die tijd vond men dat leuk.'

'En wordt het nu nog altijd leuk gevonden?'

'O ja!'

'Dus je bent een tevreden mens?'

'De boekverkoper in mij is dik tevreden. De kunstliefhebber is het minder. Moet je dit boek zien.'

Op het bureau lag een dun boekje.

'De eerste druk van *Madame Lawrence* a van Georges Bataille. Een curiositeit op uitgeefgebied en een literair meesterwerkje. En toch is er geen koper voor.'

'Te intellectueel. En bovendien heeft erotische literatuur tijd nodig om door te breken. Het oeuvre van De Sade kreeg twee eeuwen later pas erkenning. Het is nog maar net opgenomen in de Pléiade-collectie.'

'Ja. Zijn *L'enfer sur papier Bible*.'

'Over de hel gesproken…'

Marcas sprak nu in alle ernst.

'… wat weet jij van de liefde en… de dood?'

Stéphane Belleau nestelde zich in zijn stoel.

'De minister, is het niet?'

Antoine trok een grimas.

'Minister en broeder!'

'Kijk aan, dan zit je midden in de broederschap!'

'Ik kan het missen als kiespijn,' antwoordde Marcas. 'Een temeier die het hoekje omgaat in onopgehelderde omstandigheden. En een maçonnieke minister die volslagen doordraait.'

'De kranten schrijven dat…'

Antoine keek geïrriteerd op zijn horloge. 'De kranten schrijven om het even wat.'

'Maar waaraan is die vrouw dan overleden?'

'Waarschijnlijk aan een vaatbreuk, gevolgd door een inwendige bloeding.'

'En de oorzaak daarvan?'

'De oorzaak? Geen idee, ik weet alleen dat ze net had gevreeën. En dat het me allemaal vreemd lijkt.'

Marcas staarde naar de rekken die uitpuilden van de boeken.

De antiquaar drukte zijn handen in een driehoek gevouwen tegen zijn lippen. Alsof wat hij zeggen ging niet verder verteld mocht worden.

'*Mors* en *amor*! Gaat het daarover? Over dat eeuwenoude duivelse begrippenpaar. Wist je dat het orgasme ook wel de "*petite mort*" wordt genoemd?'

Marcas knikte.

'Voor sommige mensen is de liefde de mooiste weg naar de dood; dat heet de "*epectase*". Sinds 1899 is dat in Frankrijk een beroemde medische term geworden.'

'Vertel.'

'Wel eens gehoord van de affaire Félix Faure?'

'Nee!'

'De Franse president die stierf tijdens het bedrijven van de liefde?'

'Het zegt me niets.'

'Je mag je vaderlandse geschiedenis wel eens ophalen!'

'Ik hunker naar kennis.'

'Op 16 februari 1899 had president Félix Faure een zeer vertrouwelijk onderhoud met een zekere madame Steinheil…'

'Dat klinkt al heel interessant.'

'Een dame wier strelingen, naar verluidt, de gezondheid ernstige schade toebrachten.'

'Een vrouw met gouden handen!'

Stéphane Belleau schoot in de lach.

'Zo ernstig dat de arme Félix Faure bezweek onder de handen van de dame die er, met nog ontblote boezem, vandoor ging langs de diensttrappen. Het werd een nationaal schandaal.'

'Dat hangt mijn minister ook boven het hoofd!'

'Om nog maar niet te spreken van de bijtende commentaren in de pers…'

'Vertel mij wat,' zei Marcas zuur.

'… en de vernietigende uitspraken van zijn politieke tegenstanders. Na het overlijden van de president beklom Clemenceau het spreekgestoelte van de Kamer van Afgevaardigden.'

'Ik vrees het ergste.'

'En terecht! Met één zin maakte hij zijn rivaal onsterfelijk belachelijk: "Félix Faure wilde Caesar zijn, maar hij was slechts Pompejus."'

Marcas deed alsof hij zwaar geschokt was en sloeg een hand voor zijn mond.

'Stel je de reacties in het parlement voor! Het was geweldig!'

'Ik kan me de reacties van de pers best voorstellen, hoewel ik nog steeds geen redelijke verklaring heb voor de dood van de maîtresse van de minister.'

De boekverkoper boog zich naar zijn broeder toe: 'Waaraan is ze, volgens jou, dan overleden?'

Marcas keek weer op zijn horloge. Nog een half uur voor de afspraak in de rue Vivienne. Hij stond op: 'Waaraan ze overleden is? Dat vertelde jij me zojuist… aan de LIEFDE.'

Hij wuifde kort en liep naar buiten.

De passage Vivienne, de verbinding tussen de buurten van de Bibliothèque nationale en die van de Beurs, sloeg een brug tussen geld en geest. Hoewel die oorspronkelijke functie verloren is gegaan. Zowel de Beurs als de Bibliothèque nationale is naar elders verhuisd. Na enkele jaren van neergang, leefde de passage weer op dankzij de vestiging van nieuwe winkels, onder andere van een beroemde couturier, die werd geprezen om zijn avant-gardisme.

De galerij Vivienne dateerde van rond 1820 en was net als de naburige galerij Colbert ongetwijfeld ontworpen door broeders. Dat is de enige verklaring voor de friezen met gebeeldhouwde medaillons die de façades in de galerijen sieren.

Ingewijden die door de galerijen lopen kijken altijd even naar twee van de medaillons: één die een bijenkorf voorstelt, symbool voor het werk in de Tempel, en de tweede met een maçonnieke handdruk.

Juist onder dat herkenningsteken staand, vroeg Marcas zich af hoe hij de adviseur van de orde zou herkennen. Hij hoefde het zich niet lang af te vragen, het café was leeg. Op één tafeltje na.

'Parell. Alexandre. Fijn dat je even tijd hebt.'

De duim klopte precies op het voorgeschreven rituele plekje. De commissaris beantwoordde de aanraking voordat hij iets zei.

'Je hebt waarschijnlijk niet veel tijd? Ik ook niet. Dus wat wil de obediëntie precies?'

'Transparantie en terughoudendheid.'

'Is dat geestig bedoeld?'

Marcas deed of hij wilde opstaan.

'Transparantie voor onszelf, terughoudendheid voor de profanen. Deze beroerde zaak kan de hele vrijmetselarij in opspraak brengen.'

'Dat zijn we al!'

'Nou, dan begrijp je wel…'

'Nee, ik begrijp er juist niets van. Deze zaak heeft niets met de vrijmetselarij te maken. Het is een privéaangelegenheid.'

'Ik denk niet dat…'

'Gewoon een ongelukje met een minister die de jonge hengst speelt en een vrouw met een zwak gestel.'

Parell sprak ineens langzaam en resoluut: 'Heb je alle autopsierapporten al?'

'Nee, ik wacht…'

'Wij wel! En ze leed niet aan een veneuze insufficiëntie.'

Marcas werd purperrood.

'Ik heb zelf met de patholoog gesproken. En die zei dat…'

'De minister van Binnenlandse Zaken heeft hem gemaand om het onderzoek te bespoedigen en de resultaten bekend te maken aan alle bevoegden. Wil je niets drinken? Koffie?'

'Wat voor spelletje speel je?'

'Het enige spel dat je moet spelen als je in de nesten zit: er zo snel mogelijk weer uit zien te raken…'

'Ik begrijp het niet.'

'En wij zijn bang dat we het maar al te goed begrijpen.'

Marcas bekeek zijn broeder. Hij was begin dertig. Hij droeg een dun brilletje met een buigzaam montuur en een parelgrijs kostuum. Hij vertegenwoordigde de nieuwe generatie vrijmetselaars die zich bewogen op het kruispunt tussen politiek en communicatie. Mannen die weten waar tegenwoordig de echte macht zit. Dat het erom gaat de informatiestroom te beheersen en dat je beter de bron kunt zijn dan het eindpunt. En de vrijmetselarij wenste niet in opspraak gebracht te worden.

'We hebben een zo compleet mogelijk dossier voor je samengesteld. Onze broeder, de minister, had bepaalde voorkeuren. Je gaat het wel begrijpen.'

'Dat weet ik nog zo net niet.'

'Iedere broeder zoekt zijn eigen weg. En sommigen… raken hem kwijt.'

Antoine echode: 'Raken hem kwijt?'

'Vrijmetselaarschap is een lange en moeilijke weg. Maar om dan ook nog zijpaden te gaan betreden…'

'En onze broeder heeft dat gedaan?'

Parell schoof het dossier over het marmeren tafelblad.

'En een behoorlijk kronkelig pad ook nog.'

29

Parijs,
rue des Martyrs

Een koude wind striemde haar gezicht en blies haar rok op. Een huivering onderdrukkend stapte Anaïs uit de taxi en holde naar de grote koetspoort. Ze tikte de zes cijfers in op de digitale deurbeveiliging en bad dat de code sinds haar laatste bezoek niet was veranderd. Tot haar grote opluchting ging de deur piepend open en de jonge vrouw liep naar het einde van de achterplaats, waar de conciërge woonde.

Ze klopte zo hard op het raampje dat het glas bijna brak. Een versleten oranje gordijn werd opengeschoven en het knappe gezicht van een jonge vrouw verscheen. Anaïs herkende de dochter van de conciërge, een studente die om wat bij te verdienen haar moeder verving in de vakanties. De deur ging open: 'Kom gauw binnen, mademoiselle Anaïs! U staat te bevriezen!'

De warmte in de portiersloge deed de verkleumde jonge vrouw goed. De studente bekeek haar van top tot teen, duidelijk verbaasd over de zomerse kledij van Anaïs.

'Gaat u zitten. Ik maak net thee, wilt u ook een kop?'

'Nee, bedankt, ik kom alleen de sleutel van mijn ooms appartement halen.'

'Natuurlijk. Al die aandenkens daar… Weet u zeker dat u niet een kopje wilt?'

Doodop van vermoeidheid wilde Anaïs het gesprek beëindigen: 'Aandenkens…? Ik wil alleen de sleutel, ik ben bekaf. Ik heb een lange reis achter de rug en ik moet uitrusten. Mijn oom zal nog wel niet thuis zijn.'

De studente verstijfde: 'O god! Weet u het nog niet?'

'Wat valt er te weten?'

'Uw oom is een dag of tien geleden gestorven.'

De grond zakte onder haar weg. De nachtmerrie begon weer. Ze snakte naar adem en zonk langzaam in een stoel van grijze stof.

'Ik… begrijp er niets van…'

'Uw oom heeft een hartaanval gehad toen hij de trap opliep. Toen ik hem hoorde vallen heb ik direct 112 gebeld, maar het was te laat. Ook de gepensioneerde dokter van de vierde verdieping en zijn buurvrouw hebben hem niet meer kunnen reanimeren.'

Het kostte Anaïs de grootste moeite om niet in tranen uit te barsten. Maar ze moest zich flink houden; ze mocht niet instorten. In elk geval niet voor ze in het appartement van Anselme was. Ze zei vlak: 'Mag ik de sleutels hebben?'

De studente pakte een sleutelbos van een kurken rekje: 'Alstublieft. Zal ik met u meelopen?'

'Nee, bedankt. Ik red me wel.'

Anaïs pakte de sleutels aan en liep zwijgend weg, meewarig nagekeken door de studente. In het trappenhuis hing de geur van boenwas. Langzaam liep Anaïs naar boven, in haar ooghoeken begonnen de tranen op te wellen.

Anselme dood.

Dan was er niemand meer die haar kon helpen. Op de tweede verdieping opende ze de vertrouwde, zware eikenhouten deur en sloeg hem hard achter zich dicht.

Het appartement was in schemerduister gehuld. Ze liep door alle kamers. In de slaapkamer raakte ze, zonder te weten waarom, even het bed aan. Alles was keurig op orde, alsof Anselme net even was weggelopen. Pas in zijn studeerkamer drong het allemaal goed tot haar door. De tafel was bedolven onder boeken, krantenknipsels en opengeslagen dossiers. Er lag al een dunne laag stof op.

30

Parijs,
quai de Conti

Dionysus legde de kranten terug op tafel. Hij was ze na zijn afspraken in de stad zelf gaan kopen bij de kiosk.

Je kon altijd rekenen op de pers om mediastormen te veroorzaken die alle sporen uitwisten. De vlammen van de Siciliaanse brandstapels waren ook overgeslagen naar andere landen. *Le Parisien*, de *Libération* en de *Figaro* hadden er een hele pagina aan gewijd, *Le Monde* een opiniestuk. Alle commentatoren vroegen zich af wie de daders waren en welke de motieven. De sektedeskundige die hij op de televisie had gehoord en gezien, bleef uitweiden over de persoonlijkheid van de goeroe. Een ander beweerde stellig dat dergelijke ontsporingen te wijten waren aan de invloed van de esoterische literatuur op de maatschappij. Hij geloofde dat de overlevenden van de Orde van de Zonnetempel weer actief waren geworden.

De idioot.

De meester glimlachte.

Dit was nog maar het begin van de storm.

Hij schoof de kranten weg en begon weer te lezen in het Casanovamanuscript.

De knecht van de markies kwam om elf uur en hij bracht me bij zijn meester die ik aantrof in een zaaltje in zijn woning. Op de grond lagen overal zijden kussens en op pronktafels stonden her en der koperen en zilveren schalen met eten. De andere gasten van de markies arriveerden spoedig en zo gingen we met ons zevenen aan tafel. Het diner werd geheel in Moorse stijl opgediend en ook de gerechten waren Moors. Die bijzonderheid verbaasde me niets. Ik vatte het op als een blijk van respect en vertrouwen. Sinds mijn aankomst in Granada had ik al kunnen vaststellen dat veel van de tradities van het kalifaat er in ere werden gehouden. En men zei ook dat sommige families in hun eigen huis trouw bleven aan het geloof van hun voorouders. Er werd zelfs gefluisterd dat ook christelijke edelen bepaalde Moorse gebruiken handhaafden omdat hun families eraan gewend waren geraakt.

Onze gastheer had me weliswaar aan iedereen voorgesteld, maar de gast die me het meeste aantrok was een knappe man van een jaar of zestig die wijsheid en rust uitstraalde. Tijdens onze tafelgesprekken had hij heel aandachtig naar me geluisterd, maar zelf had hij geen woord gezegd.

Toen we de zaal verlieten waar we hadden gedineerd, vroeg ik aan markies de Pausolès wie deze gast was; hij zei me dat het een unieke man was wiens vriendschap hij me aanraadde te koesteren, mocht zij me worden aangeboden.

Deze raad beviel me en zodra we onze wandeling door de tuinen hadden beëindigd, ging ik terug naar de grote salon en nam plaats naast Don Ortega: zo heette de Spanjaard die me zo aantrok en die me uitnodigde om samen met hem te roken. Een bediende van markies de Pausolès bracht me een pijp die hij met zorg stopte en aanstak met een stukje houtskool.

Don Ortega vroeg me naar de reden van mijn komst naar Granada. Om hem voldoening te geven vertelde ik hem mijn geschiedenis vanaf mijn komst naar Spanje. Ik sloeg geen enkel detail over, zelfs bijzonderheden waarmee ik me in het openbaar belachelijk gemaakt zou hebben.

'Mijn waarde, u staat op een keerpunt. Weinig mensen bereiken een dergelijk niveau van bewustzijn. En ze komen in elk geval zelden verder dan dat.'

Zijn betoog deed me denken aan de uiteenzetting van markies de Pausolès. Ik vroeg hem of hij misschien ook een broeder was. Glimlachend nam hij mijn handen en gaf me de rituele handdruk. Ik omhelsde hem op mijn beurt, mijn hart zwol van vreugde over deze voor mij zo gelukkige broederschap.

'U bent ingewijd in Frankrijk,' zei hij me. 'Onze broeders daar lijken meer in beslag genomen door politieke, dan door filosofische kwesties.'

'Dat klopt,' antwoordde ik. 'Het Sociale Contract van Rousseau is in alle loges te vinden. Het wordt gelezen, er wordt over gediscussieerd...'

'En er wordt gedroomd over een grote maatschappelijke hervorming. Geloof me, broeder, de enige ware ommekeer komt uit het hart.'

Dit zette mij aan het denken. De vrijmetselarij kon niet enkel herleid worden tot politieke bijeenkomsten die als voornaamste doel hadden de loop van de geschiedenis te beïnvloeden. Veel broeders hadden nog andere aspiraties en in vele tempels werden rituelen met een duidelijke mystieke inslag gepraktiseerd.

'Ik geloof u graag, temeer daar ik broeders heb ontmoet wier vrijmetselaarsideaal niets profaans had. Integendeel, ook zij zochten de verborgen waarheid.'

Eigenlijk wist ik niet wat ik moest denken van loges waar men rituelen praktiseerde die, zoals men beweerde, hun betekenis juist ontleenden aan de geheimzinnigheid waarmee ze werden omgeven. Hoewel de oprechtheid van de broeders die zich aan deze praktijken overgaven buiten kijf stond, kon dat van hun leiders niet worden gezegd.

Don Ortega glimlachte weemoedig.

'Ik begrijp wat u bedoelt, maar ik vrees dat veel van deze arbeid slechts esoterische hocus pocus is, de echte maçonnerie onwaardig.'

Ik dacht gelijk aan Gagliostro, over wie ik in Italië had gehoord en die ik het jaar daarop zelf ontmoette in Aix-en-Provence. Die was ook zeer bedreven in het produceren van occulte mirakels en een kenner van dwaze rituelen.

'We leven inderdaad in een tijd waarin beunhazen doen of ze in verbinding staan met de hemel. Dit is een tijdperk van avonturiers die dagelijks nieuwe rituelen uitvinden.'

Ik vertelde hem dat ik in Parijs en in Lyon tempels had bezocht waar broeders probeerden om rechtstreeks in contact te komen met de Opperbouwmeester des Heelals. Hij moest er hartelijk om lachen.

'Ik heb enkele van zulke ceremonies bijgewoond. Ook in Spanje waren ze een tijdje een gevaarlijke mode, want de inquisitie spot niet met magie, zelfs als ze volslagen belachelijk is.'

We spraken nog een tijd over die esoterische rituelen, waarbij toch redelijk intelligente broeders stenen offerden aan de elementaire geesten en de aartsengel Uriël aanriepen.

'Als ze tenminste niet de onwaarschijnlijkste pentakels op de grond tekenen om de verborgen krachten van het Universum op te roepen!'

'Of als ze niet de weg kwijtraken in de wierookmist!'

'Toch wijst dit alles,' zei Don Ortega, nu weer serieus, 'op een diep gemis. De mens is onvolmaakt zolang hij zijn ontbrekende helft niet heeft gevonden.'

Ik deed er het zwijgen toe.

'En wat u me vertelde over uw avontuur in Madrid doet me vermoeden dat ook u daarnaar op zoek bent.'

Voordat ik kon antwoorden stond hij op: 'Ik heb het zeer op prijs gesteld met u te praten. Want ik zie dat u een zuiver hart en open geest hebt. Dat zijn de voorwaarden voor een echt bewustzijn.'

Ik zei hem dat zijn aanwezigheid en zijn woorden balsem voor mijn geest waren geweest. En dat ik overgelukkig zou zijn als ik mij tot zijn vrienden mocht rekenen.

Hij schonk me een stralende glimlach en omhelsde mij.

'Wees er zeker van, Casanova, dat ik spoedig een afspraak met u zal maken en dat de vriendschap die u mij aanbiedt zal worden gehonoreerd. Het is gebruikelijk tussen broeders elkaar te laten delen in het weinige wat men van het leven weet. Reken op mijn broederschap om u bij te staan op de weg van het hart.'

Ik begeleidde hem naar de deur waar markies de Pausolès op ons wachtte. Ik groette Don Ortega, die afscheid nam met de belofte dat we elkaar spoedig zouden weerzien.

'En, wat vindt u van onze broeder?' vroeg de markies zodra we weer alleen waren.

'Ik vind geen woorden om u te bedanken dat ik dankzij u zo'n man heb leren kennen.'

'Onze broeder is een geleerde in de nobelste zin van het woord. Hij heeft jaren van zijn leven gegeven om de geschiedenis van Granada te bestuderen. Hij heeft zijn nachtrust opgeofferd aan het lezen van oude kronieken uit de Moorse tijd. U zou zijn bibliotheek moeten zien. Hij bezit een enorme verzameling boeken en oude perkamenten uit de mohammedaanse tijd.'

'Is het niet gevaarlijk om heilige boeken van een vreemde godsdienst te bestuderen?'

'Don Ortega is een gerespecteerd man en veel hooggeplaatsten uit ons koninkrijk doen een beroep op hem. Onze geestelijken zijn even onwetend als inhalig. Als ze in hun bibliotheek een Arabische tekst tegenkomen dan verbranden ze die niet, zoals de inquisitie dat voorschrijft, maar ze hollen ermee naar onze broeder om er een goede prijs voor te bedingen.'

Ik glimlachte bij de gedachte aan zo'n monnik in een morsige pij, die een bijzonder boek inruilt voor een paar armzalige geldstukken.

'Trouwens,' vervolgde markies de Pausolès, 'onze vriend Ortega is niet de enige die het verleden in ere houdt. Ik zei u al dat dit land rijk is aan tradities waarvan wij de toegewijde hoeders moeten zijn. De Moren waren overigens op hun beurt slechts erfgenamen van nog veel oudere kennis.'

We bevonden ons nu in de antichambre en een knecht in livrei stond klaar om me weg te brengen.

'U krijgt nog wel de gelegenheid om met Ortega zelf over al deze dingen te praten. Ik wil het onderwerp aan hem overlaten. Vertelt u eens, hebt u plannen voor morgen?'

Ik zei hem meteen dat ik geheel tot zijn beschikking stond.

'Kent u het klooster van de Santa Trinità?'

'Ik heb niet het genoegen.'

'Het is het oudste klooster van de stad. Mijn zuster heeft zich er teruggetrokken. Zij bidt er voor ons zielenheil en draagt zorg voor de goede opvoeding van de novicen.'

'Een godvruchtige en nobele roeping!'

'Dat is het zeker! De jonge meisjes die men naar dit klooster stuurt zijn soms… verrassend.'

'U maakt me nieuwsgierig!'

'Kwam u niet naar Granada om nieuwe smaken te ontdekken aan het leven?'

'Ja, met uw hulp!'

De markies nam mijn hand en zei: 'U zult de Weg leren kennen.'

31

Parijs,
impasse Monplaisir

Marcas had uit zijn studententijd een voorliefde voor cafés overgehouden. Het omgevingslawaai stoorde hem helemaal niet. Integendeel, het lukte hem prima om afstand te nemen van het gedoe om hem heen en om er weg te dromen. Hij hield wel van wachten ook. Vooral als hij een afspraak had met een onbekende.

Marcas kwam zo verrast overeind dat hij de suikerpot omgooide. De onbekende ging zonder omhaal zitten en legde een visitekaartje op tafel: ISABELLE LANDRIEU.

'U had niet op een vrouw gerekend, zeker?'

'Nee, en trouwens toen ik u zag binnenkomen dacht ik...'

'Dat ik een man was? Ja, met die rechte pantalon en mijn double-breasted jasje lijk ik daar vandaag wel op... Maar u zou me eens moeten zien als *femme fatale*...

'Nee, ik geloof niet...'

'Gelooft u me niet? Vindt u me zo lelijk?'

'Nee, integendeel. Eh...'

Hij zag haar fronsen. Hij kletste zich klem als een pukkelige puber. Hij veranderde van onderwerp: 'Vertelt u me liever wat uw functie is?'

'U eerst, wat weet u precies van mij? Ik heb vandaag niet veel tijd.'

Antoine zuchtte. Hij had de halve nacht zitten lezen in het rapport dat de afgevaardigde van zijn obediëntie hem had gegeven. Het had hem geschokt. 's Ochtends had hij Parell gebeld. Die had hem zijn ironie bespaard. Ze kwamen samen tot de conclusie dat de toestand dramatisch was. Parell had hem zijn hulp aangeboden.

'Luister. Anders komen we er niet uit. Wij hebben iemand. Een specialist in deze materie. Met die moet je gaan praten. En het blijft verder onder ons, snap je?'

Marcas had het donders goed begrepen en hij had ingestemd met een afspraak in een café in de impasse Monplaisir. Hij verwachtte een broeder. Er kwam een zuster.

'Wat ik van u weet? Luister, kunnen we elkaar niet tutoyeren? Tenslotte zijn we...'

'...familie. Goed. En?'

'Parell heeft me verteld dat je een sektedeskundige bent. Dat je deel uitmaakt van de interministeriële commissie. Je bent een hotemetoot..'

'Is dat alles?'

Isabelle graaide met twee vingers in het pakje sigaretten van Marcas. Een kelner zette de televisie harder op verzoek van een paar Belgische toeristen die het nieuws wilden horen.

'Is het niet genoeg?'

'Jawel! Ik adviseer de regering inderdaad soms over sekten. Ik help slachtofferorganisaties, ik doe mee aan parlementaire onderzoeken, ik verzamel informatie. Journalisten doen ook vaak een beroep op me... maar je moet wel weten...'

'Je maakt me ongerust?'

'Dat ik hier vooral zit als zuster! Heb je het stuk gelezen?'

'Jammer genoeg wel!'

'Geloof mij maar als ik zeg dat deze beroerde zaak niet tegen de regering is gericht, maar tegen ons! Men wil ons aan de schandpaal nagelen als een sektarische organisatie.'

Antoine streek over het dossier dat de adviseur van de obediëntie hem had gegeven.

'Dat zal niet zo moeilijk zijn! Ik kan het nauwelijks geloven! Vrijmetselaars die meedoen aan een soort hekserijceremonies.'

Isabelle rommelde in haar tas en haalde hetzelfde dossier tevoorschijn.

'Ik heb het ook. Ik ben er al de hele week mee bezig. Parell heeft uitstekend werk geleverd.'

'Je weet niet wat je leest! Riten uit een andere tijd. Mystici die god noch gebod kennen en die alleen macht najagen. Alsof ze de antieke goden weer tot leven willen wekken!'

'Het zijn in ieder geval geen zieners! Uit hun praktijken kun je opmaken dat ze gedronken hebben uit bestaande bronnen.'

'Wat bedoel je daarmee?'

De deskundige trok een scheef lachje: 'Een babouschka!'

'Ik kan je niet volgen!'

'Het systeem van die Russische pop die een hele serie kleinere poppetjes verbergt!'

'Nou en?'

Isabelle stak weer een sigaret op.

'Om te beginnen hebben we de nieuwe loge waar de minister bij hoort. Ik bedoel niet Regius, want die is opgeheven, maar een nieuwe loge die aan alle eisen voldoet. Regulierder kan het niet.'

'Behalve dat je er een minister in aantreft, en vast ook...'

'Een hele serie hoge omes. Maar dat is normaal, zoals je weet! Hoewel in de vrijmetselarij bekende mensen doorgaans samenhokken in loges waar ze onder elkaar kunnen zijn.'

'Een mooi voorbeeld van broederschap!'

'Maar dat maakt ze nog geen sekte.'

Nu greep Antoine naar een sigaret. Hij was pas weer begonnen met roken.

'Waar gaat het dan fout?'

'Als ze aan het ritueel gaan sleutelen. Twee jaar geleden vroegen ze toestemming om een oud ritueel te mogen beoefenen. Sommige loges doen dat om een stukje maçonniek verleden te laten herleven.'

'Een rite die we kennen?'

'Ja en nee. In de achttiende eeuw bestonden er heel wat ritualen waarvan we alleen de namen kennen omdat ze voorkomen in politieverslagen en particuliere correspondentie. In het geval van de minister gaat het om een ritueel dat wel geregistreerd staat, maar waarvan we niet de strekking kennen. Een handigheidje.'

'Maar hebben ze dan geen tekst voorgelegd? Heeft de ritualencommissie die aanvaard?'

'Jawel.'

'Nou, dan is er toch een kopie van?'

'Nee. Het dossier is weg. Net als de lijst met de namen van de broeders van die werkplaats en het visiteurenboek met de namen van de bezoekers. En ook de notulen van de comparities zijn spoorloos.'

'Wat hebben we dan eigenlijk wel?'

'Wat Parell heeft kunnen achterhalen. Plus een minister in het gesticht en een lijk in het mortuarium!'

'Geweldig!'

'Maar er is een gerucht; er doet een naam de ronde. Henry Dupin.'

'De couturier?'

'Precies. Hij zou een van de Dignitarissen van die bijzondere loge zijn. Maar dat is slechts een vermoeden.'

Marcas trommelde op het tafelblad. Isabelle keek op haar horloge voordat ze doorging: 'Hoe dan ook, ik ben er zeker van dat die loge is geïnfiltreerd door een sekte.'

'Dat denkt Parell ook. Maar zeg zelf, een sekteleider haal je er toch zo uit?'

'Ik betwijfel het of je een sekteleider zou herkennen als je hem tegenkomt. Vooral niet als hij je het in jouw ogen overtuigende bewijs van zijn gaven levert.'

'Zoals het geval was bij onze minister die een tweede jeugd gevonden dacht te hebben! Wie weet had zijn leermeester echt het elixer van de eeuwige jeugd gevonden. Als het tenminste niet de Heilige Graal of de Steen der Wijzen was.'

'Of als die drie niet een en hetzelfde zijn.'

'Is dat een grapje?'

'Niet helemaal.'

'Je gelooft toch niet serieus dat…'

Marcas moest ineens aan Anselme denken.

'Luister, ik moet ervandoor, maar ik heb een verslag voor je gemaakt over bepaalde wetenschappelijke onderzoeken. Lees dat maar. Een op de juiste manier geconditioneerde geest kan alles geloven. Hij moet alleen een duwtje krijgen. En één van de beste drijfveren is…'

'Is…'

'Seks!'

Isabelle legde een blauwe map op het namaakmarmer en stond op.

'Lees het maar.'

Er ging gejoel op in de cafézaal. Marcas keek naar de groep toeristen. Alle mannen wezen lachend naar het televisiescherm. De actrice Manuela Réal boog zich over naar een microfoon en bood daarbij een ruime blik op haar droomboezem.

Isabelle boog zich naar Antoine. 'Wat zei ik net?'

32

Parijs,
quai de Conti

Dionysus zat midden in de kamer op een divan. Het appartement had twee vensters aan de Seine-kant. Eén keek uit op de Cour Carrée van het Louvre, de ander op de square du Vert-Galant. Het was halverwege de avond, de meester had de gordijnen opengeschoven en de lichten van de stad wierpen geometrische patronen op de vloerbedekking.

De divan stond tegenover de ramen met de rugleuning naar de deur. In de hal hield een volgeling de camerabeelden van de verschillende ingangen in het oog. De gedachte dat hij zijn omgeving rondom onder controle had vond Dionysus geruststellend en opwindend tegelijk.

De lichtstrepen die van de straatkant kwamen waren niet zo helder dat Dionysus zijn eigen gezicht kon zien in de spiegel die in een van de hoeken van de kamer hing. Hij zag alleen een onpersoonlijke omtrek, een vage vlek, die nergens aan vastzat. Dionysus had heel lang een afkeer gehad van zijn eigen gezicht. Hij had moeten leren dat je een blik en een glimlach kunt kneden, zoals je een beeld kunt maken volgens de eisen van de perfecte vorm. Om te bestaan moet een gezicht uitdrukking geven aan een innerlijk beeld. En daar is een methode voor.

Gaandeweg begon Dionysus te luisteren naar zijn hart. Naar zijn hartslag, die steeds regelmatiger werd. Totdat hij de indruk had dat hij naar een metronoom luisterde. Het gaf het feilloze ritme aan waarop hij zijn ademhaling moest afstemmen. Bij elke inademing stelde hij zich een bepaald deel van zijn gezicht voor en bij elke uitademing legde hij dat detail vast in zijn geheugen. Aan het einde van die oefening had hij een fotografisch beeld van zichzelf. Dan vertraagde hij zijn ademhaling en blokkeerde zijn longen na elke ademtocht. De gewaarwording van dat lichamelijke ongemak verbond hij aan veranderingen die hij aanbracht aan zijn gezicht. Zijn verbeelding bracht op den duur weloverwogen correcties aan op wat op een gevoelige plaat leek. Toen Dionysus zijn ideaalbeeld had bereikt, staakte hij zijn oefening. Hij had gemerkt dat dit de beste manier was: het onbewuste moest het overnemen. Dat wisten de ingewijden in de Griekse Eleusis-mysteriën al, die in hun geheime ceremonies de langzame rijping van de tarwekorrel in de donkere aarde celebreerden. Na een symbolische dood en overgave aan de krachten van de aarde, kan de volmaakte vorm zich uiteindelijk aan het licht openbaren.

Dionysus opende zijn ogen en stak zijn rechterhand uit. Op de armleuning van de canapé lag een bijna uitgelezen boek. Het was een uitgave waarop hij lang had gewacht: *Casanova, vrijmetselaar* van Lawrence Childer.

Volgens deze befaamde specialist was Casanova uit pure berekening vrijmetselaar geworden. In het kosmopolitische en niet altijd even frisse wereldje waarin de legendarische verleider verkeerde, bood het vrijmetselaarschap in de eerste plaats de garantie van een broederlijk onthaal aan alle hoven en in alle steden van Europa. Deel uitmaken van dat internationale netwerk betekende te kunnen profiteren van loges van Napels tot Berlijn, via Parijs of Sint-Petersburg. Childer had trouwens kosten noch moeite gespaard om te achterhalen welke loges Casanova had bezocht sinds zijn inwijding in Lyon, juni 1750. In de loop van zijn avonturiersbestaan werkte de schrijver van de *Mémoires* de hele lijst van bekende ingewijden af, van Goethe tot Voltaire, van de chevalier d'Éon tot de Pruisische koning Frederik II. In de moeilijke momenten van zijn leven deden de broeders ook hun uiterste best om hem uit de penarie te helpen. Ze waarschuwden hem tijdig als hij gearresteerd of uitgewezen dreigde te worden. Om nog maar niet te spreken van zijn eeuwige geldproblemen... Childer weidde met smaak uit over de broederlijke zorg van de hertog van Brunswick die in 1764 borg stond voor een wisselbrief van Casanova die nota bene door zijn eigen bankiers werd betwist! Als je zoiets leest kun je je alleen maar verwonderen over de ongelooflijke naïviteit van de toenmalige vrijmetselaars, tenzij broeder Casanova daar natuurlijk iets van waarde tegenover had gesteld.

Voor Childer leed het geen twijfel: Casanova frequenteerde de tempels, en vooral die van de hogere graden, om zijn netwerk uit te breiden, maar vooral om zich te laten inwijden in nieuwe rituelen die hij vervolgens op zijn reizen tegen betaling openbaarde. Hij bezocht onder meer de werkplaats van broeder de Tschoudy, die in Napels werd ingewijd in oude hermetische tradities en wiens boek *L'Étoile flamboyante* het standaardwerk van de Europese vrijmetselarij zou worden. Je kwam hem ook tegen in gezelschap van een zekere Joseph Balsamo, beter bekend als Cagliostro en de oprichter van een Egyptische vrijmetselarij die nog altijd overal in de wereld verspreid is. En zelfs in Rusland werd Casanova heel intiem met een geheimzinnige Melissino, een ingewijde die de hoge graden had geïntroduceerd aan het hof van de tsaar. De zorgvuldig uitgewerkte bewijsvoering van Childer was onweerlegbaar. Ze zou vast en zeker overtuigen.

Dionysus las de conclusie en legde het boek terug op de armleuning. Hij was verrukt. Zoals iedere keer dat hij een onware bewering zag opduiken, die steeds concreter werd en die uiteindelijk gemeengoed werd. Na zo'n boek kon de vrijmetselaar Casanova alleen nog maar worden beschouwd als een charlatan en de logebroeders als een stelletje goedgelovige sukkels. Childer had schitterend werk geleverd. Alleen had hij zich op één punt vergist. Dat Casanova zo regelmatig loges had bezocht en dat hij betrokken was bij de oprichting van heel wat hoge graden, was niet om redenen van gewin! Dat had een heel andere oorzaak!

'… Wist u,' zei de markies toen we naar het klooster reden, 'dat in de Moorse tijd sommige meisjes speciaal werden opgeleid om genot te geven?'
'Dat aardige detail kende ik niet.'
'Verrast het u?'
'Absoluut niet. Heeft de Profeet zijn strijders niet beloofd dat er in het paradijs van Allah jonge willige maagden op hen wachten?'
'Ik merk dat u de Alkoran kent!'
'Ik heb hem bestudeerd, net als de andere heilige teksten.'
'Hebt u zich ook verdiept in de esoterische soefibeweging?'
Ik herinnerde me dat ik tijdens mijn verblijf in Constantinopel had horen spreken over deze soms bloeiende, dan weer vervolgde mohammedaanse sekte, die tegenwoordig geheel in het slop geraakt lijkt te zijn.
'Die draaiende derwisjen?'
Markies de Pausolès kon een glimlach niet onderdrukken: 'Het

lijkt wel of ik Voltaire hoor! Nee, de soefi's waren oprechte waarheidszoekers. Ze onderzochten welke wegen naar de goddelijkheid leiden.'

'De wet van de Profeet kent maar één weg.'

'Hoewel ze overtuigde mohammedanen waren, hebben ze zich niet altijd aan dat dogma gehouden. Daarmee werden ze doorgevers van wijsheid.'

Ik zweeg. De markies ging door: 'Het getuigt van een grote wijsheid dat de soefi's een aantal tradities hebben verzameld en bestudeerd die niet tot hun eigen cultuur behoorden.'

'Die verdraagzaamheid siert ze!'

'Ze hebben bijvoorbeeld ontdekt dat de vrouwen van het woestijnvolk – de Berbers – verbluffende talenten hadden om mannen genot te bezorgen.'

'Een zeldzame gave!'

'Goddelijk haast!'

Ik durfde het bijna niet te vragen, maar ik kon mij niet inhouden: 'En leven die nog altijd voort?'

De markies wees op de lange witte muren die het zonlicht weerkaatsten: 'Hier is het.'

Nadat hij zijn zuster van onze komst op de hoogte had laten stellen, ging de markies me voor naar de ontvangstkamer. Even later zagen we haar naderen in gezelschap van een pensionaire die haar bijzondere genegenheid had. Mijn metgezel stelde me voor. Het meisje was nog geen negentien jaar oud, haar gezicht was van een verfijnde zachtheid. Ze was donker van haar, voluptueus en had een ingesnoerde taille. De belofte van haar borsten liet zich gemakkelijk raden en ze had er duidelijk plezier in zich te laten bewonderen zonder te tonen wat de liefde het meest begeerlijk was. Toch was het niet moeilijk voor te stellen hoe de rest van haar lichaam eruitzag. Haar verleidelijke figuurtje kon het oordeel alleen maar gunstig beïnvloeden.

Heel even stond ik stil bij de mogelijke aard van de relatie tussen deze jonge pensionaire en de zuster van mijn vriend. Die laatste had een intrigerende, schalkse blik. Voor een kloosterzuster die was veroordeeld tot een leven in afzondering, vertoonde ze een opmerkelijke frisheid en opgewektheid die in het geheel niet pasten bij de sombere

strengheid van haar habijt. Het contrast was treffend. En onwille-
keurig trok mijn geest conclusies die niet nalieten mijn lichaam in
vuur en vlam te zetten. Al die innerlijke activiteit moet zichtbaar ge-
weest zijn, want de twee jonge vrouwen barstten eensgezind in lachen
uit. Zelfs de markies verwaardigde zich om met mijn verwarring te
spotten.

'*Zie je wel, beste Casanova, wat heb ik je gezegd? Zijn dat geen*
bloemen met bedwelmende geuren?'

'*Het is een zinnestrelend boeket!*'

De jonge pensionaire leek het meest uitdagend. Haar blik kruiste
verschillende malen de mijne. Ik geloof niet dat ik ooit meer beloften
heb gelezen in een dergelijke uitwisseling dan toen. Ik overwoog alle
mogelijkheden en terwijl ik de conversatie bleef voeden met mijn com-
plimenten, bewandelde mijn begeerte vreemde zijpaden. Ik heb altijd
een zeer vruchtbare fantasie gehad, maar dit kind met haar dubbel-
zinnige glimlach leek me de belichaming van een antieke godin, die
was teruggekomen om de dromen van de stervelingen te verstoren.

'*Is het geoorloofd naar uw naam te vragen, mejuffrouw?*'

De zuster van de markies antwoordde: '*Wij noemen haar Alsa-*
cha.'

'*In oud-Moors betekent dat "ster", verduidelijkte mijn gezel,* '*ze*
komt uit een afgelegen bergdorp en ze is… stom.'

Deze onthulling deed me versteld staan: '*Kan ze niet spreken?*'

'*Nee! Maar God heeft haar andere gaven geschonken.*'

'*Het klopt dat haar blik…*'

'*U hebt een grote opmerkingsgave. En wat voor uitwerking heeft hij*
op u?'

Ik zocht naar woorden die dit charmante persoontje konden verlei-
den en mijn gevoelens nauwkeurig konden weergeven.

'*Haar blik is als een bries die de gloeiende verbeelding aanwak-*
kert.'

'*Zo is het. En haar gedwongen stilzwijgen is eigenlijk een geluk.*'

'*Hoe bedoelt u dat?*'

'*Wat anders verloren gaat in woorden, blijft hier bewaard.*'

'*Ik volg u niet.*'

'*Over enige tijd zult u me wel begrijpen.*'

Ergens in het klooster luidde een klokje. Terstond bedekten de beide vrouwen hun gezichten met de zwarte sluier die om hun schouders hing.

'De mis begint,' verklaarde de markies, 'we moeten gaan.'

Terwijl ik aanstalten maakte om afscheid te nemen, draaide Alsacha zich op de drempel van de ontvangstkamer nog even om en keek me aan. Mijn hart sprong op. Ik was tot in het diepste van mijn ziel bewogen. Het was of de aarde had gebeefd. Even meende ik een nieuwe wereld waar te nemen. Mijn hand zocht steun bij de schouders van mijn buurman.

'Dit is uw eerste stap naar het ware leven,' fluisterde hij mij in het oor.

Deel drie

Maak een cirkel van een man en een vrouw, van daaruit een vierkant en van daaruit een driehoek. Trek dan een cirkel en ge zult de Steen der Wijzen bezitten.

1618, Michael Maier, alchemist

33

Spanje,
Granada,
de wijk Albaicin

Het was nog geen zomer, maar de hitte had de stad al in haar greep. Van de schoormuren van het Alhambra tot in de kathedraalwijk, van de heuvel van het Albaicin tot aan de zigeunergrotten van Sacromonte kwamen de inwoners op straat van de avondkoelte genieten. De gesprekken gingen enkel over dat ene onderwerp dat de gemoederen bezighield: de voorbereidingen van de Semana Santa, die over vier dagen zou beginnen. De route van elke gemaskerde broederschap werd tot op de meter afgebakend zodat het eerbetoon aan de Heilige Familie zo indrukwekkend mogelijk zou zijn. Zoals in alle steden van Andalusië – Sevilla, de grote rivale; Cordoba, de hoogmoedige; Cadiz, de zeevarende – liepen de straten van Granada vol met macabere, hartstochtelijk vrome processies. Dag en nacht verdrongen tienduizenden gelovigen zich rond praalwagens die werden getrokken door de boetelingen met hoge puntmutsen. De broederschappen hingen hun eigen kleuren, zwart, blauw, rood, wit, uit voor de almachtigen en marcheerden ter meerdere glorie van Christus en de Heilige Maagd.

Hoewel de zeer katholieke God het overgrote deel van de zielen in dit Spaanse Andalusië beheerste, hoorde Manuela Réal niet bij wat ze minachtend beschouwde als een kudde kwezels. De actrice had al lang geleden gebroken met de Nazareeër aan zijn kruis die voor haar het symbool was van onderdrukking en eeuwenoude frustratie. Haar huis in Albaicin stond vol met antiquiteiten uit alle delen van de wereld, maar nergens, niet aan de muren en niet in de kasten, was een christelijk voorwerp te vinden. Ze beschouwde zichzelf als een *bruja*, een heks die geen verantwoording schuldig was aan de entiteit die men God noemde en aan zijn van vroomheid kwijlende vazallen.

Haar afkeer van het katholicisme hield rechtstreeks verband met de vervolging van haar familie onder het Francisme. Haar grootvader, een eminente rechtsgeleerde en een progressieve christen, werd door de aanhangers van de Caudillio gemarteld en gefusilleerd vanwege zijn te nadrukkelijke symphatie voor de Republiek. Manuela was grootgebracht in een internaat geleid door nonnen die Franco vereerden. Nog voelde ze de lijfstraffen die ze kreeg wegens brutaliteit en haar geest droeg nog altijd de littekens van de hatelijkheden jegens haar 'rode' familie. Al die jaren probeerde men haar met stokslagen op haar billen te dwingen de ogen neer te slaan voor het kruis, wat haar alleen maar sterkte in haar afkeer. Toen ze meerderjarig werd en het instituut mocht verlaten, zwoer ze Christus en zijn Heilige Familie voor altijd af.

Ze was nooit meer van gedachten veranderd.

Integendeel, naarmate ze beroemder werd begon ze zich meer te verdiepen in godsdienstige en filosofische stromingen die zich tegen de katholieke kerk keren. Gedurende filmopnamen in Egypte had ze zelfs de opgravingen van Nag-Hammadi bezocht waar een geheime bibliotheek met gnostische geschriften was gevonden. Ze had met eigen ogen de afgelegen plek willen zien waar mannen en vrouwen eeuwenlang de bekeringsdrang van de christenen hadden weerstaan. Die ketters, zoals ze door de christelijke priesters werden genoemd, werkten op haar verbeelding. Ze was vooral aangetrokken door de totale vrijheid van deze anarchisten, die weigerden de beknottende dogma's van een officiële godsdienst te aanvaarden. Vooral de geloofsartikelen over seksualiteit, een gebied waarop zij juist een totale autonomie verkondigden. Die vrijheid van zeden fascineerde haar.

Op het hoogtepunt van haar carrière had ze dit oude huis in Granada gekocht, een *carmen*, die uitkeek op de muren van het Alhambra. Ze had er een enorm terras laten aanleggen, met een zwembad en een tuin waarvan de sinaasappelbomen en struiken inkijk verhinderden. Deze oude wijk was het toevluchtsoord geweest van de Moren die na de inname van Granada door de Katholieke Koningen werden vervolgd. Manuela was te weten gekomen dat haar huis het laatste onderkomen was geweest van een Arabische arts die in de kerstnacht van 1568 samen met honderden andere moslims was afgeslacht. Ter meerdere glorie van Jezus Christus natuurlijk.

Tussen filmopnamen in andere hoeken van de wereld door, vluchtte ze naar haar paleisje om bij te tanken en om bij haar man te zijn. In tegenstelling tot veel andere filmactrices, was ze maar één keer getrouwd. De verbintenis had standgehouden, ondanks alle twijfels en onverholen kritiek van haar naasten. Met een jongere man trouwen, zelfs in het Spanje van na de *movida*, is vragen om de afkeuring van de conformisten. En die waren talrijk, hypocriet, gefrustreerd en achterbaks. Je moest maar kijken naar al die mannen die zich één keer per jaar, met Pasen, vol vrome overgave aan de voeten van Christus stortten. Kuddedieren waren het die zich de rest van de tijd niets aantrokken van het evangelie en knielden voor de altaren van de zonde. Zij had tenminste publiekelijk gekozen voor de liefde.

Haar huwelijk met Juan Obregon, een zanger die door de Spanjaarden geadoreerd werd, had voor grote opschudding gezorgd bij de fans van de beide echtgenoten. Bij het verlaten van het stadhuis had een gekkin met een mes zich zelfs op Manuela gestort, krijsend dat de actrice de zanger had meegesleurd in de hel. De actrice had het scherpe mes van de christelijke dweepster bewaard als aandenken.

Op haar terras uitkijkend over de kantelen van het Alhambra, genoot Manuela na van de onbeschrijflijke momenten die ze net had beleefd. Ze hadden de liefde bedreven als nooit tevoren. Ze was 's ochtends teruggekeerd uit Parijs en ze waren in elkaars armen gevallen, zoals bij elke hereniging. Maar ditmaal hadden ze iets heel speciaals uitgeprobeerd. Iets wat allang was bedacht en voorbereid. Het voelde als sterven, herboren worden en weer ondergaan in het niets. Een mateloos orgasme, dat dit keer totaal verschilde van alles wat ze ooit had meegemaakt. Het was wegsmelten, oplossen in een oceaan van genot.

Ze liep naar het portret van de jonge Casanova dat in de grote salon achter de glazen wand hing. Het schilderij was speciaal voor haar gemaakt in opdracht van een Peruviaanse vriendin, een schoonheid voor wie een heilige zijn zielenheil zou vergooien. Ze was geboren in het gebied van de Amazone waar vrouwen de reputatie hebben dat ze mannen beheksen. De schilder, Malé, was erin geslaagd de troebele sensualiteit te vangen van de grote verleider, wiens raadselachtige, melancholieke blik iedereen die daar gevoelig voor was magnetiseerde.

Manuela was dol op dit portret. Het gaf haar het gevoel alsof ze een verstandhouding hadden die eeuwen geleden was ontstaan.

Hij heeft hetzelfde genot ervaren...

De nacht werd verscheurd door eentonig gezang. Manuela herkende het als een zigeunerlied. Niet een gewoon lied, maar een *saeta*, die alleen werd gezongen tijdens godsdienstige feesten. Dat was het enige wat ze kon waarderen aan die ondraaglijke christelijke festiviteiten. Die zigeuner was zeker aan het inzingen voor het begin van de processie. Ze moest glimlachen als ze eraan dacht wat zij zou doen tijdens die lange nachtelijke boeteprocessies. Zij zou niet zoals die kwezels boete doen voor haar zonden. Zij zou er juist een begaan. Al twee jaar huurden haar man en zij een appartementje op de tweede verdieping in de calle San Fernando, midden in de stad, waar ze net voor de processie onopvallend binnenglipten. Daar penetreerde Juan haar precies op het moment dat de praalwagen met het beeld van de Heilige Maagd stilhield onder hun raam. Ze vond het heerlijk om klaar te komen oog in oog met de moeder van Christus. Ze had daarbij absoluut niet het gevoel dat ze een godslastering beging. '*La Virgen* vergeeft alle zondaren, zelfs jou,' placht Juan na hun omhelzing te zeggen en hij vergat nooit de broederschap van de Heilige Maagd een kleine bijdrage te geven.

Manuela streek haar kapsel glad en keerde terug naar de slaapkamer. Voorbij de spiegel lopend, zag ze andermaal dat haar lijf minder stevig was dan vroeger. Waar ieder ander blij zou met dat voor een vrouw van zevenenveertig prachtig geconserveerde lichaam, zag zij de steeds duidelijker wordende onvolkomenheden. Het deerde haar niet, ze wist inmiddels dat de oorsprong van het genot niet in het uiterlijk gezocht moest worden.

Ze liep de ruime salon door en opende voorzichtig de deur naar de slaapkamer. Het bed was onopgemaakt, de lakens hingen op de grond en haar minnaar, haar man, haar tien jaar jongere echtgenoot, lag op zijn rug met zijn hoofd een beetje opzij gedraaid. Juan, *El Rubio*, zoals zijn fans hem noemden, met zijn blonde lokken die zo contrasteerden met die van haar. Juan, die zo ijdel was dat hij zichzelf net weer had getrakteerd op een cosmetische operatie om zijn schoonheid te redden. Ze bekeek hem met begeerte. Zijn geslacht leek zo klein tussen zijn gespierde dijen. Ze stond altijd weer verbaasd over het wonder dat dat van het onbeduidende stukje weefsel zo'n hard ding maakte. Een wonder waarover het christendom niets vertelde.

Er schoot een steek door haar hoofd.

Ze wankelde, verdoofd door de pijn. Ze ging op het bed zitten om bij te komen en ze had het gevoel dat haar hele lijf trilde. Haar armen tintelden en haar benen leken heel ver weg. Ze tastte naar Juan, maar de afstand tussen hen leek zich uit te rekken.

Wat overkomt me? Ze had nog nooit een angstaanval gehad en deze onverhoedse onaangename gewaarwording verontrustte haar. Manuela probeerde net op te staan toen de pijn weer terugkwam en nu nog heviger. In ademnood viel ze op het bed, geveld door de pijn.

Het moet de vermoeidheid van de reis zijn, dat zal het wel zijn. Ze probeerde haar kalmte te bewaren en niet toe te geven aan de paniek.

'Juan, help me.'

Haar man reageerde niet. Ze schreeuwde: 'Juan, word toch wakker!'

Hij bewoog nog altijd niet. Ze pakte zijn enkel vast en kneep hem tot bloedens toe. Het lichaam bleef slap. Moeizaam kwam ze overeind en toen viel haar iets vreemds op tegenover het bed.

Het grote schilderij dat daar hing straalde een intens blauw licht uit. Het blauw schitterde uitzonderlijk, maar vooral de witte vijfpuntige ster leek tot leven gekomen te zijn en draaide hortend rond.

Zijn gelijkmatige stralen verlichtten de slaapkamer. De vrouw met het lange haar op het schilderij golfde mee op de draaibewegingen van de ster.

Het begon tot Manuela door te dringen wat er gebeurde.

Wij zijn allemaal sterren.

Ze moest iemand waarschuwen voordat ze een nieuwe aanval kreeg. Moeizaam kwam ze overeind en liep tastend naar het nachtkastje waar de telefoon stond. Op nog geen meter bij haar vandaan.

Ver weg begon de *saeta* weer. Manuela kreeg de indruk dat de zigeuner speciaal voor haar zong. Voor haar en haar deerniswekkende processie naar de telefoon. In het besef dat ze elk ogenblik haar verstand kon verliezen, greep ze het toestel en toetste het alarmnummer in.

Ze hoorde niet eens meer de stem van de telefoniste en zakte ineen onder een nieuwe ontlading. Haar geest implodeerde.

34

Parijs,
het Saint-Antoine-ziekenhuis

Een ambulance gevolgd door een wagen van de medische spoedhulp, reed in volle vaart tot bij de ingang Opnamen. Mannen en vrouwen in witte jassen kwamen aanhollen om de nieuwe patiënt op te vangen. Hun geroep weerkaatste tegen de muren van het oude gebouw.

Isabelle wachtte Marcas op bij de ingang. In hun telefoongesprek had ze gemerkt dat hij overstuur was door wat hij had gelezen in het dossier dat ze hem had gegeven. Zoals veel vrijmetselaars die heilig overtuigd waren van de terechtheid van de maçonnieke praktijk, zag Marcas sekten als vluchtheuvels voor zwakken van geest die werden ingepakt door oplichters met een bedenkelijk charisma. Voor hem was het uitsluitend misbruik van vertrouwen en kwakzalverij. Hij zou nooit kunnen toegeven dat veel van de rituelen in de tempel wellicht van dezelfde orde waren als wat sommige sekten in hun ceremonies praktiseerden. Maar Isabelle had in haar verslag een aantal wetenschappelijke bewijzen opgenomen over de invloed van verbeelding op gedrag. Bepaalde concentratietechnieken en rituelen hadden dezelfde uitwerking op mensen, of ze nu werden toegepast in een vrijmetselaarsloge of in een sekte.

Ze zag de commissaris met kwieke tred naderen en zwaaide naar hem: 'Dank u dat u bent gekomen. Ik hoop dat het uw programma niet al te erg in de war brengt?'

'Niet als ik er wijzer van word,' zei Marcas neutraal.

Ze liepen door het hoofdgebouw, rond het parkeerterrein voor artsen en betraden een bijgebouw dat later was opgetrokken.

'Hier is het,' zei Isabelle.

Het Saint-Antoine-ziekenhuis had een afdeling Functionele Neurologie. In een ultramodern laboratorium werd met de meest innovatieve technieken onderzoek gedaan naar de relatie tussen de hersenen en het zenuwstelsel. Isabelle kwam hier vaak in verband met haar eigen onderzoek. In de afgelopen tien jaar waren er nieuwe sektes gesticht waarvan de zogenaamd oeroude ceremonies verdacht veel leken op wat door de wetenschappers werd bestudeerd als 'collectieve hypnose' en 'autosuggestie'. Op het snijpunt van de klassieke psychologie en de neurowetenschappen was zich een psychomedische wetenschap aan het ontwikkelen. De belangwekkende resultaten van deze discipline interesseerden niet alleen therapeuten, maar ook militairen en sekteleiders. Het was inmiddels bewezen dat onder bepaalde voorwaarden de geest in staat was menselijk gedrag grondig te beïnvloeden.

Marcas twijfelde. En Isabelle bracht hem in de war. Hij had haar verslag aandachtig gelezen. De daarin beschreven experimenten hadden hem verbaasd, maar hij was nog veel meer getroffen door de strakke opzet van het rapport. Deze zuster leek hem een kampioene van methodiek. Een bureaucrate in hart en ziel, had hij geconcludeerd, kil en onwrikbaar... Het type vrouw dat hem bang maakte, want ze was door en door professioneel, zonder zwakke plekken en opzettelijk ontoegankelijk. En daardoor juist des te aantrekkelijker, wat de omgang er niet gemakkelijker op maakte. Antoine kende zichzelf: met haar zou hij algauw terrein verliezen en zich minderwaardig gaan voelen.

En bovendien; de kracht van het symbolische herleiden tot een simpele illusie, tot een spel van de verbeelding... Zoals veel vrijmetselaars demystificeerde hij die dingen liever niet.

Wanneer een ingewijde wordt gevraagd naar het maçonnieke geheim antwoordt hij steevast dat het ritueel het bewustzijn verandert. Maar nooit wordt dat argument verder uitgediept. Nog nooit werden de maçonnieke ceremonies bestudeerd vanuit psychologisch standpunt. Onder vier ogen geven alle vrijmetselaars toe dat de theatrale overgang naar de derde graad, de Meestergraad, een intense emotionele lading geeft die niemand onberoerd laat. Maar men gaat nooit verder dan deze vaststelling, alsof daarover doordenken het risico van zelfverlies meebrengt.

De deur ging open. Een vrouw van middelbare leeftijd kwam op Isabelle af. Ze had bruin, kortgeknipt haar en ook zij straalde gezag en methodische aanpak uit.

'Kom je voor een experiment of voor een consult? Ik heb de uitslagen van je onderzoeken nog niet.'

'Vandaag kom ik voor de experimenten. Dit is commissaris Marcas.'

'Aangenaam, ik ben dokter Cohen. Interesseert de politie zich tegenwoordig voor de neurowetenschap?'

'De politie wil altijd alles weten.'

'U maakt me bang!'

Isabelle kwam tussenbeide. 'Maak je geen zorgen, Antoine verdiept zich net als ik in de sekten. En hij wil bijgeschoold worden.'

'Op welk gebied precies?'

Marcas vond dat hij het heft weer in handen moest nemen.

'Laten we beginnen bij het begin. Wetenschappelijk onderzoek werkt net zoals de politie: het begint met een raadsel!'

De arts maakte een uitnodigend gebaar.

'Laten we dan naar mijn kamer gaan.'

Antoine begreep waarom de arts naar haar kamer had gewild, toen hij haar een pakje sigaretten zag aanbreken. Een medeslachtoffer van de antirookwet die voortaan in alle openbare gebouwen gold. Ze was hem er des te sympathieker om. Dokter Cohen inhaleerde met welbehagen.

'Speelt u piano, commissaris?'

'Niet meer sinds een mislukte poging als scholier.'

De arts moest lachen.

'Dan weet u ook niet wat muzikantenkramp is?'

'Ik geef het toe.'

'Het is een specifieke beroepskramp die instrumentalisten treft, mensen die bijvoorbeeld piano of cello spelen… Voor de kunstenaars die erdoor getroffen worden is het een ramp. Door het eindeloos herhalen van een bepaalde beweging neemt de hand op den duur een abnormale stand aan en dat veroorzaakt zo'n pijn dat spelen uiteindelijk onmogelijk wordt.'

'Dat begrijp ik, maar…'

Cohen onderbrak hem: 'Maar u wilt weten wat dit te maken heeft met neurologie? Artsen hebben zich dat heel lang afgevraagd totdat men ging begrijpen dat die mobiliteitsstoornis geen musculaire, maar een cerebrale oorzaak had.'

Isabelle nam het over. 'Om precies te zijn, de hersenen creëren zelf een beeld van de pijn. Een illusie dus, maar eentje die pijn doet!'

Antoine keek verbluft. 'Kan je zelf een pijn oproepen zonder dat er een echte oorzaak voor bestaat?'

'Ja, en het omgekeerde kan ook. Bij deze pathologie hoef je alleen maar bepaalde oefeningen te laten herhalen; tragere bewegingen die minder vaak worden gemaakt. De hersenen reageren daarop door andere hersendelen in te zetten en daarmee wordt het verstoorde evenwicht hersteld.'

Isabelle ving de bal meteen op. 'De macht van de geest over de materie!'

'Absoluut,' beaamde dokter Cohen, 'we kunnen zelfs nog verder gaan dan dat!'

'Nog verder?'

Marcas klonk ongerust.

'Ja, door lichamelijke bewegingen te simuleren in plaats van echt te bewegen.'

'Te bewegen in de verbeelding, bedoelt u?'

'Jawel! De hersenen hebben twee buitengewone eigenschappen. In de eerste plaats hun souplesse. Ze kunnen zich naar believen herconfigureren en bovendien...'

'Bovendien kunnen ze hun eigen illusies scheppen. Ze kunnen zichzelf veranderen en zich net zo gemakkelijk aanpassen aan de harde realiteit als aan mentale beelden.'

Isabelle voegde er lachend aan toe: 'Mannen kennen dat wel! De penis reageert heel goed op mentale suggestie. Fantaseren noem je dat.'

De twee vrouwen gierden van het lachen.

'En als het werkt voor het tussenbeense...'

Marcas vulde aan: 'Dan werkt het ook...'

'Voor de rest! Wilt u een bewijs zien?' vroeg de arts.

'Als dat zou kunnen!'

'Het komt eraan!'

Even later ging dokter Cohen hen voor in een van de zalen van het laboratorium. Twee studenten zaten ingespannen te kijken naar hun handen die plat op tafel lagen, de duim omwikkeld met metaal.

'Het eerste experiment van dit type vond plaats in 2000 in Cleveland. We doen het hier na om het te verfijnen.'

'Wat is het principe ervan?'

'Het is de eenvoud zelf! We vragen aan deze jongens om een kwartier lang zich elke vijf seconden voor te stellen dat ze de abductiespier van de duim samentrekken.'

'Is dat alles?'

'Dat is alles.'

'En die receptoren aan hun duim?' Marcas wees op de elektroden waarvan de kleurige draden waren verbonden met een decoderscherm.

'Die receptoren moeten controleren of ze die spier niet echt aanspannen.'

Marcas keek een tijdje geboeid toe: 'En het resultaat?'

'Opmerkelijk! Na drie maanden van suggestie, neemt de kracht van deze spier toe met vijfendertig procent.'

'Zonder de minste oefening! Uitsluitend door de kracht van de mentale stimulatie,' voegde Isabelle eraan toe.

'Meen je dat?'

'Absoluut! En het werkt voor om het even welke spier.'

'Hoe verklaar je dat?'

'We verklaren hier niet, we meten! De hersenen reageren op deze suggestie door een verhoging van uitwisselingen tussen de gespecialiseerde neuronen, waarmee het aantal verbindingen toeneemt en gelijktijdig de respons intensiveert van het hele netwerk.'

'En dat allemaal dankzij de kracht van de verbeelding?'

'Net zoals je harder gaat lopen als je ergens gevaar ziet.'

'Of denkt het te zien,' vulde Isabelle kalm aan. 'Op een afdeling zware brandwonden in Seattle wisselen ze tegenwoordig het verband van de patiënten voor een projectie van virtuele beelden, zoals van die videospelletjes. Ze brengen de patiënten daarmee in een driedimensionaal universum: in een poollandschap, vol met iglo's en ijsbergen.'

'Vertel me nou niet dat...?'

'Toch wel! De pijnsensatie daalt daarmee meer dan vijftig procent. Een veel beter resultaat dan de chemische pijnstillers.'

Dokter Cohen draaide zich om naar Marcas: 'In feite zijn we zelf de beste drug die er bestaat!'

Isabelle en Antoine liepen zwijgend op het trottoir. Af en toe wierp de commissaris een besmuikte blik naar zijn gezellin. Ze droeg een donker scherpgesneden jasje boven gebleekte jeans, haar hakken klikten op het plaveisel, haar haren droeg ze strak achterovergekamd. Isabelle leek verdiept in ernstige overpeinzingen, die mijlenver leken af te staan van de vragen die haar buurman bezighielden. Want op dat moment liep Antoine vurig te wensen dat hij zo briljant was dat hij precies die vraag zou stellen waardoor ze zou blijven stilstaan om hem een bewonderende blik te kunnen toewerpen. Alsof hij een stralende ster was.

'Ik wil niet onbescheiden zijn, maar de dokter had het over je onderzoeken. Niets ernstigs, hoop ik?'

Isabelle glimlachte verlegen. 'Nee hoor. Drie jaar geleden heb ik een goedaardig gezwel in mijn hersens gehad. Dankzij de goede zorgen van dokter Cohen ben ik helemaal genezen. Zo heb ik haar leren kennen. En ze is zo volhardend dat ze me elk jaar een routineonderzoek laat ondergaan. Bovendien is ze de Achtbare van mijn loge, dus moet ik wel doen wat ze zegt.'

Marcas schraapte zijn keel. 'Weet je iets van tarotkaarten?'

Isabelle vertraagde haar pas. 'Waarom?'

'Ik ben in de kliniek geweest waar de minister is opgenomen. Hij heeft daar een aanval gekregen. Vreselijk. Zo erg dat hij zijn polsen doorsneed. Hij heeft de muren beklad met bloed.'

'Beklad?'

'Nou ja, het leek meer op abstracte schilderkunst!'

'Wat heeft dat te maken met tarot?'

'Ik meen een figuur te hebben herkend. Een tekening die ik ooit op een tarotkaart heb gezien.'

'Weet je ook welk tarot?'

'Ik heb het nagezocht; het is een spel dat werkt met Egyptische symbolen. Het Thot Tarot.'

'Thot,' zei Isabelle hem na. 'Thot. Ik heb een kop koffie nodig.'

Het verkeer in de rue du Faubourg-Saint-Antoine zat muurvast en de auto's braakten hun giftige dampen uit. Een miezerig regentje deed de trottoirs glimmen.

Achter zijn dampende koffie bedacht Antoine zich dat dit de tweede keer was dat hij tegenover Isabelle zat. Een voorbijganger die een vluchtige blik wierp door het beregende raam kon denken dat ze een stel waren. Hij vond haar aantrekkelijk en helemaal niet op haar plaats in dit volkse barretje. Ze stak een sigaret op en vroeg: 'Het tarot van Thot. De minister tekende een kaart uit dit tarot na. Welke precies?'

'Nummer zeventien: De Ster.'

'Weet je ook wie die kaarten heeft ontworpen?'

Antoine maakte een onverschillig gebaar: 'Een Engelse, geloof ik...'

'Lady Harris. Frieda Harris, de vrouw van een Brits parlementslid uit de jaren 1930.'

'Zo! Je weet net zoveel als internet!'

'En weet je wie die kaarten heeft besteld?'

'Een vreemde snuiter, een zekere Perdurabo. Net een naam uit een toneelstuk.'

'Ik ken hem onder een andere naam.'

'Welke?'

'Aleister Crowley!'

De kelner kwam afrekenen. Isabelle betaalde en bestelde meteen nog twee koffie.

'Aleister Crowley?'

'"De zondigste en de meest perverse man van het Verenigd Koninkrijk," volgens een Engelse minister van Justitie.'

'Ik leid daaruit af dat het een man met een hoogst ongewone levensloop was?'

'Ongewoner dan je vermoedt! Zijn naam wordt genoemd door alle esoterische bewegingen aan het einde van de negentiende eeuw. Hij stichtte zelfs een eigen sekte waarvan hij de onbetwiste leider was. De meesten van zijn volgelingen eindigden, als ze het al overleefden, in het gesticht. Net als die minister van jou.'

'Waarom dan?'

'Crowley had een rituele magie bedacht waarvoor hij leentjebuur had gespeeld bij heel verschillende tradities.'

'Een rituele magie?'

'Ja, de Weg van de Linkerhand.'

Antoine liet dat even bezinken voordat hij vroeg: 'Kun je me dat even uitleggen?'

'Liever niet!'

Verbaasd vroeg Antoine: 'Waarom niet?'

'Ik ben niet thuis in dat onderwerp.'

Antoine drong niet verder aan. Hij zou het zelf wel uitzoeken.

'Wat weet je nog meer van die Crowley?'

'Wat wil je weten?'

'Alles.'

'Crowley werd geboren in 1875, in een rijk, maar streng gezin van steile protestanten, die leefden naar het woord van de Bijbel. Vooral de moeder.'

'Een godsdienstfanate?'

'Van de ergste soort. Ze terroriseerde haar zoon. Crowley hield er een diepe afkeer aan over van alles wat naar het christendom rook, maar tegelijkertijd…'

'Tegelijkertijd?'

'Was hij gefascineerd door bepaalde Bijbelverhalen, vooral het boek Openbaring. Hij liet zich later trouwens "Het Beest" noemen.'

'Het Beest! Door wie het Einde der Tijden zal aanbreken?'

'Precies. En tegen het einde van zijn puberteit wordt hij weggestuurd van Cambridge, waar hij toch als een van de begaafdste studenten gold.'

'Reden?'

'Doorgedraaid atheïsme.'

Marcas moest glimlachen: 'Hij was wel vroeg met de ontzuiling.'

'Hij was een warrig mengsel van begaafdheid en woeste drift. Hij schreef gedichten à la Baudelaire, bereisde het hele Britse Rijk en was een uitstekende alpinist. Dat zou zijn leven trouwens veranderen.'

'Een val?'

'Integendeel! Een belangrijke ontmoeting tijdens een beklimming. Met een zekere Julian Baker. Een vrijmetselaar. Onze Crowley liet zich direct inwijden.'

Isabelle had haast en Antoine had haar naar de ingang van de metro gebracht. Teruglopend door de rue du Faubourg-Saint-Antoine bleef hij even staan voor een herenmodezaak. Een verkoopster was net de nieuwe collectie aan het uitstallen. Schitterend gesneden jasjes, goedvallende pantalons, overhemden met paarlemoeren knoopjes. 'Stijl Henry Dupin' schreeuwde een levensgrote affiche waarop de beroemde couturier de wereld bekeek door zijn hoornen bril. Marcas zuchtte. Misschien toch een beetje schuldig onder die hooghartige blik die misprijzend zijn oude leren jack en zijn verkreukte linnen broek opnam. Hij kon beter maar weer aan zijn onderzoek denken.

Het motregentje was opgehouden, maar het trottoir glom nog. Antoine zette er de pas in. Dat deed hij altijd als een gedachte hem bleef achtervolgen. De onthullingen van Isabelle hadden het raadsel alleen maar groter gemaakt. Hij had absoluut meer inlichtingen nodig. Hij keek naar de nog altijd dreigende hemel en ging nog harder lopen. Preciezere inlichtingen. En hij wist wel waar hij die kon vinden.

35

Parijs,
rue des Martyrs

Het was doodstil in het oude comfortabele appartement. In de slaapkamer was Anaïs net klaar met het ordenen van de papieren van haar oom. Ze begreep nu beter waarom hij zo kwaad was toen ze hem vertelde dat ze was toegetreden tot de broederschap van Dionysus. Zonder het te weten had ze bij de oude man een gevoelige snaar geraakt. Aan de opgestapelde dossiers te oordelen had Anselme zich al sinds heel lang verdiept in de relatie tussen de liefde en het sacrale. Ze was erdoor verrast, want ze vond het helemaal niets voor die oom met zijn reputatie van versierder.

In de familie werd uitsluitend schamper, met half afgemaakte zinnen over Anselme gesproken... Later, toen ze *De kant van Swann* van Proust las, vergeleek ze haar oom met Swann, die door de bourgeoisie werd veroordeeld vanwege zijn omgang met dames van lichte zeden... Die literaire verwantschap had ze overigens niet nader tot elkaar gebracht. Ze wist nog dat ze als geremde zeventienjarige puber haar oom eens was tegengekomen in gezelschap van een jonge vrouw die niet veel ouder was dan zijzelf. Ze had zich voor die ontmoeting toch geschaamd. Ze vroeg zich nu af of dat beeld haar niet onbewust had achtervolgd. Tenslotte was haar liefdesleven, tot Thomas, een opeenvolging van mislukkingen geweest. Ze was net dertig geworden en de mannen die ze had gekend, hadden geen diepe gevoelens opgeroepen. Ze vroeg zich af hoe het toch kwam dat het haar maar niet lukte om echte relaties aan te gaan met het andere geslacht. Mannen vonden haar aantrekkelijk, maar hielden niet van haar. Ze leek wel tot een andere wereld te horen, de mannelijke begeerte voorbij. Alsof ze bij voorbaat was ingedeeld in een aparte categorie, waar de seks niet meespeelde. Eigenlijk was ze precies het tegengestelde van haar oom, alsof die de laatste restjes verleiderschap van de familie had opgebruikt. Ze was eraan gewend geraakt. Tot ze Dionysus ontmoette.

Ze hoorde een geluid dat van de straat kwam. Het dichtslaan van een autoportier. Onmiddellijk deed ze de bureaulamp uit en sloop naar het raam. Het bleke schijnsel van de straatverlichting drong nauwelijks in het appartement door. Verborgen achter het gordijn keek Anaïs naar de ingang van het gebouw. Er stond een man die iets in de intercom zei. Een bezoeker of een bewoner die zijn sleutels vergeten was. De klik van de deur die door de hal echode, bevestigde haar vermoeden. Iemand had hem opengedaan.

Ze ging zitten. Waar was ze ook weer gebleven? O ja, Dionysus! Zij was hem opgevallen. Hij had gezien dat ze bijzonder was. Hij had haar uitgelegd dat alle mensen ergens diep in zich hun archetype meedroegen. Gek genoeg had het Anaïs niets verbaasd. Ze voelde zich zo eenzaam en alleen! En Dionysus was op haar in blijven praten. Bij sommige mensen was dat archetype zo aanwezig dat het zwaar woog op hun sociale leven. Het veroorzaakte bij anderen een reactie van aangetrokken zijn of juist van onoverkomelijke afkeer.

Hij had eraan toegevoegd dat het geenszins een voorbeschikt noodlot was. Toen hij dat zei, had Anaïs begrepen dat Dionysus de sleutel tot haar verandering bezat. En ze was hem blindelings gevolgd. Tot het bittere einde.

Ze hoorde iemand op de trap. Het was toch alweer een tijdje geleden dat de voordeur was opengegaan. Wie kwam daar naar boven? Waar was de bezoeker van zojuist?

Wat had hij uitgespookt in de tussentijd? Nu hoorde ze niets meer. Maar er lag een dik tapijt op de overloop. Ze hield haar adem in. Dat kon toch niet. Ze verbeeldde zich dingen. Er kon iemand thuisgekomen zijn. Iemand had gewoon de digitale code ingetikt. En zij had niets gehoord. Gewoon. Ze kalmeerde een beetje. Ze besloot een glas water te gaan halen in de keuken. Zonder het licht aan te steken. Ze was weer gerustgesteld. En juist op dat moment hoorde ze dat er een sleutel in het slot werd gestoken.

Ze was al aan het einde van de gang toen de deurklink op en neer bewoog. Met een sprong verborg ze zich achter de half openstaande deur van de logeerkamer.

Langzaam kwam de man binnen. Anaïs zag alleen maar een schim. Met een beetje geluk zou hij zonder het licht aan te steken doorlopen naar de studeerkamer. Als hij de voordeur niet op slot deed zou ze kunnen vluchten. Maar de indringer stuurde haar plannen in de war. Hij drukte op de knop en het appartement baadde in het licht.

Anaïs kroop nog verder weg achter de deur. Het gezicht van de onbekende bleef onzichtbaar.

De schoft heeft me gevonden.

Weer was er dat schrijnende gevoel vanbinnen. Net als op Sicilië. De angst nam weer bezit van haar.

Dezelfde angst. Dezelfde haat.

Ze kende de logeerkamer, omdat ze er in haar jeugd vaak had geslapen. Op de muur tegenover het raam had haar oom een primitieve bijl uit het neolithicum opgehangen.

Een zware ovale steen, gevat in een houten steel. Het was een erfstuk van haar grootvader. Die had de steen gevonden in een veld in de Périgord en had ook de steel gesneden om het wapentuig weer in zijn oorspronkelijke staat te herstellen. Anselme was erg aan die bijl gehecht geweest, omdat hij hem herinnerde aan de vakanties van zijn kindertijd in de Dordogne.

Hij had nooit kunnen denken dat hij ooit zou dienen om zijn nichtje te redden. Anaïs schoof voorzichtig naar de muur toe. Ze had maar een ogenblik nodig om de stenen bijl te pakken en weer achter de deur te gaan staan.

De onbekende stond stil om een ingelijste fotocollage te bekijken. Anselme stond op elke foto. Hij had ze bij de deur opgehangen, op ooghoogte van de bezoekers. Iedereen heeft zijn ijdelheden.

Vreemd genoeg verroerde de man geen vin, geboeid als hij was door wat hij zag. Hij zuchtte en sloeg, met zijn rechterhand, driemaal op zijn linkeronderarm. Stomverbaasd hoorde Anaïs hem een woord uitspreken dat ze niet kende. Ze stapte iets achteruit. Eigenlijk kon ze het niet over haar hart verkrijgen de man van achteren neer te slaan. Maar de moordenaars van Dionysus zouden niet aarzelen.

Ze hief de bijl boven haar hoofd en liet hem neerkomen toen de man zich omkeerde.

36

RTL

De actrice Manuela Réal is gisteren opgenomen in het ziekenhuis na het plotselinge overlijden van haar man, Juan Obregon, die dood werd aangetroffen in de villa van het echtpaar in Granada. De hoofdrolspeelster van de film Fatale begeerten, die de volgende maand in de bioscopen verschijnt, is onder medische observatie in een kliniek in de buitenwijken van Sevilla. Haar Parijse agent heeft zich beperkt tot een persbericht waarin hij schrijft dat de toestand van de actrice bevredigend is en dat ze spoedig haar werk zal hervatten. De producent van Fatale begeerten heeft al laten weten dat Manuela Réal waarschijnlijk niet zal deelnemen aan de promotietournee die gepland is voor begin april.

Voor de woning van de actrice in Granada leggen honderden Spaanse bewonderaarsters van de overleden zanger boeketten neer. De politie heeft een groepje van een tiental meisjes moeten verwijderen die zich aan de hekken voor de woning hadden vastgeketend. Eén van hen moest worden gereanimeerd na een poging tot zelfdoding.

Collega's van het echtpaar uit de showbusiness betuigden hun medeleven en Manuela's ex-partner, acteur Thierry Sirdas, kon zijn emotie niet verbergen: 'Manuela is een fantastische vrouw; ik weet zeker dat ze deze tragedie te boven zal komen. Ik zal haar in de komende dagen zeker gaan opzoeken.'

Zodra de autopsie de doodsoorzaak heeft bevestigd, zal Juan Obregon worden bijgezet in het familiegraf, in de buurt van de stad Jaen.

France Info

Het parket van de provincie Granada heeft bekendgemaakt dat er een onderzoek zal worden geopend naar de dood van de zanger Juan Obregon, de man van Manuela Réal, die dood werd aangetroffen in hun villa in Granada. De actrice verkeert in shocktoestand en kan nog niet worden gehoord door de politie. In zekere gerechtskringen gaat trouwens het gerucht dat in de slaapkamer van Juan Obregon cocaïne werd gevonden.

De fanclub van de zanger is een nationale inzamelingsactie begonnen voor een standbeeld van het idool in zijn geboortestad.

De emoties lopen hoog op in Spanje en in Frankrijk, de twee landen waar Manuela Réal zeer populair is, hoewel haar filmcarrière al enkele jaren pas op de plaats maakt.

37

Parijs,
rue des Martyrs

De bijl raakte de fotocollage, waardoor het glas alle kanten uit spatte. De man was razendsnel om zijn as gedraaid en gaf met de zijkant van zijn hand een droge tik tegen Anaïs onderarm. De jonge vrouw brulde van de pijn. De man greep haar schouder en duwde haar omver. Ze rolden samen over de vloer.

De indringer drukte haar tegen de grond en riep: 'Politie. Commissaris Marcas. Liggen blijven.'

Ze zaten. Anaïs stond op om thee te maken. Ze voelde zich stukken beter, opgelucht na haar monoloog van bijna een uur. De politieman op de sofa was in diep gepeins verzonken. Alsof hij van nu af het volle gewicht van het drama op zijn schouders droeg.

Anaïs had alles verteld. Alles vanaf het allereerste begin. Haar toetreding tot de sekte, de geleidelijke inlijving, haar vertrek naar Sicilië en toen Thomas... De rest wist de commissaris al. De beelden van de rokende brandstapels werden nog steeds uitgezonden. Over haar vlucht van Sicilië was ze minder mededeelzaam geweest. Vooral omdat de Italiaanse politie haar nog altijd zocht. Maar daarover zei hij niets. Op zijn beurt had hij verteld over Anselme en diens sekte-obsessie tijdens de laatste maanden van zijn leven. Ze begrepen nu allebei de reden daarvan. Terwijl Marcas de keurig gerangschikte dossiers van haar oom doorbladerde, nam Anaïs nog een slok hete thee. Voor het eerst sinds lang voelde ze zich veilig.

Antoine had een map gepakt met het opschrift 'Crowley'. De man die zo van de duisternis hield en die de bedenker was van het Thot-tarot waarover Isabelle hem had verteld. Op een vel papier had Anselme een Latijnse titel genoteerd: *De arte magica; De homunculo; De nuptiis secretis deorum cum hominibus.* Marcas stak Anaïs het papier toe. 'Kun je Latijn lezen?'

'Ik heb het op de universiteit geleerd. Wacht even. Dat laatste betekent geloof ik: het geheime huwelijk tussen mens en goden.'

De commissaris schudde het hoofd. Crowley! Weer zo'n hallucinerende figuur die een onderonsje met de de hemel dacht te hebben. Die vent had opgesloten moeten worden. Net als die Dionysus.

'Ik begrijp het echt niet. Je lijkt me een verstandig iemand! Hoe kun je je dan laten inpalmen door zo'n sekte!'

Anaïs schudde haar hoofd: 'Eerlijk zeggen? Ik heb me nog nooit zo goed gevoeld als toen ik bij de Abdij-groep zat... Daarvoor had ik het gevoel dat ik iedereen tot last was. Ik was dertig, leidde een kleurloos leven. Ik was vreselijk ontgoocheld. En niemand begreep dat.'

'En jijzelf?'

'Ik ook niet. Ik heb echt van alles geprobeerd. Mezelf voorgehouden dat alles prima ging. Er was iets in mij dat maakte dat ik er niet bij hoorde.'

'Voelden de andere adepten dat ook zo?'

'Nee, maar ze hadden wel allemaal problemen met de liefde. De mannen waren doorgaans dwangmatige versierders, die het niet meer konden opbrengen.'

'Het niet meer konden opbrengen?'

De commissaris klonk uiterst sceptisch.

'Ja, het werd ze allemaal te veel. Ze hadden het gevoel dat ze de controle verloren hadden. Dat ze overrompeld werden. Dionysus begon zijn lessen trouwens met hen.'

'En wat vertelde hij?'

'Het kwam erop neer dat ieder mens de goddelijke kracht met zich meedraagt, maar dat die kracht verschillende vormen kan aannemen. Zoals de goden van de oude Grieken allemaal één facet van de goddelijke natuur vertegenwoordigden.'

'En jij hebt die onzin geslikt?'

'We slikten het allemaal! Je moet begrijpen dat alle adepten gebukt gingen onder een gevoel dat ze zelf niet konden bevatten, onder een innerlijke drang die ze niet konden hanteren. En in plaats dat je de raad krijgt de dichtstbijzijnde psychiater op te zoeken, wordt je verteld dat het je eigen stukje goddelijkheid is dat zich kenbaar maakt!'

'Kenbaar als onbehagen?'

Anaïs dacht even na: 'Volgens Dionysus was dat onvermijdelijk.'

'Hoezo?'

'De mens kan slechts een deeltje van de hele goddelijkheid bevatten. Eén enkel stukje. En zodra men zich van zijn onvolledigheid bewust wordt begint het onbehagen.'

'Van zijn onvolledigheid?' zei Marcas, niet zonder ironie.

'Je mag er niet mee spotten. Het grote idee van Dionysus was inderdaad dat we stukjes van de goddelijke almacht met ons meedragen, maar onvolledig.'

'En hoe moet dat dan?'

'We moeten het ons ontbrekende deel vinden.'

Antoine zweeg. Hij mocht nu niet zeggen: alle sektes werken met diezelfde flauwekul.

'Je had echt beter naar je oom kunnen luisteren! Die was er niet de man naar om in die tegeltjeswijsheid te trappen. "Het ons ontbrekende deel"!'

'Jullie vrijmetselaars doen niet anders dan zoeken naar het verloren gegane woord,' zei Anaïs beledigd.

Het was alsof ze haar oom weer hoorde.

'Dat is iets heel anders!'

'Ja, jullie hebben het nog nooit teruggevonden!'

'Heeft je goeroe je dat verteld?'

'Hij zei altijd dat vrijmetselaars hun eigen riten niet eens meer begrijpen.'

Marcas zei niets meer. Het antwoord was raak. Hij had vaak genoeg broeders gezien die meededen aan het ritueel zonder dat ze een jota snapten van de symboliek ervan. De vrijmetselarij was natuurlijk wel een vrije ruimte waaraan iedereen zijn persoonlijke invulling mocht geven. Maar het was vooral een inwijdingsgenootschap dat een eeuwenoude methode doorgaf. Om de ruwe steen tot een volmaakte vorm te kunnen bewerken, moet men eerst leren het gereedschap te hanteren.

Anaïs geeuwde. Toen hij opstond keek Marcas even uit het raam. Op straat was alles rustig. Maar die rust kon bedrieglijk zijn.

'Ik zal regelen dat je beveiliging krijgt.'

Anaïs sprong overeind: 'Ben je gek? Wil je dat ze me terugsturen naar Italië?'

'Een van mijn eigen mensen zal op je passen. Hij doet dat, laten we maar zeggen, in zijn vrije tijd. Ik ben niet van plan mijn meerderen op de hoogte te stellen.'

'Kan ik je wel vertrouwen?'

Antoine keek haar aan. Typisch een nichtje van Anselme.

'Dat kun je.'

Hij pakte zijn colbertje en zijn jas. Er was nog iets wat hem bleef dwarszitten: 'Nog even over rituelen...'

'Ja?'

'Deed jouw groep eraan?'

Anaïs bloosde.

'Zo kun je het wel stellen.'

'Kun je zeggen hoe dat ging?'

De jonge vrouw sloeg haar ogen neer. Marcas drong aan. 'Had het een naam?'

Antoine begreep dat hij niets meer zou loskrijgen. 'Ik geef je mijn mobiele nummer. Vanaf vanavond heb je beveiliging. In het geval... enfin... aarzel niet het te gebruiken!'

'Bedankt.'

Hij liep de gang in. Hij moest de sleutels pakken om ze terug te geven aan de conciërge.

'Luister eens...'

Marcas stond stil.

'Die naam die je me vroeg... Dionysus... noemde het...'

'Hoe?'

'De Weg van de Linkerhand.'

38

Europe 1

Een nieuwe ontwikkeling in de zaak Réal. We vernemen zojuist dat de actrice gisteravond in de kliniek waarin ze werd opgenomen een zelfmoordpoging heeft gedaan. Het verplegend personeel vond haar vlak nadat ze haar polsen had doorgesneden. Over haar toestand is verder nog niets bekend. Meer bijzonderheden kunt u verwachten in onze volgende nieuwsuitzending.

France Inter

De rechter die het overlijden onderzoekt van de man van Manuela Réal, maakte vanochtend bekend dat het onderzoek wordt afgesloten. De autopsie heeft aangetoond dat Juan Obregon het slachtoffer is geworden van een hersenbloeding en dat hij geen drugs had gebruikt. Zijn vrouw, de actrice Manuela Réal, wordt verpleegd in een geheimgehouden kliniek. Haar agent liet weten dat al haar afspraken voor de komende drie maanden zijn afgelast.
Volgens bronnen binnen de politie kreeg de actrice anonieme doodsbedreigingen, omdat ze haar man vermoord zou hebben. De politie verdenkt aangeslagen fans van de zanger.

39

Het vervolg van de memoires van Casanova

De ochtend na mijn bezoek aan het klooster, hield een oude dienstmeid me op straat staande en liet me een met gouddraad geborduurde tabaksbuidel zien. Ze vroeg er één piaster voor. Ik wilde het aanbod afslaan toen ze me hem in de hand stopte om me te laten voelen dat er een brief inzat. Ik betaalde haar vlug en vervolgde mijn weg naar het huis van markies de Pausolès. Daar ik hem niet thuis trof, besloot ik in de tuinen te gaan wandelen. Ik barstte van nieuwsgierigheid; de brief was verzegeld en ongeadresseerd en de oude vrouw zou zich vergist kunnen hebben. Dit was wat ik las: 'Als u benieuwd bent om degene die dit schrijft terug te zien, aanvaard dan de uitnodiging van uw vriend Don Ortega.'

De laconieke toon van het briefje verraste me. Maar nog meer trof me het werkwoord 'terugzien', want sinds mijn aankomst in Granada had ik maar twee vrouwen ontmoet: de zuster van mijn gastheer en de stomme met haar onweerstaanbare blik, Alsacha. Ik twijfelde er niet aan dat het briefje van één van hen beiden kwam en mijn voorkeur ging duidelijk uit naar haar die ik het meest begeerlijk vond.

'O! Als jij het zou zijn,' riep ik uit, 'dan zou ik direct mijn hartstocht weer hervinden.'

'Ik hoop het oprecht voor u, Casanova. Mag ik weten wie de gelukkige uitverkorene is?'

Markies de Pausolès had de tuin betreden. Ik had nog net de tijd om het briefje in mijn mouw te verbergen.

'U wilt het niet vertellen? Is het iemand die ik ken?'

Ik besloot niet te liegen, maar om hem nog even aan het lijntje te houden: 'Wilt u dat echt graag weten?'

De markies greep me bij mijn schouder: 'Ik geef het toe!'

'Dan zal ik de waarheid niet langer voor u verborgen houden. Ja, ik ben verliefd! Helaas op een beeltenis, want deze vrouw is onbereikbaar.'

'Hoezo dat?'

'Kunt u het niet raden?'

Meneer de Pausolès keek me belangstellend aan. 'Is het Alsacha?'

'Wie anders?'

'Ik heb inderdaad gemerkt dat zij gisteren grote indruk op u heeft gemaakt.'

'Meer nog dan u denkt.'

We wandelden een stukje over de laan die naar de belvedère leidde.

'Is het iets wat u al voor andere vrouwen hebt gevoeld?'

Ik durfde hem niet te vertellen wat voor soort begeerte deze jonge non in me opwekte. Hij drong aan. 'Spreek vrijuit, als tegen een broeder. Ben ik hier niet om u te helpen?'

'U zult me een vuige losbol vinden!'

'Weet u dat zeker?'

'Ik heb heel veel vrouwen gekend...'

'Ik weet het, de roep is u vooruitgesneld!'

'... En hoe mijn verbeelding me ook opwond, altijd werd mijn passie getemperd door respect.'

De markies bekeek me met een geamuseerde glimlach. 'Wees eens wat duidelijker, Casanova!'

'Wel... Ik meende altijd oprecht dat ik de vrouw van mijn leven had gevonden. Elke keer weer. En hoe merkwaardig u het ook zult vinden, ik meende het altijd eerlijk!'

'En nu?'

'Nu? Nu begeer ik haar enkel om de seks. Om de belofte van het plezier dat ze me kan geven. Ik koester geen enkel ander gevoel voor haar.'

We stonden stil om te kijken naar de stad die zich aan onze voeten uitstrekte. De markies was merkwaardig kalm.

'Bent u niet geschokt door wat ik u net vertelde?'

'Helemaal niet. U bent net een illusie armer geworden. U bent op de goede weg.'

'Welke illusie?'

'Die van de sociale functie van de liefde. Geloof me, de Kerk en de literatuur hebben de liefde altijd willen verbinden met waarden die haar vreemd zijn.'

'Dat is een opmerkelijke uitspraak.'

De markies verhief zijn stem. 'Trouw of de huwelijksbelofte zijn ketenen waaraan de werkelijke passie wegkwijnt en uiteindelijk te gronde gaat. Liefde is iets heel anders. Zij is pure energie en wilskracht. Voelt u dat niet als u aan Alsacha denkt?'

'Jawel, maar ik denk ook dat wanneer de begeerte die mijn lichaam en geest in vuur en vlam zet bevredigd zal zijn...'

'Dat het gevoel van volledigheid weer zal verdwijnen?'

'Ja. Ik heb dat al vaak genoeg meegemaakt.'

'Homo triste post coïtum, zoals men in de oudheid zei.'

'Men had het toen bij het rechte eind.'

'Men vergiste zich en ik zal u dat bewijzen.'

Ik was sprakeloos. Door de bosjes heen zag ik een bediende naderen. Het was tijd voor mij om me terug te trekken. Terwijl ik afscheid nam, keek de markies me indringend aan. 'Denk over dat alles maar eens goed na, Casanova! Koester het beeld dat u hebt van onze Alsacha! U hebt nog geen idee van de krachten ervan!'

'Ik zal uw raad opvolgen, broeder.'

Hij glimlachte vriendelijk: 'En morgenavond komt u bij me! Ik heb beloofd dat ik u zal meenemen naar Don Ortega.'

40

Parijs,
place Beauvau

Marcas keek een tikje geërgerd op zijn hortoge. Hij zat al een dik half uur wortel te schieten in het kantoor van de adviseurs van de minister van Binnenlandse Zaken. De man die hij had ontmoet in het parc des Buttes-Chaumont had hem via zijn secretaresse laten weten dat hij wat later zou zijn. Hij zat in een belangrijke bespreking.

Marcas pakte een tijdschrift over mountainbiken van een tafeltje en zag een jonge inspecteur de kamer van de adviseur binnenlopen met een pak papieren onder zijn arm.

De commissaris grinnikte. Die politieman kwam ongetwijfeld uit de gevreesde en goed functionerende 'snuffelzaal' in dezelfde gang. Een politioneel zenuwcentrum waar dag en nacht meldingen binnenkwamen van misdrijven, incidenten en vertrouwelijke verslagen die de top van Binnenlandse Zaken zouden kunnen interesseren. De adviseur lustte er vast wel pap van.

Marcas legde het tijdschrift weg; hij hield niet van fietsen. En helemaal niet op modderwegen. Je moest masochist zijn om dat leuk te vinden.

Even overwoog hij om Anaïs te bellen om te horen of alles goed ging, maar hij deed het niet. Een van zijn mannen bewaakte haar al. Hij moest niet overdrijven.

De jonge vrouw stuurde met haar onthullingen zijn onderzoek behoorlijk in de war. Dat was nu al de tweede keer dat iemand de Weg van de Linkerhand noemde in verband met sekten. Eerst Isabelle Landrieu over die Engelse magiër en nu weer Anaïs met haar clubje psychopaten.

Antoine zuchtte.

Hij had haar onmiddellijk moeten overdragen aan zijn collega's en Interpol waarschuwen. Hadden…

Hij had net afscheid genomen van Anaïs toen een van zijn mannen hem belde op zijn mobiele nummer om hem in te lichten over het drama dat Manuela Réal had getroffen. Het overlijden van de man van de actrice had in de media de slachting op Sicilië verdrongen.

Voor een kennersoog waren de overeenkomsten met de dood van de vriendin van de minister verontrustend. En hij was vast niet de enige die het was opgevallen.

Marcas was naar kantoor gegaan waar hij, samen met een medewerker, twee uur lang had zitten internetten om alle berichtgeving te verzamelen over Granada en de actrice.

Hij schrok toen hij foto's zag van het huis van de actrice, die op de voorpagina's van alle Spaanse kranten stonden. De redactie van een blad over binnenhuisarchitectuur had ooit een fotoreportage van haar interieur mogen maken. Die toonden alle details van de plaats waar het drama zich had afgespeeld. Een staaltje van global voyeurisme. Eén van die foto's deed Marcas opveren.

Het was een foto van de echtelijke slaapkamer. Aan de muur hing een schilderij dat een vrouw voorstelde die een beker ophield waarin ze water opving dat uit de hemel leek te stromen. Daar stond ook een ster. Een witte, draaiende ster.

Een volmaakte kopie van de Thot-tarotkaart.

Hij had meteen een telefoontje gepleegd naar een broeder van de Algemene Inlichtingendienst die belangstelling had voor sekten. Maar die wist niets wat de moeite waard was over sekten die de Weg van de Linkerhand zouden praktiseren. Wat betreft de naam 'Crowley' was de oogst beduidend rijker geweest. Die Engelse magiër was duidelijk erg in de gunst bij bepaalde satanistische en het paganisme aanhangende stromingen.

Hij wilde zich net nader gaan verdiepen in die geheimzinnige figuur toen de secretaresse van de adviseur van de minister hem vroeg om direct naar de place Beauvau te komen.

'Commissaris? Meneer kan u ontvangen.'

Zonder hem een blik waardig te keuren liet een secretaresse hem binnen en deed de deur achter hem dicht.

'Hallo, Marcas. Hoe gaat het?'

De adviseur klonk gemaakt hartelijk.

'Zo goed als het maar kan, meneer.'

'Ik ben blij dat u niets hebt gevonden over die loge Regius. Van dat oude spook zijn we dus verlost. En uw onderzoek is nu klaar, veronderstel ik?'

'Eigenlijk denk ik van niet.'

'Kom, kom! Hebt u uw conclusies nog niet getrokken? Dat die arme minister overwerkt was. Het wordt trouwens tijd dat we tegemoetkomen aan de terechte vraag van de media. Ik ga een persconferentie geven. We zullen de resultaten van de autopsie van het slachtoffer openbaar maken. Ze had een zwak hart. Vervolgens zal een specialist, een psychiater…'

'Dokter Anderson zeker?'

'Dat is waar ook, u kent hem. We moeten het er nog over hebben, trouwens… Wat zei ik ook alweer…?'

'… Dat een specialist, een psychiater, met gezag en deskundigheid zal uitleggen dat de minister, die al zo gebukt ging onder zijn toewijding aan de publieke zaak, de onverwachte dood van het ongelukkige slachtoffer niet heeft kunnen verwerken. Dat hij lijdt aan een emotionele schok, waarvan hij langzaam herstellende is.'

'U zit me toch niet in de maling te nemen, Marcas?'

De adviseur keek hem met twinkelende ogen aan.

'Nee hoor. Ik moet overigens naar Spanje om Manuela Réal te ondervragen.'

'Wat moet u met Manuela Réal?'

'Ze is actrice.'

'Dank u, ik weet wie ze is. Ik ga ook naar de bioscoop. Maar ik begrijp niet waarom u haar wilt spreken.'

'Het houdt verband met de zaak die ons bezighoudt. Wat er met onze minister gebeurde lijkt heel erg op het drama in Granada.'

De adviseur keek Marcas stomverbaasd aan.

'Ik heb de kranten gelezen! Maar ik zie geen enkel verband!'

'Beide slachtoffers zijn in gelijksoortige omstandigheden overleden. En zowel de minister als de actrice lijdt aan eenzelfde soort verwarring.'

'Luister even, commissaris. Dat zijn toevalligheden en geen overeenkomsten. En ik vind uw conclusies overhaast en onjuist.'

Marcas had er een hekel aan zich te moeten rechtvaardigen bij dit soort mensen, die hun positie eerder te danken hadden aan hun opportunisme dan aan hun briljante staat van dienst. De adviseur had nog nooit van zijn leven een moordonderzoek meegemaakt en matigde zich toch al een oordeel aan.

'Die twee zaken hebben nog een gemeenschappelijk element dat de journalisten hebben gemist. In het huis van de actrice hangt een symbool dat de minister in de kliniek heeft getekend.'

'Een symbool...' antwoordde de adviseur misnoegd. 'Jullie vrijmetselaars zien overal symbolen!'

De commissaris verkoos niet te reageren op die toespeling.

'Ik blijf erbij dat de overeenkomst niet toevallig is. Bovendien kennen Manuela Réal en de minister elkaar. Ze hebben elkaar pas nog ontmoet bij de veiling van een manuscript bij Drouot. En aangezien de minister nog niet verhoord kan worden...'

'Dat weet ik. Ik heb trouwens een klacht over u gekregen, commissaris. Van dokter Anderson, het hoofd van de kliniek waar uw arme broeder wordt verpleegd! De arts beschuldigt u ervan de behandeling van de minister in gevaar te hebben gebracht.'

'Die dokter Anderson bezit geen enkele competentie om mijn politiewerk te kunnen beoordelen.'

'Voorlopig heeft uw politiewerk nog geen schitterende resultaten opgeleverd. En dan heb ik het nog niet eens over die laatste gril: Manuela Réal gaan verhoren! Het is uitgesloten dat u naar Granada gaat! De Spaanse autoriteiten zullen u trouwens geen toestemming geven. Daar zorg ik persoonlijk voor.'

De man straalde een verwatenheid uit die Marcas mateloos ergerde.

'Ik herinner u eraan dat u mij zelf gevraagd hebt om deze zaak op te helderen! En als ik me bij elke stap van mijn onderzoek moet rechtvaardigen, trek ik me liever terug.'

Hij stond op en keek de adviseur strak aan. Hij had er goed aan gedaan niets over Anaïs te zeggen.

'Ik raad u aan een andere toon aan te slaan!'

'Ik gebruik de toon die mij belieft.'

De adviseur trommelde op het eiken schrijfblad van zijn bureau en stond met een ruk op.

'Ik herhaal: u gaat niet naar Spanje. Wat het onderzoek betreft, zou ik graag zien dat u wat voorzichtiger en vooral efficiënter te werk gaat.'

Marcas draaide zich abrupt om. Toen hij al bij de deur was, riep de adviseur hem na: 'Denk aan uw carrière! U komt er zelf wel uit?'

De commissaris vertrok zonder een groet aan de secretaresse die toch enkel oog had voor haar computerscherm.

In zijn binnenzak begon zijn gsm te trillen. Hij herkende direct de bange stem van Anaïs. 'Dionysus…'

'Wat is er aan de hand?'

'Dionysus heeft me gevonden.'

41

Parijs

Slalommend tussen de stapvoets rijdende auto's racete de scooter over de Champs-Élysees. Marcas was blij dat hij niet met de auto naar het ministerie van Binnenlandse Zaken was gegaan. Op de place de la Concorde reed hij naar la Madeleine. Het bange telefoontje van Anaïs had hem niet verrast, hij had uit voorzorg het appartement van de jonge vrouw al onder observatie geplaatst. Na Anaïs' telefoontje had hij zijn mensen gebeld om wat meer te weten te komen. De politieman die op wacht stond had niets speciaals gemerkt, niemand was het gebouw binnengegaan en Anaïs was niet buiten geweest. Het contact zou telefonisch geweest moeten zijn.

Het verkeer kwam weer op gang. Hij gaf gas, de snelheidsmeter wees zeventig kilometer per uur aan, een record om deze tijd in het centrum van Parijs, en sloeg af in de richting van station Saint-Lazare.

Als Dionysus had opgebeld, moest Anaïs bliksemsnel van schuilplaats veranderen. Hij kon sowieso niet langer een inspecteur inzetten zonder officiële rechtvaardiging. Lijfwacht spelen voor particuliere doeleinden kon je heel duur komen te staan. Collega's van hem waren er al op betrapt dat ze zich als bijverdienste buiten diensturen verhuurden als bodyguard. Ze waren op staande voet ontslagen.

Het verkeerslicht op de place de la Trinité sprong op rood. Marcas reed door zonder zich te storen aan het getoeter van auto's die uit de zijstraat kwamen. Hij scheurde de rue des Martyrs in. Voor het huis van Anselme parkeerde hij zijn scooter op de stoep, duwde zijn politiepenning onder de neus van de aansnellende parkeeragente en ging de bar binnen waar zijn inspecteur zat.

'En?'

'Niets, chef. Geen enkel verdacht individu. Als ze in de gaten wordt gehouden, gebeurt het zo goed dat het mij niet is opgevallen.'

De jonge inspecteur, die uit het zuiden van Frankrijk kwam en die al bij Moordzaken zat toen Marcas er wegging, dronk zijn koffie op. Marcas had hem het jaar daarvoor een geweldige dienst bewezen. Hij had een oogje toegeknepen toen de inspecteur bij een inval in een nachtclub een pooier had afgerost die een informant was van de Algemene Inlichtingendienst. De jongeman had les nummer één goed begrepen: als smeris nooit een verhouding beginnen met een prostituee.

Marcas spiedde de straat af.

'Goed. We gaan ervan uit dat ze echt gevolgd wordt. Ik ga haar nu halen. Terwijl zij inpakt, haal jij je wagen. Je wacht op ons voor de ingang en controleert of de sector schoon is. Zodra jij het sein veilig geeft, komen we naar beneden. We doen de Albanese transfer. Ik vraag de centrale om een burgerauto.'

De jonge inspecteur grijnsde. De naam 'Albanese transfer' was ontleend aan de manier waarop Albanese pooiers meisjes die door de politie waren opgemerkt, van standplaats lieten veranderen. Ze reden met de prostituee een parkeergarage binnen. Buiten wachtte een handlanger met een andere auto. Het meisje holde de garage weer uit om bliksemsnel over te stappen in de tweede wagen. De politieauto kon haar onmogelijk in zijn achteruit volgen. Toen ze een paar keer zo waren beetgenomen gebruikten de politiemensen een tweede wagen om de ingang te blokkeren en de handlangers te onderscheppen.

'Oké, de Albanese transfer.'

De commissaris belde de centrale. 'Marcas hier, ik wil een burgerauto bij het winkelcentrum van de passage du Havre, bij Saint-Lazare. Hoe lang duurt dat?'

'Hooguit twintig minuten.'

Tevreden keek Marcas op zijn horloge. Als iemand hen wilde volgen zou hij in het winkelcentrum in de tang worden genomen. Marcas en Anaïs zouden als lokeenden dienen. Er bleef nog één onprettige mogelijkheid over. Dat de achtervolger een huurmoordenaar was.

Een afrekening midden op straat.

Het speet Marcas dat hij zijn Glock-dienstpistool niet bij zich had. Hij gebruikte het nooit en het lag te verroesten in zijn kluis op het bureau. Erger nog, hij zette nooit een voet op de schietbaan, zoals het reglement vereiste. Bij de minste miskleun zou hem dat zwaar worden aangerekend.

Marcas verliet het café, stak de straat over en liep met vier treden tegelijk de trap op.

De deur ging direct open. Anaïs was doodsbleek.

'Ik zag je aankomen. Ik moet hier meteen weg. Die schoften komen me halen.'

Marcas duwde haar zachtjes opzij en sloot de deur achter zich.

'Rustig maar. Er wacht een auto op ons om je naar een veilige plek te brengen. Pak je spullen, maar vertel eerst wat er is gebeurd.'

Anaïs krulde zich op in een brede leren fauteuil naast de boekenkast.

'Ik zat een beetje te zappen. De telefoon ging en ik dacht jij het was. Maar in plaats van jou…'

'Dionysus?'

'Ja. Dat… monster zei dat ik geen gevaar liep zolang ik mijn mond maar hield. Hij legde me uit dat hij me expres had laten ontsnappen omdat hij van me hield. Hij zei allerlei lieve dingen alsof er niets aan de hand was, alsof die verschrikking op Sicilië helemaal niet was gebeurd. Wat een smeerlap!'

Ze stompte op de roodlederen armleuning. Haar stem beefde.

'En toen?'

'Hij zei dat hij me zou komen halen en dat ik bij hem veilig was.'

De jonge vrouw rilde. Marcas haalde een tas uit de kast en gaf hem aan Anaïs.

'Kalm, je hebt nu politiebescherming. Er kan je niets gebeuren. Ik weet dat je het niet gemakkelijk hebt na alles wat je hebt meegemaakt.'

'Er is nog iets wat ik eng vind.'

'Wat dan?'

'Zijn stem. Het was net of je erdoor in slaap gewiegd wordt; het scheelde niet veel of ik had me eraan overgegeven. Dionysus gebruikt zijn stem als een soort… tovermiddel. Je krijgt het gevoel dat je erin verdrinkt. Ben jij nooit meegesleept door een stem?'

'Nee, maar ik kan het wel begrijpen. Ik heb pas nog een voordracht gehoord over recent onderzoek naar vocale intonaties. Vrouwen schijnen bevattelijker te zijn voor stembuigingen dan mannen.'

'Dat is machopraat.'

'Het zou me verbazen, want die voordracht werd gehouden door een zuster. Kom, schiet even op.'

'Ik heb niets om aan te trekken!'

Marcas begon te lachen.

'Sorry, aan zulke dingen denk ik nooit.'

Hij liep door de werkkamer van Anselme en pakte diens dossier over Crowley. In de gang stond Anaïs op hem te wachten met haar reistas uit Sicilië. Ze liet haar blik treurig door het appartement dwalen.

'Ik weet niet of ik hier ooit nog zal terugkomen. Het doet me te veel aan mijn oom denken. In alle kamers denk ik dat ik hem tegenkom.'

'Ik zal die avonden ook missen waarin we metselden aan duistere kerkers van zonde en tempels van deugd.'

Anaïs keek geschokt.

'Wat zeg je daar?'

'Dat ik de avonden met Anselme in dit appartement ook zal missen.'

Ze kneep hem hard in zijn arm.

'Nee, wat je zei over zonde en deugd...'

'Dat is een beetje ouderwetse formule die we in onze loge nog gebruiken. Anselme gebruikte hem altijd als we een goede fles ontkurkten.'

'Eigenaardig is dat. Dionysus opende onze meditatieavonden met een zin die daarop lijkt. We waren daar om te bouwen aan duistere kerkers van intolerantie en tempels van de lusten van de liefde.'

Marcas deed de deur open en liet haar voorgaan.

'Ja, vreemd! Misschien is het een voormalige vrijmetselaar die onze gebruiken met een eigen sausje heeft overgoten. Dat gebeurt wel meer.'

Ze liepen snel naar beneden en passeerden de conciërgewoning. Anaïs bleef staan. 'Wacht, ik moet nog iets zeggen tegen dat meisje.'

'Geef haar ook het sleuteltje van mijn scooter, ik stuur iemand om hem op te halen.'

Marcas pakte zijn gsm. 'Leroy? We staan op de binnenplaats.'

'Geen mens te zien, alles is oké.'

'Geef ons vijf minuten.'

Marcas beëindigde het gesprek. Hij besefte dat hij Anaïs maar voorlopig bij hem thuis moest onderbrengen. Zonder toestemming, of zelfs maar een principeakkoord, mocht hij haar geen officieel schuiladres bieden. Anderzijds kon ze van nut zijn bij zijn onderzoek, als de massamoord op Sicilië, de affaire Réal en die van de minister inderdaad met elkaar in verband stonden. De opmerking van Anaïs over de zonde en de deugd versterkte zijn vermoeden. Maar het was maar een vermoeden.

Anaïs kwam weer naar buiten.

'Ik heb haar de sleutels teruggegeven. Ze zal op het appartement passen tot ik terugkom. Áls ik terugkom…'

Ze aarzelde even voor ze verderging: 'Mag ik je een dienst vragen? Ik moet echt wat kleren hebben. Kunnen we even gaan winkelen voor je me weer opsluit?'

Antoine dacht even na. Het was niet eens zo'n slecht idee.

'Waarom niet? We gaan naar een winkelcentrum bij station Saint-Lazare. Dat is meteen een mooi voorwendsel.'

Ze stonden in de rue des Martyrs en stapten in de auto van Marcas' assistent. De dienst-Peugeot reed meteen weg. De chauffeur keek in de spiegel. 'Zwarte motor, donkerblauwe helm op ongeveer twintig meter achter ons. Wat doe ik?'

'Rijd naar de place de Clichy. Dan zien we of hij ons volgt.'

De auto hield zich keurig aan de maximumsnelheid. Anaïs keek voortdurend achterom en pakte voor het eerst Marcas' hand vast.

'Denk je echt dat het zal lukken?'

Marcas glimlachte geruststellend.

'Maak je geen zorgen. Bij het winkelcentrum staan de collega's klaar om hem te onderscheppen. Als het echt een achtervolger is.'

De auto draaide naar links en vervolgens naar rechts. De motor bleef achter hen hangen.

'Motor volgt nog steeds, chef. Zal ik de collega's vragen hem in te sluiten? Of doen we de Albanese truc van de parkeergarage?'

'We doen wat er is afgesproken. Stop even op de place de Clichy. Om de aandacht af te leiden koop ik daar een pakje sigaretten en dan gaan we meteen naar de parkeergarage van het winkelcentrum bij Saint-Lazare. Ze zullen hem klemzetten op de afrit naar beneden.'

De Peugeot stopte voor de *bar-tabac* die alle nachtbrakers kenden vanwege de late sluitingstijd. Marcas stapte uit en zag dat de motor stilstond aan de overkant van het plein. Hij ging de bar binnen en vroeg een pakje Gauloises. Op zijn mobieltje toetste hij het nummer van de centrale die hem doorverbond met de volgwagen.

'Marcas. Heb je de instructies?'

'Alles kits, commissaris. We zullen hem netjes klemrijden en hem naar het bureau brengen.'

'Mooi. Ik zie jullie daar.'

Marcas ging naar buiten en stapte in de auto die langzaam wegreed. Anaïs zweeg en keek naar buiten. De auto werd nog steeds gevolgd door de motor.

'We zijn er, chef.'

De commissaris wendde zich tot Anaïs. 'Luister goed naar me. Als ik het zeg stap je uit en volg je me. We lopen flink door. Hollen kunnen we altijd nog. Oké?'

'Ja, maar…'

'Geen gemaar.'

42

Parijs,
École pratique des hautes études

In de grote zaal met de betimmering van donker hout die nog uit het Se-
cond Empire dateerde, rondde Isabelle net de voordracht af die ze had
gegeven als gastdocente en sektespecialiste. Ze keek naar de studenten.
Er was meer belangstelling dan gebruikelijk voor een werkcollege.

De titel van haar voordracht, *Erotiek en spiritualiteit*, prikkelde natuurlijk de nieuwsgierigheid. In de École kwamen weliswaar de meest
uiteenlopende onderwerpen aan bod, maar deze titel suggereerde toch
wel een heel onverwachte samenhang. Twee professoren die het nieuws
van haar gastcollege hadden opgevangen waren al voorzichtig komen
vissen naar meer bijzonderheden over haar onderzoeksterrein.

Met haar gebruikelijke professionaliteit was ze serieus op de vragen
ingegaan, maar dat had het stiekeme gegniffel niet voorkomen. Een cursus over het samengaan van seksualiteit en religieuze gevoelens stichtte
verwarring en was niet politiek correct. De studenten leken niet
geschokt, maar waren wel verbaasd over de verstrengeling van twee
werelden die ze onverenigbaar achtten. Om die reden had Isabelle trouwens aan het eind van de voordracht een vragenrondje ingelast.

Er ging een hand omhoog. Voordat ze de studente het woord gaf
bekeek Isabelle haar aandachtig. Ze droeg een blauwe plooirok, een
witte hooggesloten blouse en was keurig gekapt. Je kon haar vraag al
voorspellen.

'Ja?'

'U hebt in uw voordracht uw stelling onderbouwd met een hoop
voorbeelden uit de oosterse spiritualiteit en filosofieën zoals het taoïsme
en het tantrisme. Het is me opgevallen dat u geen enkele keer hebt ver-
wezen naar het christendom. Of kon u dat misschien ook niet?'

'U denkt waarschijnlijk dat seksualiteit niet samengaat met de christelijke spiritualiteit?'

'Ja.'

Isabelle glimlachte: 'Dan hebt u het verkeerd! Zeggen de gnostici u iets?'

'Waren dat geen ketters?'

'Het waren christenen, die door de Kerk van Rome als heidenen werden beschouwd. Voor hen was Christus de enige god, het Goede en de tegenpool van de god van het Oude Testament, die symbool was van het Kwade.'

'Dat is een dualistische theorie!'

'Absoluut. En sommige van die gnostische groeperingen vonden dat het Kwaad bij de wortel moest worden aangepakt.'

De studenten spitsten nu hun oren. Ze vervolgde: 'Om het Kwaad te bestrijden moet de kringloop van de generaties worden doorbroken. En dus moet ook seksualiteit worden losgekoppeld van haar tot dan toe gepropageerde doel, de voortplanting.'

'Hoe dan?'

De vraag was anoniem afgevuurd.

'Door seksuele technieken. Vooral door een vorm van *coïtus interruptus*, waarbij het sperma werd opgevangen vóór de ejaculatie in de vagina van de vrouw.'

'Dat meent u toch niet?'

De studente klonk benepen.

'Ja hoor! Die rituele praktijk werd beschreven door een getuige uit die tijd, een zekere sint Epiphanus, die vast een betrouwbare bron is aangezien de katholieke kerk hem heilig heeft verklaard!'

Hier en daar werd gelachen.

'Maar wat deden ze met... nou ja... met wat ze hadden opgevangen?'

'Volgens sint Epiphanus werd het sperma in een soort communie genuttigd en bij elke inname herhaalden de gnostici de rituele formule: "Dit is het echte lichaam van Christus."'

'Wat smerig!'

'Zij vonden van niet! Sperma dat werd opgevangen tijdens de liefdesdaad symboliseerde de hervonden goddelijke kracht en door het te consumeren werd men één met het eerste beginsel.'

'Wat een idioten!'

De jonge studente stond ineens overeind. 'Waarom? Als God wel in brood en wijn kan zijn, wat sommigen vinden, waarom dan niet in sperma?'

Er ging geroezemoes door de zaal. Kalm glimlachend bekeek Isabelle de studenten één voor één om hun reactie te peilen. Bij de deur achter in de zaal stond een man in een maatpak die haar onopvallend wenkte. Ze herkende Alexandre Parell. De broeder.

'Goed, ik dank jullie voor jullie aandacht. De les is afgelopen. Tot de volgende week.'

De adviseur van de obediëntie liep naar het podium toe. 'Indrukwekkend! Eindig je je lessen altijd met zulke... onthullingen?'

'O, ik heb ze nog lang niet alles verteld. Die gnostici consumeerden ook het menstruatiebloed van hun vrouwen.'

Parell keek haar hoofdschuddend aan. 'Leuk, maar daarvoor ben ik niet gekomen.'

'Dat dacht ik al.'

'Het schijnt dat Marcas niet meer zo goed ligt bij de minister. We hebben besloten hem met zachte hand van dat onderzoek af te halen. Jij kunt ook maar beter afstand houden.'

Isabelle grijnsde spottend. 'Hebben jullie Marcas al ingelicht over die drastische koerswijziging?'

'Nee, maar de zaak wordt afgesloten en daarmee wordt alles weer normaal. Hij ook, hopelijk.'

'En als hij niet wil?'

'Het staat hem vrij om in het duister te tasten. Maar hij zal alleen zijn als hij verdwaalt.'

43

Parijs,
quartier Saint-Lazare

De auto stak de busstrook over en dook de smalle inrit van de parkeergarage in. De inspecteur foeterde: 'Met die krankzinnige tarieven die je
hier betaalt konden ze de ingang wel eens breder maken! Hier kan nauwelijks een Twingo door!'

Marcas pakte het dienstwapen van zijn adjudant uit het handschoe-
nenkastje, controleerde de patroonhouder en belde de tweede wagen.
'Echo één. Waar zijn jullie?'

'Tegenover de ingang, de verdachte zit achter ons, binnen dertig seconden is hij in de parking.'

'Bedankt. Succes, en doe vooral rustig aan.'

'Begrepen. Echo één, over en uit.'

'Leroy, je weet wat je moet doen.'

'Ja, ik neem een ticket, de slagboom gaat open en ik stop er net achter
om hem klem te zetten, de collega's zitten achter hem.'

De Peugeot remde af en stopte zoals afgesproken.

'Anaïs, nu!'

Het stel stoof de auto uit en liep op een drafje naar de trap die naar het
winkelcentrum voerde. Achter hen knalde het portier dicht. Ze holden
de trappen op en kwamen op de begane grond van het winkelcentrum.
Er liep een massa winkelende mensen. Marcas keek scherp rond en zei
tegen Anaïs: 'Oké, we kunnen nu rustig aan doen. We lopen kalm naar
de oostelijke uitgang.'

Zijn mobieltje trilde. 'Ja?'

'Hier Echo één, de plannen worden omgegooid. De motor is niet in de
parking; hij is doorgereden naar de rue de Châteaudun.'

'Shit!'

'We gaan hem proberen te onderscheppen, maar dat zal moeilijk worden. Die rotzak wringt zich tussen de auto's door.'

'Heb je zijn kenteken gecheckt?'

'Ja. Gisteren gestolen.'

'Probeer hem klem te rijden, maar stuur ook iemand die ons uit het winkelcentrum komt ophalen.'

'Okido! Ik stuur inspecteur Duval; groot, bruin haar, beige leren jack. Hij komt eraan. Echo één, uit.'

Marcas versnelde zijn pas. Anaïs keek hem angstig aan. 'Hebben ze hem niet?'

'Nee, en dat bevalt me niets.'

Hij keek nog eens rond. De winkels waren bomvol, om hen heen wandelden honderden mannen en vrouwen. Onveilige sector, bedacht Marcas zich. Als iemand in deze mensenmassa op ons gaat schieten kan niemand hem dat beletten. Ze waren nog ongeveer tweehonderd meter van de uitgang.

Marcas nam Anaïs' hand, alsof ze een stel waren. Doodgewone mensen.

In de centrale promenade liepen ze bijna een met pakjes beladen zwangere vrouw omver. Uit de luidsprekers klonk oorverdovende muziek afgewisseld met reclamespotjes. Ze waren nog maar dertig meter van de roltrap verwijderd, toen Marcas de inspecteur herkende die hem was beschreven. Hij wachtte hen op boven aan de roltrap en keek voortdurend om zich heen.

'Anaïs, ga achter mij op de roltrap staan. En als ik het zeg buk je meteen.'

'Je bent wel een bemoedigend type…'

Marcas ging er niet op in en begon sneller te lopen. Er klopte iets niet. Logischerwijze had die motor hen moeten volgen in de parkeergarage. Behalve als… Marcas zag ineens zijn vergissing in. Achter de motor zat nog een tweede team en ze hielden voortdurend telefonisch contact met elkaar.

'We moeten hier weg!'

Het was te laat om nog om te keren. De roltrap ging langzaam, veel te langzaam omhoog. Marcas omklemde het pistool in zijn zak. Ze waren net eendjes in een schiettent.

Bijna onverdraaglijk luide rapmuziek weergalmde door het hele winkelcentrum. Marcas kwam als eerste boven aan de roltrap en sleurde Anaïs mee, zonder op de uitgestoken hand van de inspecteur te letten. Op hooguit vijftien meter bij de uitgang vandaan verscheen er een man in een lange grijze jas in zijn gezichtsveld.

'Liggen,' brulde Marcas, zijn pistool trekkend.

Er vielen twee schoten. De man in de grijze jas had een riotgun tevoorschijn gehaald en schoot op hen. Anaïs en de inspecteur vielen gelijktijdig.

De man in de jas rukte een kleuter met zijn knuffel uit de armen van zijn moeder en drukte hem als een schild tegen zijn borst.

Anaïs hief haar hoofd op en riep: 'Dat is de man die me naar het vliegveld heeft gevolgd, de moordenaar van Dionysus.'

'Hoofd naar beneden,' beval Marcas.

De inspecteur was naar de andere kant gerold en zocht bescherming onder de etalage van een fastfoodrestaurant.

Er klonk weer een schot en de etalageruit naast Marcas explodeerde. De moordenaar herlaadde en riep: 'Ik kom je halen, Anaïs. Je meester heeft je nodig.'

Als een robot kwam de man een stap dichterbij, het meisje bungelde als een ledenpop aan zijn hand. Achter hem stond de moeder te krijsen van angst.

De inspecteur richtte op de benen van de man en haalde de trekker over. De kogel miste doel en doorboorde de etalage van een snoepwinkel. De man in de mantel draaide zich een kwartslag om en schoot van dichtbij op de jonge politieman.

Diens hoofd spatte uiteen en het raam van het fastfoodrestaurant kwam onder het bloed te zitten. Een stukje van zijn hersen bleef kleven op een poster van een enorme hamburger die droop van de ketchup.

De schutter opende het vuur op een andere etalage en schoot het rookglas aan splinters. Een kogel eindigde in de borst van de verkoopster. De dolle schutter jubelde: 'Het is uitverkoop, pak maar mee. Alles moet weg!'

Marcas stond machteloos, omdat hij zijn pistool niet durfde te gebruiken uit angst dat hij het kind zou raken. Zijn tegenstander profiteerde daarvan door naar hen toe te komen.

Het doodsbange publiek holde in paniek door elkaar en onttrok hen even aan het zicht van de moordenaar. Anaïs riep: 'Ik ken het hier. Aan de linkerkant is een trap; die kunnen we misschien net halen. Als we hier blijven, zijn we er geweest.'

Verbluft zag Marcas de jonge vrouw overeind springen en naar een geopende deur sprinten. Hij herstelde zich en toen hij achter haar aanholde voelde hij een kogel net langs zijn slaap suizen.

De moordenaar had hun actie begrepen. Hij liet het kind los alsof het een zak vuil was en schoot op goed geluk op de vluchtelingen. Een in een zwart mantelpakje geklede vrouw stortte neer, een gillende puber in haar val meeslepend.

'Laat onmiddellijk dat wapen vallen.'

Een zwarte veiligheidsagent kwam aanhollen, zwaaiend met een wapenstok die even nutteloos was als een stuk speelgoed. De moordenaar grijnsde en schoot twee keer op de bewaker die met wijd open angstogen achteroversloeg.

Marcas en Anaïs holden zo hard ze konden. Ze renden het trappenhuis in. De politieman zette de veiligheidsstang vast en draaide zich om naar Anaïs. 'We hebben even respijt, zelfs met de riotgun krijgt hij die niet los.'

'Ik dacht dat wij de politie waren en zij de slechteriken.'

'Dat dacht ik ook!'

'Als ik me goed herinner, kunnen we van hieruit bij de metro komen.'

Marcas pakte zijn gsm en besefte meteen dat het trappenhuis het signaal niet doorliet. Ze kwamen weer in beweging, Anaïs hijgde piepend en holde als een bezetene. Ze duwden een tiental passanten opzij om zo snel mogelijk in de metrogangen te komen. Anaïs wees naar een trap die uitkwam op de cour de Rome. Boven belde Marcas met zijn gsm. 'Centrale, dit is dringend, haal ons op van de cour de Rome. En stuur versterking naar het winkelcentrum du Havre, er zijn daar gewonden.'

'Begrepen, commissaris. We zijn al gewaarschuwd, er zijn wagens onderweg.'

Anaïs kwam weer wat op adem en vroeg zich af waar ze al die energie vandaan haalde. Het was alsof de gebeurtenissen op Sicilië haar hadden veranderd. Ze had nooit gedacht dat ze zulke beproevingen zou kunnen doorstaan en nu ontdekte ze onvermoedde reserves in zichzelf.

Marcas tuurde naar de straten die uitkwamen op het plein. Een zwarte Renault stopte abrupt remmend vlak voor hen. Er stapte een man uit die een armband droeg waarop 'politie' stond en die het stel wenkte.

Marcas en Anaïs doken de auto in, die in volle vaart en met gillende sirene wegreed. 'Naar de Quai, commissaris?'

'Ja, snel.'

Marcas dacht aan de ongelooflijke puinhoop die hij had aangericht. Een collega op klaarlichte dag vermoord, gewonden en misschien ook doden in het winkelcentrum. Hij maakte zich geen enkele illusie. Als hij eerlijk was in zijn rapportage, dan werd hij onmiddellijk geschorst. In afwachting van nog erger. Hij had geen enkel recht om het meisje om persoonlijke redenen in bescherming te nemen.

Een overdracht organiseren in een publieke ruimte zou hem als een zware fout worden aangerekend. Hij had haar direct van de rue des Martyrs naar de quai des Orfèvres moeten brengen. Maar dan zou hij een officiële procedure hebben moeten starten. Zijn bezorgdheid voor het nichtje van Anselme rechtvaardigde zulke zware maatregelen echt niet. En als hij opbiechtte dat het meisje kroongetuige was van de moordpartij op Sicilië, maar dat hij het niet nodig gevonden had haar over te dragen aan de autoriteiten, kon hij het ook wel schudden. De broederschap binnen de politie zou niets voor hem kunnen doen en de adviseur van de minister zou hem met alle liefde te grazen nemen.

Wat een rotdag. Hij verwenste zichzelf als hij dacht aan alle risico's die hij had genomen. En voor niets. Hij dacht aan het gezicht van de jonge inspecteur die was neergeschoten. Had hij een vriendinnetje gehad, een vrouw, kinderen? En het kind dat de moordenaar als schild had gediend?

Met loeiende sirenes kwamen van alle kanten ambulances en politie-auto's aangereden, die stopten voor de ingang van het winkelcentrum.

Grimmig balde Marcas zijn vuisten. De auto had de wijk Saint-Lazare verlaten en reed naar de Seine. Binnen vijf minuten zouden ze bij de Quai des Orfèvres zijn. Hij moest nu een besluit nemen.

Voor het eerst in zijn carrière zou hij liegen. Het rechte pad zou hij links laten liggen. Hij boog zich naar de bestuurder. 'Ga rechtsaf. We gaan ergens anders heen.'

Anaïs klampte zich vast aan zijn arm. Hij liet haar begaan.

'We gaan naar mijn huis,' zei hij vermoeid. 'Daar ben je veilig.'

44

Parijs,
place Beauvau

'Wij wachten op uw verklaring!'

De adviseur van de minister bekeek Marcas afkeurend. Aan weerszijden van hem zaten de directeur van de nationale politie en een vertegenwoordiger van de prefect van de Parijse politie.

'U hebt mijn rapport gelezen. Ik heb daar niets aan toe te voegen.'

De adviseur pakte een geel mapje en wierp het Marcas minachtend toe. 'Onderschat me niet, Marcas. Dat rapport stinkt.'

'Hoezo? Schrijft u dan zo vaak rapporten?'

De vertegenwoordiger van de prefect, een invloedrijk lid van de broederkring binnen de politie, onderdrukte een glimlach. De adviseur zag het niet en wond zich nog meer op.

'Doe niet zo arrogant! Uw opdracht was een officieus onderzoek naar de minister te doen en niet om midden in Parijs voor cowboy te gaan spelen. En dan dat meisje dat opdook als verrassingsgetuige en nu weer spoorloos is. U had me van alles op de hoogte moeten houden!'

'Die jonge vrouw heeft contact met me gezocht en gezegd dat ze kroongetuige was in de affaire van de minister. Ze vroeg me om bescherming omdat ze zich bedreigd voelde en ik heb onmiddellijk actie ondernomen. Ik heb niet eens de tijd gehad om het te melden.'

'Het zal wel! En om haar beter te kunnen beschermen gaat u even boodschappen doen in Saint-Lazare, in plaats van haar in veiligheid te brengen!'

'U hebt kennelijk mijn verslag niet goed gelezen, meneer. Ze was al gevlucht in dat winkelcentrum. Ik heb haar gezegd dat ze daar op me moest wachten. Vervolgens... Had ik haar dan als een konijn moeten laten afschieten?'

De adviseur wendde zich tot de twee mannen naast hem. 'Mijne heren, wat denkt u?'

De directeur van de politie schraapte zijn keel.

'Snel handelen is geboden. We moeten de moordenaar vinden! De koelbloedige moord op een politieman mag niet ongestraft blijven. Met hulp van getuigen hebben we al een goede robotfoto kunnen maken. We moeten een klopjacht organiseren. En vervolgens...'

'En vervolgens, meneer de directeur...' vroeg de man van Binnenlandse Zaken, Marcas aankijkend.

'Ik vind net als u dat het verslag van commissaris Marcas witte vlekken vertoont. Zonder zijn goede trouw in twijfel te trekken, hij is een alom gewaardeerd vakman, stel ik voor om de Algemene Inspectiedienst onderzoek te laten doen. Ze kunnen de politiemensen die bij de operatie betrokken waren voorzichtig ondervragen en zijn versie, hopelijk, bevestigen. Gaat u daarmee akkoord, commissaris?'

Marcas knikte. Hij was voorbereid op de mogelijkheid van een intern onderzoek.

'Als u meent dat zoiets dingen kan ophelderen kan ik er onmogelijk tegen zijn. Kan ik nu gaan? Ik moet een onderzoek leiden en...'

'U hebt geen onderzoek meer om te leiden,' bitste de adviseur. 'De minister is erg teleurgesteld door uw houding. Hij hoopte op duidelijke conclusies waarmee de affaire afgesloten zou kunnen worden. In plaats daarvan zitten we met een bloedbad in het hartje van Parijs en een hoop veronderstellingen die kant noch wal raken.'

Marcas voelde zich zwaar in zijn eer aangetast. 'Ik wijs erop dat ik met Manuela Réal een serieus spoor in handen heb en dat haar getuigenis een direct verband heeft. Ik ben...'

'Zo is het genoeg. U neemt verlof. Ik geef de zaak aan commissaris Loigril. Dat had ik direct moeten doen! U kunt gaan, Marcas.'

De adviseur wierp hem een ijzige blik toe, terwijl de twee anderen de andere kant uitkeken.

Verslagen door dit nieuws stond Marcas zwijgend op. In zijn hele loopbaan had hij zich nog nooit zo vernederd gevoeld. Met gebalde vuisten liep hij naar de deur. Hij had frisse lucht nodig. Hij moest weg uit deze beklemmende omgeving, weg van de stank.

Op dit late tijdstip lag de place Beauvau er bijna verlaten bij. De bewaker probeerde zijn handen warm te wrijven. Marcas liep in de richting van het Élysee-paleis en sloeg af naar de place Clemenceau. Hij probeerde weer kalm te worden en zijn woede, die slechte raadgever, de baas te worden. Het goede nieuws was dat hij niet werd geschorst en dat hij kon gaan en staan waar hij wilde. En hij had zijn collega voldoende gebriefd zodat die zijn verhaal zou bevestigen. Hij had Marcas en het meisje nooit opgepikt in de rue des Martyrs.

Anaïs zat veilig in zijn huis, maar dat was maar voorlopig en hij wilde voor geen prijs dat ze in handen van Loigril zou vallen. Als die haar zou ondervragen, maakte hij gehakt van haar en zodra hij ontdekte dat ze op Sicilië was geweest gingen de poppen aan het dansen.

Hij had bitter weinig armslag.

Hij bleef maar lopen, in de richting van de Opéra, zonder dat hij een oplossing vond. Hij zat tot zijn nek in de stront.

Zijn gsm trilde.

'Foei, Marcas. Slordige rapporten maken, dat mag niet hoor!'

'Dit is niet het moment om met me te spotten.'

'Nee. Ik wilde juist even met je praten. Je zit behoorlijk in de problemen. Heb je tijd voor een kop koffie?'

'Ik ben op de boulevard des Capucines.'

'Loop door naar de Opéra, over een klein kwartiertje zie ik je in het Grand Café.'

Marcas veranderde van richting en liep langzaam naar de place de l'Opéra. Hij belde Anaïs, maar die nam niet op. Zijn antwoordapparaat nam het over, maar hij sprak geen boodschap in. Ze zou wel slapen. Hij belde het nummer van zijn assistent die in zijn appartement was gebleven om haar te bewaken.

Een slaperige stem antwoordde: 'Ja, commissaris?'

'Ik wilde alleen weten of alles in orde is.'

'Maak u geen zorgen. Hoe ging uw vergadering op het ministerie?'

'Bedonderd. Ik bel je nog. Verlies haar vooral niet uit het oog.'

'Maak u niet ongerust!'

Marcas hing op. Hij moest Anaïs naar een veilige plek overbrengen en zo snel mogelijk vertrekken om Manuela Réal te verhoren. Het waren twee moeilijk met elkaar te combineren opdrachten.

Hij liep nog sneller naar de place de L'Opéra. Er was nauwelijks verkeer, slechts enkele auto's reden over de Grands Boulevards. En toch zou over een uurtje het kruispunt compleet verstopt zijn.

Hij duwde de zware deur van het Grand Café open en liep de grote zaal binnen. Al lezend in de kopie van zijn rapport bestelde hij een kop koffie.

Hij keek op toen er tegen het raam getikt werd. De man van de prefectuur gaf hem een teken en liep rond om bij hem te komen. Ondanks zijn imposante omvang bewoog de *bolle broeder*, zoals hij onder vrijmetselaars werd genoemd, zich met een verrassende lenigheid. Marcas kende hem zes jaar en onderhield broederlijke contacten met hem, hoewel hij een tikje wantrouwig bleef. In de wandelgangen werd verteld dat deze hoge ambtenaar een overdosis-affaire in de doofpot had gestopt om een grote ondernemer die verwikkeld was in een smerig zaakje uit de wind te houden. Dienstbetoon onder vrienden van dezelfde broederschap. Zodra hij gepensioneerd was zou de man van de prefectuur een baantje krijgen als veiligheidsadviseur bij een buitenlands filiaal van diezelfde ondernemer, met een salaris dat vier keer zo hoog was als zijn ambtenarenloon.

De dikke man naast Marcas wenkte een ober om een biertje en een bord frieten te bestellen.

'Je houdt me uit mijn slaap.'

'Het spijt me vreselijk. Eerlijk waar. Ik wou dat het niet nodig was!'

'Een nare geschiedenis…'

'Naarder dan je kunt vermoeden.'

'Ik kan je helpen.'

Marcas wist donders goed dat hij dat kon, maar dat zijn hulp een prijskaartje zou hebben. De ene dienst is de andere waard. Niets ging voor niets met deze broeder die van een andere obediëntie was dan de zijne.

'Ik weet dat je dolgraag diensten bewijst.'

'Och ja, zo zit ik nu eenmaal in elkaar. Ik kan een broeder niet laten zakken. Zelfs al hoort hij bij een extreem linkse obediëntie.'

Marcas nam een slok hete koffie.

'Wil je soms dat ik je even bijpraat over je broeders in het zuidwesten? Over de streken van je vriendje de rechter-schavuit, waar de kranten bol van staan? De…'

'Wind je niet op. Het was maar een grapje. Ik heb een voorstel. Ik kan je op de hoogte houden van dat onderzoek van de Algemene Inspectie, want ik heb er een vriendje zitten. En verder weet je ook dat die adviseur naar mijn smaak een beetje te ambitieus is. Hij wil te veel en gaat te snel. En hij is niet van de club.'

Marcas wist dat de jonge adviseur van de minister zich steeds impopulairder maakte bij politiemensen van de oude lichting. Bepaalde benoemingen werden heel slecht ontvangen. Veel politiemensen zouden hem met plezier onderuit zien gaan.

'Dank voor alle goede zorgen. En wat vraag je in ruil?'

Zijn buurman verzwolg de frieten alsof hij in drie dagen niets had gegeten.

'Voorlopig niets. Je bent even echt niet in de positie om iets voor me te doen. Dat zien we later wel.'

Marcas dacht even na terwijl hij aan zijn koffie nipte.

'Oké. Ik moet zo snel mogelijk naar Spanje – lekker op vakantie! – en ik wil iemand meenemen. Kun je ervoor zorgen dat het zonder... opschudding kan?'

'Wie is het?'

Marcas wist dat hij open kaart moest spelen. De tijd drong.

'Die bewuste getuige?'

'Ja! Ik heb haar nodig. En ik wil haar vooral uit de klauwen van Loigril houden.'

'Dat zal moeilijk worden. Ze is tot over haar oren betrokken bij die schietpartij van gisteren.'

De broeder zat de prijs op te drijven. De wederdienst zou niet gering zijn.

'Ik weet het. Maar het is dat of ik doe het zonder jou.'

De man van de prefectuur keek hem even aan en barstte in lachen uit.

'Jullie zijn allemaal hetzelfde in die loge van je, altijd het hoogste woord en altijd voorwaarden stellen. Ooit zullen wij de meerderheid hebben in Frankrijk en dan kunnen jullie ons niet meer de les lezen.'

Marcas kon er niet om lachen.

'Dus?'

'Dus ik doe het nodige. Nog iets anders?'

'Ja. Ik moet die actrice verhoren, maar ik heb daar geen enkel officieel mandaat. Ik moet daarom haar agent in Frankrijk zien te overtuigen. Zijn naam is Alain Tersens. Kun jij me een paar inlichtingen over die meneer bezorgen voor het geval mijn argumenten niet zwaar genoeg wegen?'

'Ja, maar dan moet die agent wel iets op zijn kerfstok hebben.'

De commissaris knipoogde.

'Wie goed zoekt...'

45

Parijs

In het kantoor van het PR-agentschap *Sortilèges* hing de geur van vroeger. Het bureau was gevestigd op de benedenverdieping van een oud herenhuis in een steegje in het achtste arrondissement. De muren waren bedekt met foto's van actrices die beroemd waren in de jaren tachtig. Slechts enkele portretten van namen die nog altijd meetelden moesten bewijzen dat het agentschap niet helemaal was ingeslapen. Marcas herkende het mooie gezicht van Manuela Réal, maar dan vijftien jaar jonger. Het hing aan de muur van de kleine wachtkamer die was ingericht door een beroemde ontwerper. Het portret van Réal was de uitdrukkelijke wens van zijn opdrachtgever die zijn bezoek hiermee zijn visitekaartje toonde.

Op een bank in die wachtkamer zat een aristocratisch uitziende man met zilvergrijs haar nagelbijtend naar de deur te staren. Anaïs fluisterde in het oor van Marcas: 'Ik ken die man uit films, maar ik ben zijn naam kwijt.'

'Ik heb geen idee. Waarschijnlijk een van de eeuwige bijrollen die nooit op de affiche komen.'

Net toen Anaïs de naamloze wilde aanspreken, opende de agent van Manuela Réal de dubbele deuren. Alain Tersens was forsgebouwd, had blond kortgeknipt haar, felle groene ogen en droeg een beige maatkostuum. Hij had een enorme uitstraling.

De grijze man sprong overeind en liep met uitgestoken hand op hem af.

'Eindelijk! Heb je nieuws over mijn auditie? Je secretaresse verbindt je nooit door als ik bel. Ik word gek van dat wachten!'

De agent legde een hand op zijn schouder.

'Sorry, je krijgt die rol niet. Je stond wel op de shortlist… Kop op, er zijn nog zo veel andere rollen.'

De acteur leek erg aangeslagen. Zijn ogen vulden zich met tranen.

'Maar die rol was helemaal voor mij!'

Over de schouder van de acteur gaf de agent Marcas en Anaïs een teken en duwde de man in de richting van de deur.

'Zodra ik wat nieuws heb, bel ik je. Dat beloof ik je.'

De deur viel dicht, de agent kwam terug en wees naar een openstaande deur aan de overkant van de gang.

'Komt u maar met me mee.'

Anaïs stelde de vraag die haar bleef kwellen. 'Wie was dat?'

'Daniel Cox. Hij heeft jaren geleden in veel televisiefilms gespeeld.'

'Was die auditie voor een belangrijke rol? Hij leek er kapot van!'

'Dertig seconden in een camembertspotje. Maar de regisseur vond dat hij te veel het Frankrijk van vroeger belichaamt. Arme Cox, al drie jaar wil niemand hem meer! Ik doe echt wat ik kan. Het is een hard vak, hoor, agent!'

Ze kwamen in een groot, zonnig gedecoreerd vertrek met achttiende-eeuwse Franse schilderijen aan de muur. Ze gingen rond een tafeltje zitten waarop een theepot en schaaltjes met toastjes stonden.

'Ik ging net theedrinken. Wilt u ook een kopje?'

Marcas sloeg het af, Anaïs niet. De gastheer zakte achterover in een mauve sofa die veel te klein leek voor zijn grote gestalte. Zijn groene ogen boorden zich in die van Anaïs.

'Lieve dame, u hebt een schattig gezicht en prachtige ogen. Ik wist niet dat je bij de politie auditie moest doen om een baan te krijgen. U zou bij de film moeten gaan!'

De jonge vrouw keek bedaard terug.

'Helaas! Ik ben over de dertig. Ik had u tien jaar eerder moeten tegenkomen.'

'Voor de zevende kunst is het nooit te laat.'

Anaïs antwoordde niet. De agent keek naar de politieman.

'Commissaris Marcas, is het niet?'

'Ja, en dit is inspectrice Müller. Fijn dat u ons kon ontvangen.'

'Ik geef toe dat uw telefoontje me verraste. Wat kan ik doen voor de politie?'

'We zouden een informeel gesprek willen hebben met Manuela Réal.'

Tersens glimlachte flauwtjes voordat hij antwoordde: 'U bent niet de enigen, vooral nu niet. Als u eens wist hoeveel journalisten me achtervolgen voor een exclusief interview...'

'Wij zijn geen journalisten,' zei Marcas autoritair.

De agent schonk nog een kopje thee in. Zijn toon werd bitser. 'En dus bent u voor mij minder belangrijk, commissaris. Ik zie niet in wat u met Manuela moet.'

'Ze kan betrokken zijn bij een zaak die ik... die wij onderzoeken.'

Alain Tersens smeerde op een bijna obscene manier bessenjam op een toastje, het mesje met het ivoren heft gebruikend als een smachtende tong.

'Die brave minister van Cultuur! Een enige man en iemand die ons vak een zeer goed hart toedraagt. Ik moet u echter teleurstellen. Manuela en de minister kennen elkaar niet.'

Anaïs wierp tegen: 'Toch zijn ze elkaar pasgeleden nog tegengekomen op de veiling van het Casanovamanuscript bij Drouot.'

De agent lachte gemaakt spontaan.

'Manuela gaat graag uit en ze ontmoet wekelijks honderden beroemdheden, maar dat betekent niet dat ze vrienden zijn... Bekijk de societyrubrieken van de glossy's maar en dan begrijpt u wel wat ik bedoel. Ik zit ook avonden lang te glimlachen naast volslagen onbekenden.'

Marcas nam het woord weer. 'Ik maak daaruit op dat...'

'Het is "nee"! Manuela heeft rust nodig. Een gesprek met de politie zal haar in de war brengen. En uw Spaanse collega's hebben de zaak trouwens afgesloten. Het verlies van haar man was een grote klap voor haar. Het rouwproces is heel zwaar.'

Anaïs zette haar kopje neer en murmelde: 'Die zaak is toch ook een geweldige publiciteitsstunt voor haar. Haar carrière was eigenlijk voorbij... En ik las dat ze sinds enkele dagen weer aanbiedingen krijgt.'

Tersens verstrakte. 'Dat is een misplaatste opmerking. Manuela is een groot actrice en ze heeft dit drama niet nodig om haar carrière weer op gang te krijgen. Als u het goedvindt, ga ik nu door met mijn werk.'

Hij wilde overeind komen.

'Blijft u nog even zitten,' zei Marcas snijdend.

'Pardon?'

'Ons gesprek is nog niet afgelopen,' antwoordde de politieman terwijl hij een rode map met het opschrift 'Affaire Keller' op tafel legde.

De agent wierp er een blik op en verbleekte. Marcas sloeg de map open en haalde er een fotokopie van een proces-verbaal uit.

'Onvoorstelbaar wat er bij de politie allemaal in de la ligt aan gevallen waar je zo een scenario van kunt maken. Ik wilde hier graag uw mening over.'

Verslagen ging Tersens weer zitten.

'Dit gaat over een meisje dat graag bij de film wilde. Natuurlijk ontmoet ze een aardige impresario die haar een geweldige toekomst voorspelt. En om haar te lanceren wordt ze uitgenodigd op een feestje in het grote appartement van die agent van de grote sterren. Om de een of andere reden gaat het er een beetje heftig aan toe en, ongelukkig toeval, drinkt ze het glas van iemand anders uit waarin nog een beetje medicijn zit, GHB.

'De verkrachtingsdrug?' vroeg Anaïs.

'Ja! En natuurlijk profiteert die aardige impresario van de gelegenheid door haar te misbruiken. Op alle mogelijke manieren. Hij is niet de enige, trouwens. Een beroemde actrice en haar, toevallig nu net overleden, man genieten ook van de charmes van het aankomende sterretje.'

'Hoe komt u daaraan?'

De stem van Alain Tersens was nauwelijks hoorbaar.

'Wacht, ik ben nog niet klaar! Onze impresario is dan ineens niet meer zo aardig. De volgende ochtend, bij het ontwaken, beantwoordt hij de vragen van het arme kind door haar met een glazen asbak op het gezicht te slaan. Natuurlijk heeft hij het excuus van de coke! Het meisje belandt met kapot gezicht op de eerste hulp.'

'Diende ze geen aanklacht in?' vroeg Anaïs verbaasd.

'Ineens duikt er een dure advocaat op met een pak geld. Genoeg om een geweten af te kopen en een goede plastische chirurg van te betalen.'

Anaïs keek minachtend naar de agent die steeds witter wegtrok en wiens gezicht een zenuwtic vertoonde.

'De zaak werd... afgesloten.'

'Wel voor de politie! Maar voor de media zou het me verbazen. Ik ken ook journalisten. Wel geen filmrecensenten, eerder van die riooljournalisten... Alles wat met Manuela Réal en haar omgeving te maken heeft haalt op dit moment de voorpagina's.'

'Dit is pure chantage!'

'Kom, kom! Niet meteen van die grote woorden gebruiken. Zou ons verzoek nog eens kunnen worden heroverwogen?'

De agent lag uitgeteld op de bank en had alle arrogantie verloren.

'Goed. Ik zal haar straks bellen. Mijn secretaresse geeft u het adres van de kliniek waar ze is. Manuela zal met u praten.'

Breed glimlachend stond Marcas op. Anaïs keek Alain Tersens uitdagend aan.

'U zult wel begrijpen dat uw aanbod om een actrice van me te maken me niet echt aantrekt. Is het niet moeilijk?'

'Wat?'

'Uzelf elke ochtend in de spiegel te moeten zien?'

'Ik laat u niet uit.'

Ze waren de deur nog niet uit of Anaïs zei tegen Marcas: 'Die vent is een smeerlap, maar jouw methodes zijn ook niet fraai.'

Marcas wierp haar een blik vol verstandhouding toe.

'Sinds ik jou ken kijk ik niet meer op een misstap.'

Ze sloeg keihard terug.

'En je vrijmetselaarsmoraal dan?'

'Draai de troffel niet om in de wonde.'

Ze moest even lachen om zijn onverschilligheid en werd toen weer ernstig. 'Er schiet me iets te binnen. Heb je gelet op de schilderijen in zijn kantoor?'

'Vaagjes. Hoezo?'

'Ik weet zeker dat er één bij was van… Casanova.'

'Wat zou dat?'

Anaïs aarzelde. 'Niets. Maar alles wat met Casanova te maken heeft maakt me nerveus.'

Marcas wilde haar troosten, maar hij durfde zijn arm niet om haar schouders te slaan. Ze stapten in de burgerauto die stond te wachten in een zijstraat.

'Ga je met me mee naar Granada?' vroeg Marcas mat. 'Als je hier blijft kan ik je niet beschermen. Anders moet ik je als getuige overdragen aan mijn collega's.'

De jonge vrouw glimlachte voor zich uit.

'Ik voel me goed bij jou.'

Alain Tersens had de gordijnen dichtgedaan en belde een nummer in Parijs. Hij liet de telefoon vier keer overgaan, hing op en toetste hetzelfde nummer opnieuw. Een warme, zachte stem zei: 'Ja, beste Tersens?'

'Ze gaan net hier weg. De smeris en het meisje.'

'Mooi.'

'Ik heb ze een gesprek met Manuela moeten toestaan.'

Aan de andere kant van de lijn bleef het ijzig stil. De agent voelde dat het zweet op zijn voorhoofd stond.

'Hij heeft me bedreigd met een dossier. Ik…'

'Je bent een laffe idioot.'

'Als ik had geweigerd zou hij iets gaan vermoeden. En ik dacht… ik dacht dat u wel zou kunnen voorkomen dat ze vertrokken.'

'Jij moet niet denken, dat kan jij helemaal niet! In Frankrijk kan ik niets meer beginnen. Ze staan onder constante bewaking.'

'Het spijt me vreselijk, maar…'

De verbinding was al verbroken. Alain Tersens voelde zijn maag zich samenknijpen. Hij had het eerste gebod overtreden: Dionysus nooit tegenspreken.

46

Vervolg van het Casanovamanuscript

... *Tegen negen uur in de avond vervoegde ik mij samen met markies de Pausolès bij Don Ortega. De maan stond achter de heuvels en wierp reeds haar licht op de tuinen die heel anders waren dan die van de markies. Don Ortega hield overduidelijk van rust en discretie. Rijen hoge cypressen trokken een grens tussen het park en de profane wereld. In het midden van de tuin lag een doolhof van buxushagen.*

'Als de maan straks nog hoger staat kunt u alles beter zien,' zei Don Ortega. 'Komt u intussen met ons mee; mijn bedienden staan klaar met een maaltijd in het tuinpaviljoen.'

Ik volgde ze naar een klein houten gebouw waar wij neerzaten voor de maaltijd. Gewend aan een levendige conversatie, verbaasde hun stilzwijgen mij enigszins. Ze leken me zo ernstig als priesters van een onbekende godsdienst die zich opmaakten voor een geheimzinnig offer. Ik kon niet nalaten te schertsen. 'Wel broeders! Dit is een verrukkelijke maaltijd, maar u lijkt mij minder opgewekt dan gewoonlijk.'

'Denkt u dan dat we u hebben uitgenodigd voor een festiviteit, Casanova?' vroeg Don Ortega.

'Ik weet het niet,' antwoordde ik, 'maar ik vind dat u eruitziet als samenzweerders.'

Markies de Pausolès was de eerste die uit de plooi raakte. 'U had het niet raker kunnen zeggen! Maar vertelt u eerst eens of u nog hebt teruggedacht aan uw bezoek van gisteren?'

'Als u zinspeelt op de ontmoeting in het klooster, dankzij u, kan ik zeggen dat ik aan niets anders meer kan denken.'

Don Ortega sprak nu ook: 'Onze broeder, de markies, heeft me verteld over uw bezoekje aan het parloir en het onderhoud dat u had met zijn zuster en... *haar leerlinge. Het lijkt me dat zij een diepe indruk op u heeft ge-maakt!'*

'Zo diep dat ik vannacht van haar heb gedroomd!'

De twee vrienden keken me verbaasd aan. Ondanks het zwakke kaars-licht kon ik hun gezichten onderscheiden en mijn laatste opmerking leek ze te hebben geraakt.

'Droomt u vaak, Casanova?'

'Zelden. Ik herinner me 's ochtends tenminste nooit iets. Maar dromen zijn slechts fantasieën van de geest die naar eigen believen rondwaren. U vindt in mij geen lichtgelovige ziel die bij het ontwaken haastig tracht zijn dromen te duiden!'

'U hebt ongetwijfeld gelijk dat dromen niet zijn wat de gewone man denkt en hoopt dat ze zijn. Ze voorspellen niet onze toekomst. Anderzijds is het heilzaam ze niet te verguizen.'

'Waarom zegt u dat?'

'Men droomt nooit voor niets. En zeker niet van een vrouw.'

De ernst van mijn vrienden maakte me sprakeloos. Don Ortega vervolg-de: 'Denk maar aan Dante en zijn Beatrice. Het was minder de Beatrice van vlees en bloed die hem inspireerde, dan de Beatrice van zijn geest. Die impressie was zo aangrijpend dat zij zijn hele leven heeft veranderd.'

De markies voegde eraan toe: 'Sommige beelden hebben een merkwaar-dige invloed op ons. Ze zijn soms echter dan de werkelijkheid. En ze kunnen ons de weg wijzen naar hogere waarheden.'

'Vertel ons eens over uw droom,' onderbrak Don Ortega.

'Hij zal u ontgoochelen! Hij heeft kop noch staart. Of eerder...'

'Laat ons zelf maar oordelen!'

'Wel! Ik herinner me dat ik rondliep in een stad. Het was druk en la-waaiig op straat. Ik werd voortdurend opzij geduwd. Ik raakte de weg kwijt. Ik vluchtte zijstraten in, maar ook daar drong het volk op. Al dat ru-moer vermoeide me; ik verlangde naar rust.'

'Als ik uw biechtvader was, Casanova, zou ik zeggen dat uw eigen leven model stond voor al dat tumult: de doolhof van hartstochten waarin men hopeloos verdwaalt.'

'Zoals de doolhof in uw tuin? Ik heb in Italië ook heel wat labyrinten ge-zien. Ze worden vooral gebruikt voor amoureuze afspraakjes!'

'Het spel van de liefde en van het toeval! Maar laten we het over uw droom hebben. Ik heb het voorgevoel dat de afloop heel verrassend is!'

'U hebt groot gelijk, want ineens bevond ik mij in een verlaten en dood-stille kerk. Slechts een paar kaarsen verlichtten de gewelven. Ik ging op zoek naar het altaar. Ik vond het, maar er was geen enkel christelijk symbool. Zelfs geen kruis. Daarentegen hing er wel een schilderij.'

'Een religieuze voorstelling?'

'Nee, want ik zag een vrouw. En... zij stapte uit het schilderij. Naakt.'

De markies zette het wijnglas neer dat hij net had opgeheven: 'Ze leek op Alsacha, is het niet?'

'Ja, maar dan...'

'Het is vooral het vervolg dat ons interesseert, Casanova,' zei Don Ortega. 'Dus geen valse schaamte.'

Ik bloosde: 'Het was niet een van die erotische fantasieën die we soms hebben. Er was geen sprake van hevige begeerte, geen enkele behoeftebevrediging. Enkel het verlangen in haar te zijn. Een smartelijk verlangen. Een absoluut verlangen.'

'En toen?' vroeg de markies.

'Ik genoot van haar, maar niet zoals u denkt. Nog nooit heb ik zo'n intense opwinding gevoeld. Een opwinding die het me zelfs onmogelijk maakte om...'

'Om...'

'Mijn zaad uit te storten! Hoe meer ik in haar binnendrong, hoe groter en overweldigender mijn begeerte werd. En zij deed alles om mij aan te sporen. Gaandeweg kreeg ik het gevoel dat mijn hart te groot werd voor mijn borstkas. Ik snakte naar adem. Ik dacht elk moment te zullen bezwijmen... En toch...'

'Toch?'

'Ik was niet bang. Integendeel. Ik had het gevoel dat als ik doorging met haar zo te nemen zonder mij uit te storten, ik...'

De twee vrienden keken geboeid naar me. Ik sloeg mijn ogen neer. 'Op dat moment werd ik wakker.'

Don Ortega pakte mijn hand en keek me op een heel bijzondere manier aan. 'Denkt u wel eens aan de dood, Casanova?'

47

Spanje,
de provincie Granada

Het golvende landschap van olijfboomgaarden onder een verzengende zon strekte zich uit zover het oog reikte. Op de smalle weg scheerde de huurauto langs in de berm staande tractoren en vrachtwagens.

Anaïs vond het heerlijk om te rijden, zich op de weg te moeten concentreren verjoeg de angst die voortdurend de kop opstak. Ze keek even naar Marcas die naast haar was ingedut. De stralen van de zon vielen zo nu en dan op zijn ernstige gezicht. Ze voelde zich veilig bij hem, vooral omdat iets aan hem haar deed denken aan haar oom Anselme, hoewel hij stukken jonger was. Het was het soort stelligheid die ze nog maar zelden aantrof bij mannen. Even zag ze Thomas weer voor zich, maar ze verjoeg het beeld onmiddellijk weer. Het idyllische landschap deed haar bijna vergeten dat ze voor haar leven vocht.

Tijdens de reis van Parijs naar Almeria had ze nauwelijks de tijd gehad om terug te kijken! Alles was zo snel gegaan. De bolle broeder had Marcas aan een vals paspoort voor Anaïs geholpen. Alle vluchten naar Granada via Madrid waren volgeboekt omdat het bijna Semana Santa was. Ze hadden een chartervlucht naar Almeria moeten nemen en een auto gehuurd om van de kust naar Granada in het binnenland te rijden.

De auto kon op het nippertje een motor ontwijken die uit een zijweg kwam. Anaïs toeterde woedend, waardoor Marcas uit zijn slaapje werd gewekt. Hij rekte zich uit en keek naar buiten. 'Is het nog ver?'

'Hooguit een kilometer of tien.'

De commissaris ging rechtop zitten.

'Wil je dat ik het stuur overneem?'

'Nee, ik ken de stad. Ik heb er ooit zes maanden gewoond in het kader van een Europees universitair uitwisselingsprogramma.'

Marcas masseerde zijn nek.

'Zoiets als die film *L'Auberge espagnole*? Een groot huis waar de studenten dag en nacht de beest uithangen?'

Ze onderdrukte een glimlach.

'Integendeel. Ik woonde in een keurig meisjesinternaat, geleid door nonnen. Jongens en alcohol verboden op de kamers. Gelukkig…'

'Gelukkig?'

'Ontsnapten we vaak! Stel je voor, op je twintigste!… Alsof we kinderen waren! En toch verlang ik soms naar die tijd. Ik had een vriendje die het zo leuk vond al die verboden te omzeilen dat het allemaal heel romantisch was… Meer vertel ik je niet!'

Antoine keek haar van opzij aan. Haar regelmatige profiel en de lippen waar ze op beet om niet te lachen maakten haar erg aantrekkelijk. Hij zocht vergeefs naar een gelijkenis met Anselme. Voor het eerst sinds hij haar had ontmoet, zag hij haar als vrouw. Maar nu hij ambtshalve en uit naam van de broederlijke vriendschap haar beschermer was geworden, moest hij afzien van dubbele gevoelens ten opzichte van haar.

Hij moest aan zijn zoon denken. Zoals te verwachten was, had zijn ex een hoop stennis gemaakt omdat hij voor de zoveelste keer zijn weekendplicht verzaakte. Hij had zelfs niet geprobeerd haar de reden te verklaren. Toen hij het woord 'Spanje' had laten vallen, had ze zich ingegraven in een kille woede. Het ergste was dat ze nog gelijk had ook. Hij had Pierre al een maand niet gezien. Hij werd een spookvader.

Hij verjoeg zijn schuldgevoelens en overdacht wat hun te doen stond. Ze moesten eerst hun hotel in het centrum van de stad opzoeken en zich dan naar Manuela Réal haasten die de kliniek eerder dan voorzien had verlaten en thuis uitrustte. De secretaresse van haar agent had hem het nummer van de actrice gegeven en een afspraak voor hen gemaakt aan het begin van de avond.

Marcas had zijn aantekeningen over de minister meegenomen. Hij was er heilig van overtuigd dat er een link was tussen die twee en geloofde geen seconde in een simpel toeval.

De draaiende ster uit het Boek van Thot was niet een gewone wanddecoratie. Hij zou wel zien wat ze daarover zou zeggen. Anders dan de minister, die nog steeds niet aanspreekbaar was, was zij weer bij haar volle verstand. Ze had zelfs een kort televisie-interview gegeven op een geïmproviseerde persconferentie in de kliniek.

Behalve zijn eigen aantekeningen had Marcas ook Anselmes verslag over Crowley meegenomen. Hij had het alleen vluchtig kunnen doorkijken, maar hij herinnerde zich de beschrijving die Isabelle van de man had gegeven. De magiër Crowley deed hem om verschillende reden denken aan die mysterieuze Dionysus, achter wie hij aanzat. Het was of de geschiedenis zich herhaalde.

De auto verliet de hoofdweg en sloeg af naar Granada, naar de van kantelen voorziene muren van het Moorse Alhambrapaleis. Ze reden door een buitenwijk met wat industrie en met de soort winkelcentra die je in elke Europese stad vindt.

'Niet erg opwindend als kennismaking. Ik verwachtte een meer karakteristieke omgeving. Je zou hier denken dat je via de A1 de buitenwijken van Parijs nadert.'

'De inwoners van Granada hebben toch ook recht op winkelwagentjes en doe-het-zelven. Ze wonen niet in een Moorse tuin, waar ze de bedienden maar hoeven te fluiten. Wacht maar tot je de stad ziet.'

'Mwah.'

De auto volgde de bordjes naar het centrum en stopte tien minuten later voor de haveloze ingang van hotel El Splendido. De portier wees Anaïs korzelig op een ondergrondse parkeergarage op de hoek van de straat. Marcas zuchtte: 'Ook al niet denderend. Kom je helemaal naar Granada, moet je slapen in een éénsterrenhotel.'

'Wees blij dat we in de Semana Santa nog een kamer hebben gevonden. Spanjaarden reserveren minstens drie maanden van tevoren.'

'Als jij het zegt…'

Ze zetten de auto in de parkeergarage en liepen terug naar het hotel. De receptionist gaf hun zonder een spier te vertrekken twee sleutels. De lift was onklaar en berustend klommen ze langs een wankele trap naar de vierde verdieping. Achter een van de kamerdeuren werd geschreeuwd. Marcas trok een grimas: 'Toe maar, gezellig…'

'We moeten het er maar mee doen. Ik denk niet dat Dionysus ons hier zal zoeken. Hier is mijn kamer, we zijn buren.'

De uitgewoonde kamer stonk naar schimmel. Half kapotte rolgordijnen bungelden voor een venster dat uitkeek op een binnenplaatsje dat vol lag met allerhande afval. Aan een kruisbeeld boven het bed hing een plastic Christus in afwachting van betere dagen voor zich uit te staren. Marcas zette Anaïs' tas neer.

'Super-de-luxe. En dat voor slechts honderdtwintig euro per nacht. Een sultane waardig. Ik ga mijn domein bekijken.'

'Niet zeuren; het is maar voor één nacht. Morgen slaap je weer in je eigen vrijgezellenflat.'

De politieman opende de tussendeur.

'Ik heb meer geluk dan jij. Hier is geen raam, dus zie ik de binnenplaats lekker niet.'

De stem van de jonge vrouw kwam van de gang.

'Ik luister niet meer naar je. Afspraak over een half uur bij de receptie. Net even tijd om een douche te nemen. Ik heb opgezocht waar die actrice woont. We kunnen de auto beter laten staan en gaan lopen. Het is een mooie wandeling.'

De deur sloot met een klik.

Marcas strekte zich uit op het verrassend stevige bed. Hij raakte de slaperigheid maar niet kwijt die hem had overvallen toen hij uit het vliegtuig kwam. Hij vroeg zich af of hij er wel goed aan had gedaan Anaïs mee te nemen.

Ze was zo'n uitgelezen doelwit.

48

Granada

'Calle San Juan de los Reyes. Hier is het,' zei Marcas en hij wees Anaïs op een breed wit huis.

Je kon het niet missen. Tegen de gevel stonden verwelkte boeketten en enorme portretten van de overleden echtgenoot Juan Obregon. Daartussen zat een groepje jongeren. De muren waren bedekt met veelkleurige kreten. Anaïs las beledigingen aan het adres van Manuela. 'Moordenares' was het meest gebruikte woord.

De twee Fransen waren de heuvel opgelopen waar het Albaicin lag en hadden in het voorbijgaan de smalle steegjes van de oude wijk bewonderd. Het speet Marcas dat hij niet wat sightseeing kon doen. Telkens als Anaïs even niet oplette, keek hij achter zich om te controleren of ze niet werden gevolgd.

Ze meldden zich bij de dienstdoende bewaker. Hij was van hun komst op de hoogte, opende het zware smeedijzeren hek en liet hen binnen. Een bediende met hoge jukbeenderen die zijn Aziatische afkomst verrieden, begroette hen eerbiedig en ging hen voor naar boven. Hij bracht ze in een salon en gebaarde hun te gaan zitten. Zonder een woord te zeggen verdween hij weer.

Het vertrek leek wel een museum dat geheel was gewijd aan de eigenaren. Meer een mausoleum dus. Aan de ene kant hing een schilderij in felle kleuren waarop Manuela Réal danste te midden van feestende zigeuners. Ze droeg een kort jurkje en draaide wellustig met haar heupen, gadegeslagen door in het zwart geklede gitaristen.

Op de muur tegenover hen, boven een lage tafel, hing een enorm schilderij van Juan Obregon. Hij had fijne, mannelijke trekken, een doorleefde blik en hij had een voordelige pose aangenomen. Om zijn mond speelde een ironisch lachje, alsof hij de bezoekers op de bank beneden hem in het ootje nam.

'Knappe vent, zonde toch,' monkelde Anaïs.

Marcas keek rond.

'De eigenaars van dit huis lijden aan een ernstige vorm van narcisme.'

'Je bent jaloers omdat je minder aantrekkelijk bent dan hij.'

'Geen commentaar!' zei Antoine gespeeld bits.

Maar stiekem benijdde hij die bink met zijn aanmatigende blik. Vooral omdat hij zelfs dood nog de aandacht van Anaïs had weten te trekken.

Op een trap ergens in huis naderden voetstappen. In de deuropening verscheen Manuela Réal. Ze zag er gespannen uit en was sterk vermagerd. Gekleed in een trainingsbroek en een flessengroene pullover, haar ogen verborgen achter een getinte bril, leek deze verschijning in de verste verte niet op de hitsige vrouw van het schilderij.

Ze kwam binnen en stak haar hand uit naar de twee Fransen. 'Dag. Mijn agent drong erg aan dat ik u zou ontvangen. Wat kan ik voor u doen?'

De toon was neutraal en verstrooid. Alsof de actrice er niet helemaal bij was.

'Dank dat u ons wilde zien na alles wat u hebt meegemaakt. We zullen het kort houden.'

'Ik hoop het. Ik heb de Spaanse politie al te woord gestaan.'

De Aziatische bediende kwam binnen met een dienblad waarop een karaf water en maar één glas stonden. Ze waren van prachtig bewerkt kristal en gereserveerd voor de vrouw des huizes. Anaïs verbleekte door deze botheid, maar Marcas ging verder. 'Wij moeten een overlijden ophelderen in Parijs van…'

'Ik ben op de hoogte,' onderbrak de actrice hem. 'Mijn agent heeft het me verteld. Maar ik ken die minister niet, noch zijn… Ik heb hem één keer gezien op een receptie in Parijs. En ik zie totaal het verband niet met de dood van mijn man.'

De bediende schonk water in het glas van de actrice en trok zich discreet terug, de deur zorgvuldig achter zich sluitend.

'Hoe is uw man overleden?' vroeg Anaïs.

De actrice antwoordde niet. Je zou zweren dat ze sliep achter haar gekleurde brilleglazen. Onbeweeglijk als een standbeeld volhardde ze in haar stilzwijgen. Een geest in een huis vol spoken. Juan Obregon keek dreigend op haar neer. Marcas verbrak de stilte. 'Mevrouw Réal, ik begrijp dat het pijnlijk is, maar u moet antwoorden.'

Het standbeeld ontdooide. Voorzichtig strekte ze haar benen.

'U bent echt voor niets gekomen. Ik heb u niets te zeggen. Mijn bediende zal u uitlaten.'

Ze stond op en draaide hun de rug toe alsof ze al weg waren. Anaïs en Marcas keken elkaar verbluft aan. Als bij toverslag stond de bediende er weer en hij wees uitnodigend naar de deur.

Manuela liep weg naar het balkon.

'Dionysus!'

De stem van Anaïs doorkliefde het vertrek als een pijl op weg naar zijn doelwit.

De ster verstijfde op slag, net voor de schuifpui.

'Hoe komt u aan de naam van de onzichtbare meester?'

49

Granada

'De onzichtbare meester?' herhaalde Marcas.

Manuela Réal kwam met grote stappen op hem af. Met een korzelig gebaar zette ze haar bril af. Haar ogen schoten vuur.

'Waar zit hij? Ik moet hem zien! Hij moet het me uitleggen! Hij moet me uitleggen waarom Juan dood is!'

Anaïs kwam tussenbeide. Even stonden de twee vrouwen tegenover elkaar.

'Ik ken Dionysus. Ik heb zijn leer gevolgd. Ik ken de Weg van de Linkerhand! Ik ben de enige overlevende van het bloedbad van Cefalù.'

Manuela Réal wankelde. Onzeker zocht ze steun bij de canapé. 'Dat geval op Sicilië? Ik zie het verband niet. Maar u kent Dionysus…'

'Hij heeft die moorden daar beraamd,' zei Anaïs met bevende stem.

Sprakeloos zag Antoine hoe de twee vrouwen elkaar opnamen. Twee tot inkeer gekomen slachtoffers, elk met haar eigen doornenkroon.

'Luister in godsnaam naar me, mevrouw Réal. U bent gemanipuleerd, bedrogen en verraden. Net als ik. Omwille van de nagedachtenis van uw man, van uw geliefde, vertel ons wat u weet!'

Bevend schonk de actrice een glas water in.

'Mijn man! Wat moet u weten? Hoe het is om van een jongere man te houden? Een verafgode man, met wie duizenden vrouwen de nacht zouden willen doorbrengen. Mooie, jonge, uitdagende vrouwen die zich op hem stortten zodra hij zijn neus buiten de deur stak? Vrouwen die wisten hoe oud ik ben…'

Anaïs en Marcas hielden zich muisstil.

'Nee, u weet niet wat het is om oud te worden. Als de twijfel toeslaat, als je lijf je in de steek laat, als je 's nachts stiekem opstaat om in de spiegel te kijken.'

Ze tastte naar haar bril.

'Ik wist me geen raad meer. Ik was wanhopig. Hij bedroog me met jonge mokkeltjes. Ik voorvoelde dat Juan me binnenkort zou verlaten. Onze liefde veranderde in brak water. Ik zou eenzaam eindigen! En toen… was er vorig jaar de Mostra in Venetië.'

'Het filmfestival?'

'Ja, een van mijn films was genomineerd. En daar ontmoette ik…'

'Dionysus?' fluisterde Anaïs.

'Nee. Henry Dupin. De modeontwerper.'

Marcas en Anaïs verroerden zich niet. Ze mochten deze biecht niet onderbreken.

'… Op een galadiner kwamen we naast elkaar te zitten. Je zou zijn leeftijd niet aan hem af zien. Hij was sprankelend, geestig, buitengewoon aantrekkelijk. Hij was… zo jong! Hij vertelde me anekdotes over Venetië, over zijn bekende klanten. Hij was niet te stuiten. Hoe meer hij praatte, hoe leuker ik hem vond. Hij straalde een verborgen licht uit. Een innerlijke ster. Hij had me helemaal ingepakt. En aan het einde van de avond nodigde hij me uit op zijn privé-eiland.'

'Bent u gegaan?'

Manuela lachte triest.

'Henry is niet gevaarlijk voor vrouwen. Ja, ik ben meegegaan. Hij fascineerde me.'

'En hoe verliep de avond bij hem?'

'Het gesprek werd vertrouwelijker. Van briljant werd hij diepzinnig. Hoe het kwam weet ik niet meer, maar ik ben over Juan gaan vertellen.'

'Was hij verrast?'

'Nee. Je zou zeggen dat hij zoiets al verwachtte. Hij stelde me meteen op mijn gemak. Dat we dezelfde problemen hadden, maar dat hij ze had opgelost. Dat ik Juan kon terugwinnen. Dat er een geweldig middel bestond. En toen heeft hij me verteld over…'

'Dionysus?'

'Nee! Over Casanova!'

De commissaris reageerde niet, maar hij dacht aan het krantartikel dat hij had zitten lezen onder de arcades van de place des Vosges. Over de veiling van het Casanovamanuscript. Op die dag waren de actrice, de minister van Cultuur en Henry Dupin alle drie bij Drouot. De stem van Manuela Réal haperde af en toe.

'Dupin was gefascineerd door die figuur. Hij vertelde me dat Casanova zijn leven van verleider heeft kunnen voortzetten dankzij een geheim dat van generatie op generatie werd doorgegeven. Dat hij, Henry Dupin, in dat geheim was ingewijd. En als ik wilde kon hij me die hoogste kunst leren.'

'De Weg van de Linkerhand, is het niet?' vroeg Anaïs.

'Ja.'

Marcas begreep er niets van.

'Maar wat is dat toch, die Weg van de Linkerhand?'

De actrice antwoordde gedempt: 'Een speciale manier van liefde bedrijven. In het Oosten heet het tantrisme. In feite zoek je geen vluchtig genot meer, maar energie.'

'Energie?'

'De kracht van de begeerte die nog helemaal intact is. Juan heeft het goedgevonden eraan mee te doen en hij is bij me gebleven. Ik heb hem teruggewonnen met seks... Grappig, hè? En daarvoor moet je afzien van het klaarkomen, het opperste plezier zo lang mogelijk uitstellen, de begeerte opdrijven zonder haar te bevredigen.'

'Is dat niet frustrerend?'

'In het begin wel! Maar eigenlijk kun je het vergelijken met een waterloop die je temt door een dam op te werpen. Dan wordt het een energie die je niet meer verspilt, maar die je totaal doorstroomt. Zoals de zon alles doorstraalt.'

'Het is geweldig,' zei Anaïs.

Bij het horen van het woord 'zon' herinnerde Antoine zich de ster die de minister had getekend in de kliniek.

'U bezit een schilderij van een vijfpuntige ster?'

'Hoe weet u dat?' wilde de actrice argwanend weten.

'Door een fotoreportage in een tijdschrift. Ik heb net zo'n ster gezien, die was getekend door de minister in zijn kliniek.'

Zwijgend stond de actrice op en gebaarde vermoeid dat ze haar moesten volgen. Ze liepen langs het balkon en betraden een ruime slaapkamer waar in het midden een enorm bed stond. Op de witte muur tegenover het bed hing een groot schilderij dat een exacte kopie was van Crowleys tarotkaart. Marcas liep naar het doek toe. 'De ster...' mompelde hij.

De actrice ging op het bed zitten en Anaïs kwam naast Marcas staan.

'Dat schilderij heb ik van Dupin gekregen. Volgens hem symboliseert dit het besef van seksuele energie dat iedere vrouw in zichzelf zou moeten ontwikkelen. Juan en ik deden oefeningen die Dupin ons gaf. We moesten tijdens het vrijen dit schilderij visualiseren.'

'En dat gebeurde de avond dat uw man stierf?'

'Ja. Ik voelde een onbeschrijflijk genot. Toen ik bijkwam leek mijn visuele gewaarwording wel verdubbeld, maar ik voelde me verschrikkelijk. Dupin had ons gezegd dat wanneer ik de ster zou zien draaien, we het stadium bereikt hadden van de hogere graden in de leer van Dionysus.'

Marcas zuchtte. Zijn rationele reflexen namen het weer over. Hoe konden verstandige mensen toch zulke onzin geloven? Hij deed een paar stappen achteruit om een beter zicht te krijgen. Dat zijn ex hem die kaart had gegeven zonder het flauwste benul te hebben van al die mystiek-seksuele lariekoek! De actrice leunde achterover in de kussen en masseerde haar slapen. 'Ik heb net gelogen over de minister. We zaten samen in een... loge.'

Antoine keek op of hij het in Keulen hoorde donderen. 'Wat voor loge?'

'De loge Casanova.'

De politieman en Anaïs keken elkaar vragend aan. De actrice vervolgde: 'Die was gesticht door Dionysus en Dupin was de Grootmeester. De minister zat er een jaar langer in dan ik... Toen ik het hoorde van zijn vriendin, was ik compleet van de kaart.'

Anaïs fronste haar wenkbrauwen. 'Wat gebeurde er in die loge?'

'Het was een gemengde loge en we voerden samen seksuele riten uit. Mijn man en de vriendin van de minister waren er ook lid van.'

'Mystieke seksfeestjes,' spotte Marcas.

'Nee, het was heel mooi. Echt waar.'

'Verdorie, dat loge-gedoe van jullie was volslagen onrechtmatig,' zei Marcas opgewonden. 'Het slaat nergens op. De term "loge" is vrijmetselaarsjargon. Geen broeder of zuster ter wereld zou meedoen aan zulke seksuele uitspattingen.'

De actrice glimlachte bleekjes. 'Dupin vertelde me dat Dionysus een ex-vrijmetselaar was. Hij had zijn loge Casanova genoemd omdat... Ik weet het niet meer... Ik... het spijt me, maar ik moet rusten. Ik krijg weer hoofdpijn. Het is vreselijk. Als het weer begint lijkt het of mijn hoofd uit elkaar zal spatten.'

Marcas wilde de ontboezemingen niet afbreken: 'En Dionysus? Waar kunnen we die vinden?'

Manuela Réal kreunde: 'Ik weet het niet... Ik weet het niet... Op het bal, misschien?'

'Welk bal?'

'Henry Dupin geeft elk jaar een groot gemaskerd bal voor alle leden van de loge Casanova. Dat gebeurt op zijn eiland bij Venetië. De onzichtbare meester komt daar elk jaar, maar hij blijft anoniem. Iedereen is gekostumeerd... het is... over drie dagen.'

Haar stem werd steeds zwakker.

Marcas verloor zijn geduld. Te veel vragen bleven onbeantwoord. Hij keek weer naar het schilderij van de tarotkaart. Hij wilde niet opgeven. 'Is er een verband tussen dit schilderij en Casanova?'

'Dupin zei dat het de verbeelding was van een tekst van Casanova. Uit zijn *Memoires*, denk ik. Houd alstublieft op, ik kan niet meer.'

Anaïs kwam ertussen. 'Dat kan niet. Dit schilderij is een replica van een tarotkaart, van een zeker Aleister Crowley.'

'Ik weet van niets,' zei Manuela nauwelijks hoorbaar.

'Wat weet u van Crowley?' drong Marcas aan.

Manuela trok wit weg. Zweetdruppels parelden op haar huid. Haar armen en benen begonnen te trillen. Ze drukte op een knopje naast het bed: 'Crowley is de duivel! Hij is het... Hij is het!'

De bediende stormde binnen met een glas water en een doosje medicijnen. Marcas kreeg hetzelfde onaangename gevoel als in de kliniek bij de minister.

'En Dionysus? Hebt u die wel eens ontmoet?'

'Nooit,' stamelde Manuela zwakjes. 'Dupin zegt dat hij het geheim van de inwijding heeft. Dat hij... het doorgeeft en dat hij het geheim van Casanova kent.'

Haar spasmen werden heviger. Haar ogen rolden van links naar rechts.

'*El medico. Por favor. Tengo tanto miedo.* (Een dokter, ik ben bang.) Ik zie de ster weer stralen...'

Marcas ondernam een laatste poging. 'Wat houdt dat verdomde geheim dan in?'

De actrice kreunde van de pijn. 'Het leert ons... de dood... overstijgen.'

50

Granada

De omgeving van de villa was in schemerduister gehuld. De fans waren vertrokken, met achterlating van een berg plastic zakken en lege bierblikjes.

Zwijgend daalden Marcas en Anaïs de verlaten straat af. Hun voetstappen klonken op in de nacht. Ieder in zijn eigen gedachten verzonken liepen ze voort. Antoine was de eerste die sprak. 'We moeten haar nog een keer ondervragen en dan direct teruggaan naar Parijs. Deze zaak krijgt een heel ander perspectief.'

Anaïs bleef staan en keek hem aan. 'Ze hadden een schilderij van Casanova. Dat had die impresario ook. En in de Abdij op Sicilië hing er ook een. Is dat niet gek?'

Antoine keek nog steeds peinzend. Anaïs vervolgde: 'En wat is de link tussen wat er in Cefalù gebeurde en deze Casanova-groep?'

'Het is geen groep, maar een loge. Een soort van subversieve vrijmetselarij.'

'Maar ik heb Dionysus nooit over een loge horen praten! Ik heb die Dupin nog nooit van mijn leven gezien, noch ministers of jetsetters!'

Marcas leunde tegen een muur. Er zweefde een parfum van oranjebloesem in de lucht. 'Ik vermoed dat Dionysus twee verschillende groepen leidde. Een elitaire loge met zorgvuldig en uitsluitend op aanbeveling geselecteerde leden. De minister, Dupin en de actrice hoorden daarbij.'

'Net de vrijmetselarij dus.'

'Niet overdrijven... En dan was er nog een andere groep, de Abdij-groep waar jij bij hoorde. Die was minder select. Als ik het goed begrepen heb was iedereen daar welkom. Dat doen sekten om nieuwe leden te werven. Ik denk dat...'

'Antoine! De overkant!'

Verschrikt wees Anaïs wat ze bedoelde.

Daar stond de dolle schutter uit het Parijse winkelcentrum. Hij zag er voldaan uit en er speelde een eng lachje om zijn half geopende mond. Bedaard hief hij zijn hand en wuifde naar hen, alsof ze oude vrienden waren die elkaar uit het oog verloren hadden.

Marcas en Anaïs deinsden instinctief achteruit. De politieman riep: 'Wegwezen. En meteen!'

Het stel zette het op een lopen. De man maakte geen aanstalten hen te volgen en bleef hen tevreden nakijken. Uit de zijstraat kwam een auto aangescheurd die de doorgang afsloot. Er sprongen twee mannen uit. Marcas nam Anaïs bij de hand. 'Rechtsomkeert!'

Ze kwamen niet ver omdat Dionysus' beul ze tegenhield met een automatisch pistool in zijn hand.

'Einde van de reis. Instappen.'

Terwijl hij de auto liet optrekken bekeek de beul hen geamuseerd in de achteruitkijkspiegel.

'Sicilië, Parijs en nu Granada... Ik vind het haast jammer dat ik je te pakken heb, Anaïsje. Ik zal die toeristische uitstapjes missen. En jij, smeris, probeer niet onderweg uit te stappen. De portieren zijn vergrendeld.'

Een handlanger die links van hen op de achterbank zat hield hen voortdurend in de gaten. Er was geen enkele uitweg.

'Wat willen jullie van ons?'

De bestuurder zei niets terug en gaf Marcas' buurman een knikje. Marcas kon nog net de zilverkleurge glans zien van een boksbeugel die een bocht beschreef alvorens zijn kaak te raken.

De schreeuw van de commissaris vulde de wagen.

Uit zijn lip spoot een straaltje bloed tegen de rugleuning van de bestuurdersstoel. Anaïs gilde: 'Smeerlappen, hij...'

De klap raakte haar vol in het gezicht.

De bestuurder bekeek het tafereel bijna verveeld.

'Regel één: Oedipus nooit iets vragen. Anders krijg je klappen.'

Marcas hees zich moeizaam overeind. Zijn kaak gloeide. Uit zijn mond gutste bloed. 'Lazer op, eikel. Wie is Oedipus?'

De ijzeren ring raakte zijn plexus. De politieman klapte voorover alsof zijn maag barstte. Anaïs zat met betraande ogen weer recht. De chauffeur trapte op het gaspedaal zonder zich te bekommeren om de voetgangers die vloekend naar de troittoirs vlogen.

'Ik herhaal. Geen vragen stellen aan Oedipus zonder zijn toestemming. En Oedipus dat ben ik.'

Hij zuchtte: 'De meester heeft me aangeraden om over mezelf in de derde persoon te spreken. Een heilzame oefening voor de geest. Vooral voor wie het zware vak van terminator uitoefent.'

De auto had het Albaicin verlaten en kwam op de plaza Nueva aan de rand van het stadscentrum. De chauffeur boog zijn hoofd opzij.

'Dionysus vond het raadzaam zo een afstand te creëren met mijn slachtoffers. En u zult er misschien om lachen...'

Marcas spuugde een stukje tand uit. 'Ik ben echt niet in de stemming om te lachen.'

Oedipus grinnikte en gooide hem een papieren zakdoekje toe.

'Hé, bij wijze van spreken! U zult er misschien om lachen, maar het werkt! Je slaapt stukken beter. Oedipus is geen monster, weet u. Veeg uw mond even af, want u maakt de bekleding vuil. Ik geef toe dat de brandstapel van Cefalù Oedipus nachtmerries heeft bezorgd. Al die verkoolde lichamen, al die verbrande jonge levens. Maar Dionysus heeft hem de zin van zijn missie weer doen inzien.'

'Moet ik nu blij zijn, etter?' mompelde Marcas, met de armen om zijn maag geslagen.

'Zei u iets?'

'Niets. Ik zei niets.'

De wagen minderde vaart. Oedipus vloekte in een taal die Marcas niet kende. Politieagenten zetten de Reyes Catolicas-straat af, de verkeersader tussen het oostelijke en westelijke deel van de stad. Over de trottoirs en de rijbanen slenterden drommen mensen. Anaïs kneep in Marcas' hand en fluisterde: 'Het centrum zit potdicht vanwege de processie.'

De auto was nagenoeg tot stilstand gekomen in de staart van een file van auto's die geen kant meer uitkonden. Steeds meer voetgangers stroomden het plein op. De chauffeur keek of hij een uitweg zag, maar alles leek afgesloten. Hij mompelde iets tegen de man die naast hem zat en keek om naar zijn gevangenen.

'Ik raad u aan te blijven zitten.'

Oedipus' buurman schoot een jack aan, stapte uit en liep naar een agent die op een balustrade een sigaret zat te roken. Hij liet de agent een plattegrond zien, maar die schudde ontkennend het hoofd.

Oedipus volgde het tafereel gespannen. Hij haalde een envelop uit zijn zak.

'Ik vergat nog iets. Dionysus heeft me een brief voor je gegeven, Anaïs. Alsjeblieft.'

Vervolgens pakte hij een kleine digitale camera, regelde de belichting en zoomde in op het angstige gezicht van de jonge vrouw die de envelop openmaakte.

'Schiet op, haal eruit wat erin zit en lach naar me. Ik moet dit moment vastleggen.'

De envelop bevatte een serie foto's en een met de hand beschreven stukje perkament. Anaïs keek met grote ogen naar de afdrukken.

De eerste foto toonde haar en Thomas elkaar omhelzend in de tuin van de Abdij. De avond voor de moord. Op de tweede foto bedreven ze de liefde in Thomas' kamer. De derde was een portret van Thomas, een en al glimlach en met verwarde haren. De laatste foto, genomen op de brandstapel, toonde een zwarte massa waarin nog net een gebarsten gezicht herkenbaar was. Het gezicht van Thomas.

Anaïs kokhalsde geschokt en walgend. Ze keek in de camera. Maar ze liet geen traan. Ze was overweldigd door haat.

'Prachtig, schatje. Dionysus zal verrukt zijn. Lees het begeleidende briefje,' zei de moordenaar spottend.

Anaïs pakte het briefje vast alsof het een gifslang was.

51

Granada

Mijn lieve sterretje,

Omdat je geen enkel aandenken hebt aan de vakantie op Sicilië met
je mooie minnaar, ben ik zo vrij geweest iets voor je uit te zoeken
uit mijn eigen collectie.
Ik hoop dat mijn keuze je bevalt. Ik vind zelf de vierde foto het
mooist. Wat is er schoner dan door liefde verteerd te worden…

Pas goed op jezelf, ik kan niet wachten om je terug te zien.
D.

'Vuile smeerlap,' zei Anaïs tegen de camera. 'Dit is ziek.'

De man die zich Oedipus noemde speelde met de camerafuncties en
zoomde in op Anaïs' ogen.

'Laat je maar helemaal gaan. Je mag hem best uitschelden, dat zal hij
enig vinden als ik hem dat filmpje vanavond stuur.'

Marcas schoof zich tussen Anaïs en de filmende man.

'Laat haar met rust!'

De moordenaar gaf een teken aan zijn handlanger op de achterbank,
die de politieman met zijn boksbeugel in de ribben sloeg. Marcas gaf een
kreet.

'Het vervelende met Fransen is altijd dat jullie nooit doen wat je gezegd wordt. De regels zijn toch zo simpel: Oedipus geen vragen stellen.
En hem zeker geen bevelen geven.'

Anaïs probeerde Marcas overeind te helpen. Ze pakte zijn hand vast.
'Hou op, die vent is een sadist.'

'En een vreselijke schoft ook,' antwoordde Marcas gedempt, zijn ribben steunend.

Een dichte mensenmassa schoof langs de auto. Overal vandaan stroomden de mensen toe om te kijken naar de aankomst van de processie van de boetelingen.

De chauffeur trok een grimas toen hij besefte dat de auto compleet omsingeld was. Hij zag zijn kompaan die inlichtingen was gaan vragen aan de agent, zich een terugweg banen door de massa.

Op het plein, een meter of tien van de wagen vandaan, begonnen trommels te roffelen. De menigte begon te joelen.

'*¡Estan aqui!*' (Daar zijn ze!)

'*La cofradia roja.*' (De rode broederschap.)

De inzittenden van de wagen volgden met hun blikken de wijzende vingers van de omstanders en zagen de eerste rijen boetelingen naderen. Verlicht door toortsen wiegden de hoge rode kappen op het trage doffe ritme van de trommels. Het leken roodgloeiende geestverschijningen die na eeuwen weer waren uitgezwermd. Door de donkere spleet in de kappen kon je nog net de starende ogen zien van de boetelingen, die uitgeput waren door de urenlange beproeving. Sommigen liepen op blote voeten en lieten bloedvlekken achter op het plaveisel. Op hun rode tunieken slingerden zware houten kruisen van links naar rechts. Geestelijken in lange zwarte soutanes begeleidden de processie met wierook uitwalmende monstransen.

Oedipus stiet een kakelend lachje uit.

'Ik wist niet dat de Ku Klux Klan in Spanje zo populair was.'

De menigte begon uitbundig te applaudisseren. Er werd geroepen.

'*¡Mira, la Virgin!*' (Kijk, de Maagd!)

'*¡Que guapa!*' (Wat is ze mooi!)

Op vijf meter hoogte naderde langzaam een Heilige Maagd gekleed in een zwart gewaad, afgezet met goud en glimmende steentjes. Ze zat op een enorme zilveren troon en werd gedragen door een tiental rode geesten. Mannen, vrouwen en kinderen sloegen eerbiedig een kruis als ze langskwam terwijl het doffe gedreun van de trommels het hele plein vulde.

De handlanger in het bruine jack had de auto bereikt. Auto en inzittenden schommelden ineens hevig toen een groepje kinderen op de motorkap sprong om beter te kunnen zien.

De man haalde uit naar een meisje en smeet haar onder afkeurend gemompel van de omstanders op de grond. Onaangedaan gaf hij ook een van de jongens een zet. Het groepje wachtte het vervolg niet af en liet zich van de motorkap glijden. De man stapte in de auto en sloeg het portier dicht.

'We zitten klem. Alle uitvalswegen zijn afgezet tot de processie bij de kathedraal is.'

'Hoe lang?' vroeg de chauffeur.

'Minstens twintig minuten.'

'Shit.'

Anaïs en Marcas wisselden zwijgend hoopvolle blikken.

Plotseling werd er tegen het portier van Oedipus geklopt, die zich lam schrok. Twee agenten gebaarden dat hij het raampje moest laten zakken.

'Geen ongelukkige initiatieven,' waarschuwde Oedipus.

Marcas voelde de druk van de boksbeugel tegen zijn gekneusde ribben. De Spaanse agent klopte met meer aandrang.

Oedipus drukte op het knopje. Het raampje gleed open en het oorverdovende lawaai van de trommels drong de auto binnen.

'¿Si?'

'Usted tiene que esperar media hora.' (U moet hier een half uur blijven staan.)

De chauffeur knikte, glimlachte welwillend en zette de motor af. De politieman stak zijn hoofd naar binnen en keek naar de inzittenden. Anaïs gaf Marcas een snelle knipoog en riep: '¡Me ahogo! Por favor… ¡Me falta aire!' (Ik krijg geen lucht meer!)

Ze hield haar buik vast en begon te jammeren, woedend gadegeslagen door Oedipus.

'¡Socorro! ¡Me siento muy mal!' (Help! Ik voel me beroerd!)

De agent tikte de chauffeur op zijn schouder: 'Dejala salir del coche.' (Laat haar even uitstappen.)

In verwarring gebracht keken de drie moordenaars elkaar aan. Eén van hen bracht zijn hand naar zijn jaszak. Even was er een glimp van een pistoolkolf te zien. Oedipus schudde zijn hoofd. 'Doe dat ding weg, oen.'

Antoine keek met bewondering toe hoe Anaïs zich in bochten wrong. Hijzelf zou zich met het hoofd tussen zijn schouders naar buiten hebben gestort.

De agent keek nog bezorgder.

'¿*Tienes algun problema, señora?*' vroeg hij aan Anaïs.

'¡*Ayudame! ¡Necesito aire!*' (Help mij, ik heb frisse lucht nodig!)

Oedipus was compleet overdonderd.

Anaïs begon te gillen.

Een van de agenten was om de wagen heen gedrenteld en bestudeerde de nummerplaat.

'¿*Usted tiene sus papeles, por favor?*' (Mag ik uw papieren zien?)

Oedipus keek in de spiegel naar het vertrokken gezicht van Anaïs. Hij maakte een mat gebaar en blafte tegen de kompaan op de achterbank: 'Laat ze uitstappen.'

'Maar…'

'Doe wat ik zeg,' zei Oedipus en hij stak de agent een zwart etuitje toe.

Met een klikje werd het portier ontgrendeld. Marcas en zijn ontvoerder kwamen als eersten naar buiten. Een van de agenten hielp Anaïs met uitstappen.

Om hen heen drong de massa op. Met de papieren nog in de hand wendde de agent zich tot de jonge vrouw: '¿*Quieres un medico?*' (Hebt u een dokter nodig?)

'*No, gracias,*' antwoordde ze opgelucht.

Marcas keek om zich heen. Er stonden duizenden mensen op het plein. Met een voorsprong van enkele minuten konden ze opgaan in de menigte en verdwijnen. Oedipus was ook uitgestapt, zijn maat nam het stuur over. De moordenaar lachte alweer en schudde het hoofd alsof hij hun ontraadde een vluchtpoging te ondernemen. Marcas tuurde naar de deinende menigte. Een meter of vijf verderop stonden ijzeren dranghekken die de processie beschermden tegen het opdringende publiek. Als ze over die hekken konden komen en tussen de optocht door konden lopen…

'Fluister die agent in dat een van die kerels een pistool heeft. Doe of je een paar stappen moet lopen,' siste Antoine. 'Zodra die agent zich omdraait hollen we naar de dranghekken.'

'Geweldig, een lekkere ouderwetse achtervolging. Ben je gek?'

'Ik heb geen ander idee in voorraad.'

Oedipus kwam langzaam op het stel af. Anaïs pakte de weglopende agent bij de arm en fluisterde iets in zijn oor. Hij knikte, liet de jonge vrouw doorlopen en maakte een gebaar tegen zijn collega die voor de auto stond. Die bracht zijn hand naar zijn dienstwapen. Oedipus zag het gebaar en riep tegen zijn maat: 'Grijp ze. Nu meteen!'

De Spaanse politieman keek Oedipus streng aan en richtte zijn pistool op hem: '¡Manos arriba!' (Handen omhoog!)

Een oude vrouw die net langsliep begon te gillen toen ze het wapen zag. De mensen draaiden zich om en keken naar de auto. Marcas gaf Anaïs een duw: 'Lopen, verdomme!'

Ze duwden mensen van de eerste rij opzij en namen een duik in de mensenmassa. Oedipus begreep meteen wat ze van plan waren. Hij grijnsde en stak zijn hand in zijn jaszak.

52

Slot van het Casanovamanuscript

Die vraag van Don Ortega over de dood zette me aan het denken. Ik geef toe dat ik niet goed begreep waarop hij doelde. Welk verband kon er bestaan tussen die geweldig intense gewaarwording van innerlijke kracht die ik in mijn droom had gevoeld en het wegvallen van elk bewustzijn?

Terwijl de bediende de tafel afruimde, wendde ik mij tot mijn buurman om hem te ondervragen. 'Ik moet bekennen, Don Ortega, dat ik waarschijnlijk de strekking van uw vraag van zojuist niet goed heb begrepen. U spreekt over de dood nu ik nog nooit zo sterk de kracht van het leven heb gevoeld, al was het maar in een droom?'

'Wat u hebt gevoeld is nochtans de echte werkelijkheid, Casanova. De kracht van het erotische beeld had op u een geweldige uitwerking.'

'Ze heeft onbekende krachten in u losgemaakt. In sommige tradities noemt men het de kracht van de Slang,' voegde markies de Pausolès eraan toe.

'Als we Genesis mogen geloven is dat een duivels dier!'

'Voor onwetenden is hij de duivel! Voor ons is hij de kracht die sluimert in het hart van de mensen en wij weten hoe we hem tot leven moeten wekken.'

'U maakt me even bang als nieuwsgierig! Maar ik zie nog altijd niet het verband met de dood.'

'U hebt maar even mogen proeven van de kracht die het beeld van Alsacha heeft wakker gemaakt. Het is nog slechts een herinnering voor u.'

'Zou u die kracht niet voorgoed bij u willen hebben?' vroeg Don Ortega.

'Ik zou er heel wat voor geven om naar believen te kunnen beschikken over een dergelijke innerlijke waarheid.'

'Zo'n kracht te bezitten is een kunst die opoffering vraagt. Een man alleen kan die waarheid niet bereiken, want hij is onvolmaakt. Hij heeft zijn ontbrekende helft, de vrouw, nodig om de ware volheid te kunnen ervaren.'

Ineens dacht ik aan wat mijn broeders mij hadden verteld over die jonge Berberse vrouwen uit de Moorse tijd, die speciaal werden opgeleid voor het genot. Maar nu nam de markies het woord. 'Er is geen ware kracht mogelijk zonder opheffing van de tegenstellingen, zonder de samensmelting van mannelijke en vrouwelijke krachten. En als u het droomstadium wilt overstijgen...'

'... Moet u de hoogste inwijding ondergaan,' besloot Don Ortega.

Ze stonden op en nodigden me uit hen te volgen. De maan had haar sluiers afgelegd en bescheen het park met een vaal blauwachtig licht. De doolhof midden in de tuin leek op een onneembaar donker fort. Naarmate we dichterbij kwamen hoorden we steeds duidelijker een hortend gehijg, een gejammer waarvan ik niet kon uitmaken of het lust of lijden uitdrukte. Don Ortega en de markies bleven staan voor de ingang van het labyrint.

'Zoekt u nog altijd de waarheid, Casanova?'

Ik durfde niets te zeggen.

'Het is hoog tijd dat u kiest. Maar voel u niet verplicht. Zeker niet door ons.'

Ik was bevangen door vrees voor wat ik zou aantreffen. Maar evenzeer door de begeerte om al was het maar een stukje van mijn droom van de vorige dag te herbeleven.

'Luister goed, als u besluit dit labyrint binnen te gaan, zult u nooit meer dezelfde mens zijn als voorheen. Dus denk goed na voor u een besluit neemt.'

Achter de buxushagen ging het hijgen nog steeds door. Ik meende zelfs dat het sneller ging. Daar bevond zich een raadsel dat ik me niet mocht laten ontgaan. Ik draaide me om naar mijn broeders en tastte in het donker naar hun handen. Zwijgend vormden we een keten. En toen liepen ze weg.

Ik betrad de doolhof.

Vandaag, na zo veel jaren, weet ik nog steeds niet hoe ik ooit de uit-gang uit dit labyrint heb gevonden. Toen ik zo ronddoolde zag ik hoe het licht van de maan viel op iets wat een oppervlak leek. Het hijgen was opgehouden en kon me niet meer als baken dienen. Ik oriënteerde me dus op die schittering die ik af en toe zag door openingen in de haag. Ik veronderstelde dat daar het midden van de doolhof lag. Dat hoopte ik tenminste. De herinnering aan mijn droom gaf me een onzegbaar vertrouwen.

[doorgestreepte passage]

... Al dwalend belandde ik uiteindelijk op een open plek. In het mid-den ervan lag een vijver, een spiegelende rechthoek van water met een betegelde rand. Daarop...

[doorgestreepte passage]

... Ik herkende de zuster van de markies. Ik had haar alleen nog maar in haar nonnenkleed gezien en haar te betrappen in haar simpelste ge-daante deed al mijn hartstocht oplaaien. Een ogenblik waande ik mij weer in mijn droom. Dezelfde energie doorstroomde mij. Ik liep over van begeerte. Ze trok me aan als een magneet. Ze had me gezien, maar maakte geen enkel gebaar van herkenning. Ze liep integendeel van me weg. Ik volgde. En toen zag ik haar.

Alsacha lag op de tegelrand van de vijver. Haar lichaam beefde in het licht van de Maan. Ik liep naar haar toe. Maar niet snel genoeg. De zuster van de markies was me voor. Wat ik toen te zien kreeg overtrof mijn stoutste dromen.

De saffische liefde had ik altijd beschouwd als een voorgerecht. Als een smaakmaker. Een vermaak met als enig doel het genot van de man op te wekken. Een zoete opwinding die de vereniging van de beide ge-slachten inleidde. Maar wat hier gebeurde was iets heel anders.

De naakte non was op haar knieën gezakt en begroef haar gezicht in het geslacht van haar leerlinge. Toch was het niet dat wat me zo op-wond. Ik kon mijn ogen niet afwenden van het extatische gezicht van Alsacha. Haar wangen gloeiden van een innerlijk vuur, onhoorbare zuchten ontsnapten aan haar lippen, in haar wijd open ogen open-

baarden zich helse krochten. Ik hoorde haar ademhaling versnellen.
Bij elke stoot van haar gezellin, kermde ze smartelijk. Ze leek bezeten
door een demon die haar hele wezen in zijn macht had. Haar kreten
werden bijna onverdraaglijk. Ze deden denken aan een dier dat werd
afgemaakt.

De zuster van de markies kwam abrupt overeind. Alsacha lag op
de grond te kronkelen. Ze greep met beide handen naar haar geslacht
en ze liet een langgerekt gehuil horen dat zo vreemd klonk dat ik het
nooit zal vergeten. De non keek naar mij: 'Ze is klaar.'

Hoewel ik een verschroeiende begeerte voelde durfde ik niet naar
voren te stappen.

'Neem haar! Nu!'

In een oogwenk was ik paraat. Ik ontblootte mijn lid en viel aan. Ik
dook in Alsacha als in fris doopwater.

Zodra ik in haar was voelde ik een geweldige verlichting door mijn
hele lichaam trekken. Een wit licht verblindde me. Alsacha gaf een
schreeuw. Ik weet niet of ik in onmacht viel. Het voelde of ik door een
geweldige vloedgolf werd meegesleurd. Mijn geest brak onder de stu-
wing van een ongekende kracht.

Ik trok me abrupt terug. Wankelend kwam ik overeind. Mijn hart
klopte in mijn keel. Een verzengende energie brandde in mijn aderen.
Een inwendig vuur verteerde me alsof ik een verdoemde was.

Gelukkig legde iemand een hand op mijn schouder. Verward draai-
de ik me om. Don Ortega greep mijn handen: 'Nu heb jij ook de vlam-
mende ster gezien!'

Plotseling trof de stilte me. Alsacha kreunde niet meer. Ik haastte
mij naar haar toe.
Ze was dood.

53

Granada

De politieagent nam met gebogen knieën de schiethouding aan: '*E por la ultima vez, manos arriba.*' (Voor de laatste keer, handen omhoog.)

Oedipus bleef onverstoorbaar naar de agent glimlachen, maar zijn ogen volgden de silhouetten van de vluchtelingen die probeerden weg te komen in de menigte.

Uit de auto kwamen twee lichtflitsen. Het geluid van de schoten werd overstemd door het oorverdovende getrommel en trompetgeschal dat de processie begeleidde. Voor de laatste keer in zijn leven keek de politieagent om, net voordat zijn onderkaak werd weggeslagen door twee kogels. Hij bleef nog even op zijn knieën zitten en viel toen om. Op hetzelfde moment trok Oedipus zijn Beretta en schoot drie keer op de andere agent. Diens lichaam viel slap neer achter de auto.

Een groepje wandelaars bleef geschokt staan.

'Ze hollen naar de processie,' brulde Oedipus.

'Ik zie ze niet meer,' riep de man in het bruine jack.

Oedipus draaide rond en bekeek de passanten die in de richting liepen van de dranghekken, waar Marcas en Anaïs een paar seconden geleden waren verdwenen. Hij aarzelde even en liet zijn wapen zakken.

Marcas en Anaïs klommen over de dranghekken, afkeurend gadegeslagen door een groepje bejaarden. Ze voegden zich bij de processie, duwden twee boetelingen die een kaars droegen opzij en liepen door naar de praalwagen met de Heilige Maagd.

'Hierlangs,' riep Antoine.

Ze liepen om de wagen heen, duwden een penitent opzij die hen wilde tegenhouden en verlieten de processie aan de andere kant. Marcas keek om en zag de kompaan van Oedipus over een hek springen.

'Schiet op, ze komen ons achterna!' riep Marcas.

Ze holden naar de staart van de processie en liepen bijna een priester omver die een baby zegende. Anaïs' hart bonkte in haar keel. Zij had te midden van de boetekappen ook het rood aangelopen gezicht van de moordenaar gezien. Tussen de rijen mensen die tegen de winkelpuien gedrukt stonden ontdekten ze een doorgang zonder hekken. Ze wrongen zich erdoor en verborgen zich achter een bushokje. Zonder erbij na te denken greep Marcas Anaïs bij de schouders en dwong haar te knielen tussen de menigte. De jonge vrouw liet hem begaan, allang blij met die onzekere schuilplaats.

'Wat doen we nu?'

'Wachten. Hij was een paar meter achter ons. We laten hem passeren en dan...'

'En dan wat?' vroeg Anaïs die de ongeschoren wang van Marcas tegen haar huid voelde.

'Gaan we ervandoor! Hoewel ik hier heg noch steg weet.'

Anaïs schoof nog iets dichter naar hem toe.

'Ik ken de stad uit mijn studententijd. We zijn hier bij de calle Elvira.'

Marcas kwam weer op adem. Zijn keel deed pijn, zijn aderen stonden op springen.

'We kunnen onze bagage en onze auto niet gaan ophalen. En om deze tijd gaan er geen treinen meer. De enige oplossing is een auto te stelen. Daarvoor heb ik een rustige straat nodig.'

De jonge vrouw moest niet eens lachen om de ongerijmdheid van de situatie. Dat een smeris voorstelde een auto te stelen leek haar al bijna normaal. Marcas ging behoedzaam staan om te kijken of hij de moordenaars zag.

'We kunnen via een zijstraat weglopen van de processie.'

'En als ze ons ontdekken?'

'Dat noem je... een niet ingecalculeerd risico. Sta op.'

Ze voegden zich tussen de slenteraars en sloegen links af een verkeersvrij straatje in. Ze liepen snel een meter of vijftig verder.

'We moeten rond de kathedraal en dan een andere buurt opzoeken,' zei Anaïs. 'Hier kun je bijna nergens parkeren.'

Ze kruisten een op zijn zondags opgedofte Spaanse familie en een groepje vrouwen met mantilla's en kwamen uit op een nog smaller straatje dat naar rechts draaide.

Het tromgeroffel leek wel weer steeds dichterbij te komen. Marcas kreeg de indruk dat ze weer terugliepen. Op een kruising bleef Anaïs staan om het straatbordje boven een schoenwinkel te ontcijferen. Ze zuchtte diep.

'Ik ken hier ook niet alles, maar ik geloof dat we rondjes draaien. Laten we naar links gaan.'

Ze had het nog niet gezegd of ze slaakte een verschrikt kreetje en kwam dicht tegen Marcas aan staan. Er naderden drie boetelingen in zwartzijden gewaden, hun hoge mutsen raakten bijna de straatlantaarns. Ze liepen naast elkaar en namen bijna de hele straat in beslag.

Het stel drukte zich tegen de etalage van een slagerswinkel om ze te laten passeren.

'Sorry, ik schrok me lam. Het zijn net spoken.'

Het trio puntmutsen verdween achter een bocht. Anaïs en Marcas waren langzamer gaan lopen. De trommels gingen nog luider tekeer.

'Ik hoop niet dat we weer op het plein uitkomen. We zouden regelrecht in de val van onze vrolijke vrienden lopen.'

'Nee, ik weet zeker dat we naar het noorden gaan. Er lopen verschillende processies rond. Alle wijken hebben hun eigen broederschap en die hebben allemaal hun eigen route. Die zwarte gewaden waren eerder een goed teken. Als we rode tegenkomen...'

Marcas gaf geen krimp en liet zich door de jonge vrouw op sleeptouw nemen. Zijn hele lijf deed pijn. Om zichzelf af te leiden dwong hij zich over de zaak na te denken. De naam Henry Dupin leverde een heel bruikbaar spoor op. Zodra ze weer in Parijs waren zou hij de modeontwerper natrekken. Met een beetje geluk kwam hij dan bij Dionysus uit. Hij besefte plotseling dat zijn carrière een geweldige sprong vooruit zou maken als het hem lukte om al die eindjes aan elkaar te knopen. In het andere geval...

Ze kwamen op een brede verkeersader die bomvol stond met aanbiddende gelovigen.

'Niet te geloven, we zitten weer in een andere processie,' zei Marcas ongerust.

Een lange optocht van boetelingen, in het wit ditmaal, nam de straat over zeker honderd meter in beslag. In plaats van de Heilige Maagd deinde er nu een majestueuze Christus mee. Hij keek droevig naar de grond.

'We komen hier nooit weg, de hele stad staat op zijn kop,' foeterde Marcas.

De onkerkelijke vrijmetselaar kreeg het gevoel dat hij op een katholiek carnaval beland was. Hij was slecht op zijn gemak bij die overdaad aan devote beelden en tussen de massa gelovigen. Hij had niets met die instinctmatige hartstochten. Je waande je in de middeleeuwen. De sinistere maskerade deed hem denken aan de beruchte inquisitie, de zwarte brigade van het katholicisme die zijn broeders vervolgd en op de brandstapel gebracht had. Er leek weinig veranderd te zijn. Geen wonder dat Franco kon steunen op zo veel toegewijde zeloten.

Hij nam Anaïs bij de hand.

'Zorg dat we hier wegkomen. Anders blijven we de godganse nacht op die mutsen stuiten.'

Anaïs keek hem enigszins verwonderd aan.

'Ik vind het eigenlijk wel mooi.'

'Fijn voor je. Doe maar je best om te weten te komen waar de uitgang is, dan kunnen we naar huis.'

Anaïs sprak een zedig geklede vrouw aan die een spookje aan de hand meevoerde. Ze vroeg haar waar ze waren. De Spaanse wees streng naar het einde van de straat en liep verder met de kleine boeteling die een Bijbel droeg.

'Er zijn zelfs kindermodelletjes,' spotte Marcas. 'Wat een idioterie. Denk je dat baby's ook al zo'n mutsje dragen? Ik zie het familiefeestje al voor me!'

'Wees een beetje toleranter. Jullie schortjes zijn ook om je te bescheuren. Ik heb goed nieuws voor je. We staan hier op de Gran Via de Colon die naar de buurt van het ziekenhuis gaat. Strakjes mag je laten zien of je een goede autodief bent.'

De commissaris greep haar arm vast.

'Bukken. Meteen.'

Voordat ze kon reageren, drukte hij haar tegen de voet van een lantaarnpaal. Marcas zag zo wit als de gewaden van de boetelingen.

'Een van de moordenaars. Aan de overkant. Hij heeft ons gezien. Lopen.'

Ze holden tegen de processie in. Anaïs voelde haar polsslag oplopen. Ze kreeg een inmiddels vertrouwde metalige smaak in haar mond. De smaak van de angst. Zonder na te denken of om zich heen te kijken volgde ze blindelings Marcas. Ze wilde niet meer omkijken.

De moordenaar holde op het andere trottoir gelijk met ze op. Het was een grote vent die de wandelaars opzij smeet. Meter na meter verkleinde hij de afstand. Hij kon aan het einde van de processie zo oversteken en zich op hen storten.

'Rechtsaf,' riep Marcas wijzend op een straatje dat vol stond met tafels en stoelen van bodega's.

Het tweetal maakte een scherpe bocht en holde het straatje in. De moordenaar staakte de wedren en begon zich dwars door de processie te worstelen waarbij hij een boeteling omver duwde die door de schok zijn kap verloor.

De commissaris vertraagde even bij het tafeltje van drie Duitse toeristen en graaide in het voorbijgaan een mes van een van de borden. Hij pakte de arm van Anaïs weer en holde verder naar het donkere uiteinde van het straatje. Toen hij even omkeek zag hij dat de achtervolger het straatje ook bereikt had. De man haalde zijn wapen tevoorschijn en legde al hollend aan.

Marcas duwde Anaïs ruw in een portiek en gebaarde dat ze niet mocht bewegen. Hij schoof haar in het donkerste hoekje en ging voor haar staan.

'Verroer je niet.'

De moordenaar naderde onafwendbaar. Marcas besefte dat ze in het nadeel waren. Met een mes begin je niets tegen een revolver, vooral niet als de schutter een professional is. De man vertraagde zijn pas en stond nog geen meter voor hen weifelend stil. Plotseling begreep hij het en draaide hij zich om naar de portiek.

Marcas' arm schoot tevoorschijn uit het donker. Hij plantte het mes in de onderbuik van de achtervolger, die dubbel klapte. De politieman trok het mes terug en stak het in de rug van de man. Anaïs slaakte een gedempte kreet. De gewonde greep Marcas' broekspijp in een poging hem tegen de grond te trekken. Zijn witte overhemd kleurde rood van het bloed. Marcas trapte tegen het hoofd van Oedipus' handlanger. De man liet hem los en viel op straat.

Zwijgend staarde Anaïs naar Marcas. De commissaris keek naar het lijk aan zijn voeten.

'Wel verdomme...'

De jonge vrouw vermande zich het eerste.

'We hebben geen tijd voor een gebed, kom op.'

Als vanzelfsprekend ging zij op kop in de dolle race. Ze holden een minuut of tien door smalle straatjes. Anaïs oriënteerde zich op de straatnamen en ten slotte kwamen ze uit op een moderne avenue met aan weeszijden geparkeerde auto's.

'Zoek maar een slee uit, dan kunnen we weg uit deze stad.'

Marcas stond paf van de vastberadenheid van zijn partner. Met zijn handen in zijn zijden snakte hij naar adem.

'Geef me twee minuten. Mijn longen staan in brand.'

'Je krijgt niet eens een minuut,' blafte ze. 'Je rust maar uit als we dit overleefd hebben.'

De politieman hield het bebloede mes op.

'Ziehier onze sleutel naar de vrijheid. Ik hoop dat ik het kunstje niet verleerd ben. We moeten een auto vinden die ouder is dan tien jaar.'

Marcas inspecteerde de geparkeerde auto's en koos een kleine Seat die betere tijden had gekend. Vijf minuten later zaten ze erin. Hij sloopte de plastic strip onder het stuur, tastte even rond, trok een paar draden stuk en maakte contact. De motor kuchte twee keer en begon astmatisch te pruttelen.

'We zijn weg. Waarheen?'

'Ik zal je gidsen…'

De Seat reed langs het ziekenhuis, volgde de avenida de la Constitución en voegde ter hoogte van het strenge stationsgebouw in op de weg naar Madrid.

Een kwartier later reden de vluchtelingen onder een hemel zonder sterren tussen de velden door.

'Ze zullen ons blijven volgen, Antoine.'

'Ik weet het.'

Oedipus leunde tegen de borstwering van het bruggetje over de rivier de Darro, tussen het Albaicin en de muren van het Alhambra.

Hij voelde zich belabberd. Zijn oude vijand, de twijfel, diende zich weer aan.

Toen Dionysus hem drie jaar geleden had opgenomen in zijn groep, heette hij nog Jean-Pierre en was hij een bleke, anonieme hulpboekhouder, ziekelijk verlegen en onzeker. De meester had bij hem direct een drang naar grenzeloze macht herkend, gecombineerd met de afwezigheid van moreel besef. Het waren twee eigenschappen die Dionysus zorgvuldig had ontwikkeld. De gedaanteverandering was wonderbaarlijk geweest. De commandotraining in de vs, vechtsportcursussen en intensief onderricht in de leer van de meester vormden een explosieve cocktail. In het begin oefende hij op hulpeloze daklozen en gaandeweg kreeg hij meer zelfvertrouwen. Zijn eerste moord op een vrachtwagenchauffeur, die hij neerstak toen de man de toiletten van een wegrestaurant verliet, had hem verrukt. Zijn tweede, op zijn eigen vader, een bruut en een dronkaard die zijn moeder mishandelde, had hem voorgoed veranderd.

Vanwege die laatste prestatie had de meester voor hem de nieuwe naam 'Oedipus' gekozen, hoofdpersoon uit een Griekse tragedie en totem van de psychoanalyse.

Dionysus placht spottend te zeggen dat Oedipus hem eerder deed denken aan Heinrich Himmler, de verlegen, bijziende kippenfokker die het dankzij de nazidoctrine had gebracht tot meedogenloze leider van de ss.

Hij had nergens spijt van. Hij had zijn vorige bestaan van door zijn chefs geminachte loonslaaf verwisseld voor dat van Dionysus' favoriete moordenaar. Het bloedbad in het winkelcentrum had hij heerlijk gevonden, al had hij de bevelen van zijn meester wel een beetje aan zijn laars gelapt.

Helaas lukte het hem niet om zich helemaal te ontdoen van die vervelende oude schuldgevoelens en nu stak de twijfel weer de kop op.

Hij werd weer even Jean-Pierre.

Oedipus staarde besluiteloos naar zijn telefoontje en koos toen het privénummer van de meester. Een zachte stem antwoordde.

'Ja, Oedipus?'

'We zijn ze kwijt.'

'Oedipus stelt me de laatste tijd erg teleur.'

Oedipus vond het niet prettig dat de meester hem in de derde persoon aansprak.

'Het... het spijt me.'

'Voer de volgende instructie uit.'

'Ja meester.'

De verbinding werd verbroken. Oedipus gaf de gsm aan zijn maat.

'Aan jou de eer!'

Terwijl zijn buurman bezig was met het mobieltje, pakte Oedipus zijn verrekijker en nam het Albaicin in het vizier. In het huis van Manuela Réal brandde nog licht. Zijn acoliet tikte de eerste zeven cijfers in.

'De eeuwigheid… Manuela.'

Het achtste cijfer.

Een steekvlam schoot omhoog in de nacht, gevolgd door een oorverdovende explosie.

Oedipus meende ergens in de verte de klaagzang van een zigeuner te horen.

54

Spanje

Hij werd gewekt door de aanhoudende regen die het dak van de auto geselde. Hij huiverde in de ochtendkou en trok onwillekeurig zijn linnen jasje dichter om zich heen. Hij voelde het hoofd van Anaïs tegen zijn schouder. De jonge vrouw was gedurende die korte nachtrust tegen hem aangekropen. Hij durfde niet te bewegen uit angst haar wakker te maken. Verstijfd door het lange zitten probeerde hij toch één voor één zijn benen te strekken.

De vorige avond waren ze Granada ontvlucht om naar Madrid te rijden en van daaruit naar Parijs te vliegen, maar ze hadden hun plannen al snel gewijzigd.

De achtervolging door de straten van Granada had hen uitgeput. Marcas had gemerkt dat zijn handen trilden op het stuur. Hij had in koelen bloede een man neergestoken. De verbaasde blik van zijn slachtoffer stond in zijn geheugen gegrift. Anaïs had voorgesteld om de hoofdweg te verlaten en een paar uurtjes te slapen. Na een bocht hadden ze een hobbelig wegje genomen dat naar een vervallen herberg leidde. Het licht van de koplampen had een bord beschenen waarop in afgebladderde letters stond te lezen: *venta quamade*. Anaïs beweerde dat het 'herberg te koop' betekende.

Ze parkeerden de auto op een plekje waar hij niet gezien kon worden en klapten de rugleuningen achterover tot een geïmproviseerd bed. Doodop viel Marcas het eerste in slaap. Hij zag nog net dat Anaïs stilletjes naar buiten zat te kijken en dat er een traan langs haar wang biggelde.

Het fletse ochtendlicht onthulde een uitgestorven eindeloze hoogvlakte. Het ging nog harder regenen. Hij huiverde.

Nog slapend verlegde Anaïs haar hoofd. Hij keek naar haar met een voor hem ongekende tederheid. Ze was misbruikt, genadeloos opgejaagd, ontkomen aan een vreselijke dood en niettemin legde ze een vastberadenheid aan de dag die Marcas mateloos bewonderde. Aan dat vredig slapende gezicht was niet te zien dat haar leven één grote nachtmerrie was geworden. Door haar blouse heen voelde hij de warmte van haar huid. Zijn blik ging naar het kant van haar bh dat een beetje zichtbaar was. Tot zijn grote schaamte kreeg hij ineens een erotische aandrang. De behoefte om zijn hand onder haar blouse te steken en de borsten te strelen die, vermoedde hij, stevig zouden zijn. Ongewild had Anaïs haar been opgetrokken tot tegen zijn geslacht. Het bloed in zijn onderbuik maakte een sprong.

Stop daarmee, maniak.

Hij verdrong zijn begeerte en schoof iets opzij om een beetje meer ruimte te krijgen. Zijn hersens begonnen langzaam weer te functioneren. Als bij toverslag hield het op met regenen en er drong een mager zonnestraaltje door de grijze massa wolken die zich aan de hemel hadden samengetrokken. De ramen van de auto waren beslagen. Er hing een verschraalde tabakslucht in de wagen. Hij rekte zijn hals uit om zijn spieren te ontspannen en zag een magere kraai over de ruïne van de herberg vliegen.

Een slecht voorteken. Gelukkig dat hij niet bijgelovig was. Om zijn sombere gedachten te verjagen begon hij alle mogelijke oplossingen op een rijtje te zetten.

Geen enkele optie was bevredigend. Zodra ze weer in Parijs waren zou hij verplicht zijn om alles tot in detail op te biechten aan zijn meerderen. Dat was de enige manier om Anaïs' veiligheid te garanderen. En zelfs als hij ze op een presenteerblaadje gaf wat hij over Dupin had ontdekt, dan nog zou hij onmiddellijk worden geschorst. De adviseur van de minister lustte hem rauw. Er zou misschien een onderzoek komen naar de grote couturier, maar hij zou daar zelf niets bij winnen.

Marcas voelde zich compleet verloren, zonder enig houvast verdwaald in een vreemd land en zonder middelen om zich te verdedigen. De Marcas die de commando's uitdeelde, de toponderzoeker, bestond niet meer.

Een schlemiel. Weerloos als een kind. In deze contreien was hij niemand en, nog erger, in Parijs zou hij al zijn bevoegdheden verliezen.

Niemand zou een vinger uitsteken om hem te helpen.

Wat miste hij Anselme. Marcas werd ineens overspoeld door wanhoop. Hij voelde zich als een drenkeling die op een wankel vlot midden op zee dobberend een enorme zwarte golf op zich af ziet komen.

De angst sloeg toe. Als ze ingehaald werden door die bloedhonden van Dionysus kon hij niets meer doen.

De zon brak in steeds bredere stralen door het wolkendek en begon aan zijn omloop van oost naar west. Marcas dacht aan het Oosten. Aan het maçonnieke Oosten. Beginpunt van alle dingen en symbool van de wederkeer.

Hij concentreerde zich op zijn arbeid in de loge. Zijn ademhaling werd al regelmatiger. Denk aan de mozaïekvloer, aan de zuivere kubiek, aan de precisie van de passer en de winkelhaak. Al die symbolen van de harmonie die hij in de loge honderden keren had ervaren.

En altijd het Oosten. De hoop die elke ochtend opnieuw geboren werd.

De geur van vochtige aarde vermengde zich met die van oude tabak. Tegelijk daarmee drong bij vlagen ook de angst zich weer aan hem op.

In zijn vermoeide hersenen begon zich een idee te vormen. Hij voelde een nieuw soort opwinding. Hij verdomde het om nog langer de rol van het opgejaagde angstige wild te spelen. Een kostelijke energie doorstroomde zijn pijnlijke aderen.

Niet ondergaan. Nooit meer ondergaan.

Anaïs werd wakker. Ze glimlachte naar Marcas en nestelde zich nog wat vaster in zijn armen. Marcas koesterde zich in de geruststellende warmte van de jonge vrouw.

Het plan nam vaste vormen aan.

Dupin was de sleutel. Alleen hij kon hen bij Dionysus brengen. Hij dacht aan wat de actrice hun had onthuld vlak voordat ze haar verlieten. Het bal van Dupin op zijn privé-eiland, over drie dagen. De onzichtbare meester slaat het jaarlijkse bal van Dupin nooit over. Die uitspraak van Manuela Réal bleef in zijn hoofd ronddansen.

Ze moesten erheen en toeslaan daar waar de meester hen het minste verwachtte.

Naar Venetië. Naar het hart van het kwaad.

55

Parijs

Oedipus daalde de treden af naar de dansvloer. Daar gaf hij de hostess met haar superkorte jurkje een knikje en hees zich op een barkruk. De barman, een grote neger met een geschoren schedel, begroette hem hartelijk.

'Meneer Oedipus, we hebben u lang niet gezien.'

'Ik was op vakantie in Andalusië.'

'De gewone Bloody Mary?'

'Doe maar, Jonas. Hoe gaat het hier?'

'U ziet het. We moeten mensen weigeren. Die lui van de *Bougies* zullen wel pissig zijn, die raken al hun klanten kwijt sinds dat artikel in... ik ben de naam even kwijt.'

'Weer eens een omslagartikel over partnerruil zeker? Dat wordt net zo afgezaagd als de vrijmetselarij en het vastgoed! Hoewel, doorgaans is de seks een zomeronderwerp.'

De barman begon te lachen.

'Zomer, winter, lente... Het plezier kent geen seizoenen. Als zij de lezers maar aantrekken en wij de klanten!'

Oedipus keek rond. Een tiental paren danste innig op een jarenzeventighit van Polnareff. Hij zag een roodharige in een sexy jurk en laarzen knielen bij de metalen paal die gebruikt werd op stripteaseavondjes voor amateurs. Op een brede rode divan zat een schrijver, ooit winnaar van de prix Goncourt, levendig te converseren met een voetballer van Paris-Saint-Germain. Een bekende televisiepresentatrice streelde verstrooid de dij van een onbekende, die eruitzag of hij dat heerlijk vond.

'Hoe meer zinnen, hoe meer genot' was de slogan van de keten Casanovaclubs, die een wereldwijde reputatie van losbandigheid genoten.

Ook niet-leden waren welkom in deze club aan de westkant van Parijs, op voorwaarde dat ze vijfhonderd euro aan entreegeld neertelden en nog eens zo'n bedrag uitgaven aan een fles champagne. Een beurt krijgen van een ster heeft nu eenmaal een prijs. En het is leuk voor later, dacht Oedipus, terugdenkend aan die oudejaarsavond dat hij zich had laten pakken door een geflipt Amerikaans topmodel.

Toen zijn glas leeg was liet Oedipus zich van de kruk zakken, liep rond de dansvloer en verdween in de herentoiletten. De prachtige sanitaire voorzieningen hadden de afmetingen van een balzaal en overal spiegels. De gast met hoge nood kon zichzelf daarin aan het werk zien. Oedipus negeerde de wervende glimlach van een aangeschoten man in onderbroek. Hij deed het wc-deurtje zorgvuldig op slot en drukte op een knop die verborgen zat achter de spoelbak. Een van de spiegels klapte open en er werd een flauw verlichte gang zichtbaar. Hij wrong zich door de nauwe opening. De spiegeldeur gleed weer dicht. Oedipus rook een vage geur van muskus.

Dionysus stond op het gebruik van dit parfum. 'Muskus prikkelt de zinnen, maar verzadigt ze niet,' zei de meester. Oedipus liep door de spiegelgang die uitkwam in de *Entente Cordiale*-salon, die overheerst werd door een hemelbed van vijf meter breed. Met kennersoog bewonderde hij de acrobatische houdingen van drie stellen die op het bed bezig waren. Op een tafeltje stonden drie champagneflessen. Snel berekende hij dat deze drievoudige Kamasutra-oefening vijftienhonderd euro in het laatje bracht. Hij bewonderde het zakentalent van Dionyus die had geïnvesteerd in deze chique partnerruilclubs in de gegoede wijken van de wereldsteden.

Met de opbrengsten ervan financierde hij zijn occulte praktijken.

Oedipus vervolgde zijn tocht door de lange gang en schoof halverwege een op ooghoogte zittend kijkgaatje open. De zwarte kamer. Voor paren die grotendeels aangekleed bleven en zich voor elkaar exhibitioneerden. Het was Oedipus' favoriete salon, die hij veel opwindender vond dan de eerste. Alles zat in kijken en bekeken worden. Hij wist dat het kijkgat aan de salonkant gemonteerd zat in het oog van het Casanova-portret... Hij keek aandachtig naar een roodharige vrouw in een diep uitgesneden jurk die werd gestreeld door twee mannen terwijl een tweede vrouw toekeek en zichzelf streelde.

Oedipus schoof het kijkgaatje weer dicht en liep door naar de ijzeren deur die de gang afsloot. Het blauwe lichtje dat opflakkerde in het schemerduister gaf aan dat hij naar binnen mocht. Hij duwde de deur open en kwam in een kamertje van drie bij twee meter, waarvan de muren bedekt waren met televisieschermen. Boven elke kolom van zeven schermen stond de naam van een stad en een lokale tijd aangegeven. De schermen vertoonden *real-time*-beelden die werden gefilmd door zorgvuldig verborgen camera's in alle Casanovaclubs in de hele wereld.

Het mozaïek van schermen projecteerde beelden van honderden mannen en vrouwen die in alle denkbare en ondenkbare houdingen de liefde bedreven. Een oneindigheid van ontelbare kronkelende lichamen. Op een van de monitoren herkende Oedipus de victoriaanse salons van de Londense club met zijn beroemde Bollywoodorgie. Pal daarnaast verscheen de door de jetset zo gewaardeerde kettingen-en-kreeftenavond in de designerclub van Los Angeles. Meer naar rechts was in de club van Sint-Petersburg de tsarina's-en-moezjieken-avond bezig...

In een roodleren draaistoel midden in het vertrek overzag een schaduw zijn imperium. De stoel draaide Oedipus, die eerbiedig bleef staan, de rug toe. De moordenaar zag alleen een hand die een dunne sigaret vasthield op de armleuning liggen. Een welluidende stem zei: 'Weet hij waarom ik zo dol ben op deze plek?'

Oedipus vond het niet prettig dat zijn meester in de derde persoon tegen hem sprak.

'Nee...'

'Het doet me denken aan een schilderij van één van de cirkels van de hel waarop je de horden verdoemden zich aan elkaar ziet vastklampen. Mijn schilderij beweegt. Vindt Oedipus het mooi?'

'Ja, het is bijzonder. Een universele orgie.'

'Inderdaad. Het meest fascinerende aan al deze mensen is hun energie. Een ononderbroken seksuele kracht.'

Met de afstandsbediening zoomde hij in op een scherm dat het gespartel in de Berlijnse club toonde. Het gezicht van een sensuele brunette vulde het scherm. Ze leek op het punt van klaarkomen te staan. Haar wijd open ogen staarden naar een denkbeeldig punt, haar adem kwam hortend.

'Kijk deze klant eens. Let op haar ogen. De pupillen zijn verwijd.

Vrouwen die genot ervaren vertonen dat bijzondere kenmerk, mannen niet. Het heet mydriase.'

'Werkelijk?...'

'Ja. De pupil van de vrouw biedt een doorkijk naar de eindeloze diepten van het genot. Ik sla dergelijke momenten van extase graag op in het geheugen van mijn computers. Die gezichten verouderen nooit. Op hun manier zijn ze mijn sterren.'

Oedipus zei niets. Hij keek liever niet te lang naar die schermen uit angst weg te zakken in een bedwelming zonder einde. Dionysus gaf zijn stoel een draai en keek zijn moordmachine recht aan.

'Zijn mislukking in Granada is betreurenswaardig. Ze moeten worden gevonden voordat ik naar Venetië ga. Anaïs mag niet ontsnappen. Ze is me te kostbaar.'

'Dat zal gebeuren. Hij biedt u zijn verontschuldigingen aan.'

Oedipus wist dat dit niet volstond. Hij vreesde niet het moment van de tuchtiging, maar de manier waarop. Dionysus leek zijn gedachten te kunnen raden en nam hem met heldere ogen glimlachend op. Zijn schoonheid bracht de moordenaar van zijn stuk.

'Laat hem dichterbij komen! Ik zal hem de gunst van de pijn verlenen.'

Oedipus ging voor zijn meester op zijn knieën zitten. Het volume van de luidsprekers was opgevoerd. Kreten van genot schalden door de kamer.

'Oedipus heeft in onze orde de graad van Ipsissimus. Hem doen lijden is dus mijn plicht... en mijn genot,' fluisterde Dionysus.

De meester haalde van zijn revers van zijn jasje een kleine broche die het oog van Horus voorstelde en hield de speld omhoog. Oedipus vertrok geen spier.

Dionysus pakte de hand van zijn discipel en bracht de speld naar de top van diens wijsvinger. De metalen punt drong langzaam onder de nagel. De moordenaar klemde zijn kaken op elkaar. De pijn was nu al onverdraaglijk. En hij wist dat dit nog maar het begin was.

De speld ging steeds dieper in het vlees. Met een extatische blik in de ogen fluisterde Dionysus: 'Genot en lijden vormen één geheel. Deze kreten van pijn zullen zich vermengen met de gezangen van het genot van mijn gasten.'

Dionysus kon zijn blik niet losmaken van het Berlijn-scherm met het gezicht van de vrouw die duizenden kilometers verderop klaarkwam. Hij voelde de energie door zich heenstromen.

Na een foltering van enkele seconden brulde Oedipus.

56

Almería

Het internetcafé El Loco was bijna leeg aan het begin van de namiddag. Vroeger was dit café in de oude wijk, op twee passen van het Moorse fort Alcabaza, een flamenco *tablao*. De nieuwe eigenaren hadden de affiches van wervelende zigeunerinnen laten hangen om het contrast te benadrukken met de rijen hokjes met platte schitterende schermen.

Anaïs en Marcas zaten voor een computerscherm achter in de zaal. Antoine had zijn politiekaart voor zich liggen en was bijna klaar met het intikken van zijn geheime code. De site van de Spaanse luchtvaartmaatschappij Ibéria stuurde na enkele seconden bevestiging van de reservering. Antoine schoof zijn stoel achteruit en dronk zijn glas leeg.

'Dat was dat. We vertrekken om vijf uur uit Almería en komen twintig minuten later in Barcelona aan. Om acht uur vliegen we dan door naar Venetië.'

'Hoe laat zijn we daar?'

'Rond kwart voor tien,' zei Marcas en zette zijn glas terug. 'Als alles meezit zijn we rond middernacht in de stad.'

'Middernacht in Venetië… Romantisch, toch? Natuurlijk krijgen we een kamer in hotel Danieli…' zei de jonge vrouw met haar meest verleidelijke glimlach.

Marcas stond op en keek op zijn horloge.

'Dat weet ik zo. Ik moet mijn contact in Parijs bellen. Ik ga naar buiten; hier heb ik geen goede verbinding.'

'Ga dan maar gauw,' zei Anaïs op dezelfde plagerige toon.

De politieman liep weg en haalde zijn gsm tevoorschijn. Hij ging zitten in het zonnetje voor het raam. Hij was nog even opgewonden als toen ze vier uur geleden wegreden bij de ruïne die hun als schuilplaats had gediend. De jonge vrouw had zich moeiteloos laten overtuigen om naar Venetië te gaan. Ze zon op wraak. Hij moest haar goed in de gaten blijven houden. Ze moesten Dionysus levend in handen krijgen, niet hem vermoorden. *Als we erin slagen hem te benaderen*, dacht hij.

Als zij hem in Venetië identificeerde konden ze de politie waarschuwen en zou hun nachtmerrie afgelopen zijn. Zij werd dan beschermd door haar status van getuige van de Cefalù-moorden. En hij zou het verband hebben aangetoond tussen de doden van Palais-Royal en Granada.

Op aandringen van Anaïs zouden ze uiteindelijk niet vanuit Madrid vliegen, maar waren ze weer naar de internationale luchthaven van Almería aan de kust gereden, vanwaar veel lijnvluchten opstegen. Tijdens een stop in een restaurant op de hoogvlakte halverwege Granada en Almería had Marcas de bolle broeder gebeld. Hij had hem overgehaald om hem nog een dienst te bewijzen. In hun eentje maakten ze in Venetië geen schijn van kans. De adviseur van de Parijse prefectuur had gezegd hem terug te bellen voordat ze bij de luchthaven waren.

Antoine koos het nummer uit de bellijst. De zon verwarmde zijn gezicht. Hij wou dat hij de hele middag kon blijven zitten en alles kon afblazen. De verschillende beltonen van de internationale verbindingen volgden elkaar op. Hij zag op een van de tafels een exemplaar liggen van de behoudende Spaanse krant *ABC*.

Los asesisos de la semana santa. Hij herkende meteen de foto op de voorpagina. De lachende kop van de politieagent die hen had helpen ontsnappen uit de klauwen van Oedipus. Marcas maakte eruit op dat er nog twee andere mensen waren omgekomen bij de schietpartij waarvan de daders waren ontkomen.

Onder aan de voorpagina stond een foto van Manuela Réal. Hij kreeg niet de tijd om het bijbehorende artikel te ontcijferen. Door zijn telefoon klonk een bekende stem. Marcas propte de krant in zijn zak en vroeg: 'Heb je alles kunnen regelen?'

'Ja. Je zult op Marco Polo worden opgehaald door een Italiaanse broeder. Hij zal zorgen dat jullie veilig in de stad komen.'

'Hoe herken ik hem?'

'Hij heeft een bordje bij zich met de naam van meneer…'

'Meneer wie?'

'Boaz*'.

'Lollig hoor. En wat is de echte naam van die broeder?'

'Giacomo Teone. Een oudgediende van de Italiaanse geheime dienst, die nu in het watertransport zit. Achtbare van de loge Hermes in Venetië. Een persoonlijke vriend. Niet zomaar iemand. Het is een zwarte loge.'

Marcas begreep wat de bolle broeder bedoelde. Die Italiaan maakte deel uit van de hogere graden van de vrijmetselarij. Onder aan het maçonnieke gradenstelsel vertegenwoordigen de blauwe graden de gewone werkplaatsen, waar de hoogste graad die van Meester is. Vervolgens komen de witte, rode en de zwarte graden. Als lid van een zwarte loge moest Teone ergens tussen de 19^e en de 30^e graad zitten. Marcas had weinig gevoel voor die 'cordonnitus', die gradencompetitie. Hij vond de bijbehorende titels hoogstens poëtisch. *Ridder van de Koperen Slang. Prins van de Tabernakel. Volmaakt Uitverkoren Groot Schot. Ridder van het Oosten en het Westen...* Antieke namen waarvan heel veel vrijmetselaars droomden om ze te mogen dragen.

'Hij zat toch niet bij de P2-loge?'

'Als ik "nee" zeg, geloof je me dan?'

'Nee, maar gezien mijn situatie ben ik niet meer zo kieskeurig wat betreft de broeders van mijn broeders.'

Marcas hoorde het waarschuwingssignaal van de batterij. En hij moest nog één belangrijk telefoontje plegen.

'Ik moet hangen. Bedankt voor je hulp.'

'Pas goed op jezelf. Trouwens, het onderzoek naar de dood van het vriendinnetje van de minister wordt vandaag officieel afgesloten. Het was een natuurlijke dood en er werd niet gerampetampt. De collega die je moest vervangen heeft er geen gras over laten groeien. Het schijnt dat de patholoog van het Medisch-forensisch centrum razend is. De adviseur is in zijn nopjes en de pers heeft het fabeltje kritiekloos geslikt.'

De commissaris zuchtte geërgerd.

'Ik verwachtte het wel. Ik bel je morgen weer.'

'Wacht even, ik heb nog wat. Slecht nieuws voor jou. De adviseur van de minister heeft je chefs gevraagd je onverwijld terug te roepen naar Parijs. Ze hebben de identiteit ontdekt van het meisje dat bij je is. Mijn vriendje bij de Algemene Inspectie zegt dat ze je adjunct onder

---

* Zie de maçonnieke woordenlijst achter in dit boek bij Kolommen.

druk hebben gezet. Hij moest het wel zeggen. Er zou een onderzoek naar je in de lucht hangen.'

'Het wordt duister in het Oosten,' zei Marcas mat.

'Je mobiele nummer gaat afgeluisterd worden. Bel me vanuit Venetië vanaf een ander nummer.'

'Bedankt voor alles.'

Hij koos een ander nummer in Parijs. Na dit gesprek moest hij snel naar de luchthaven. Hij hoorde een andere stem. Een vrouwenstem.

'Ja?'

'Met Marcas.'

'Antoine, ik ben doodongerust over je. Waar zit je?'

'In Almería in Zuid-Spanje. Ik heb je hulp nodig. Ik zit achter Henry Dupin aan.'

Even bleef het stil.

'De modeontwerper?'

'Ja. Jij was de eerste die me over hem vertelde. Maar Manuela Réal heeft me gisteravond definitief op zijn spoor gezet. En dat lijkt te kloppen met andere aanwijzingen. Trouwens, ik wilde ook nog iets weten over die Crowley over wie je me sprak.'

'Waarom?'

Sinds hij uit Parijs was vertrokken had Antoine nog geen seconde de tijd gehad om het dossier te lezen dat Anselme had samengesteld. Maar zowel in de zaak van Manuela als in die van de minister speelde het symbool van de ster een rol. Hij moest uitvinden waarom.

'Het gaat over een kaart uit het Thot-tarot, de Ster.'

'Ik zal zien wat ik kan vinden, maar dat kan even duren. Kom je terug naar Parijs?'

'Nee, ik ga nu naar Venetië. Er is een goede kans dat Dupin daar ook is.'

'Dat is waanzin! Je hebt geen enkel bewijs.'

'Ik denk dat ik er een kan vinden. Nou ja, ik hoop het. In elk geval heb ik niets meer te verliezen. Ik bel je morgen uit Venetië.'

'Het beste.'

'Jij ook.'

Hij hing op. Anaïs was uit de halfdonkere bar gekomen. Ze stak haar hand uit en kneedde zijn schouder.

'Een vriendin?'

Antoine moest stiekem lachen. Niets blijft verborgen voor de vrouwelijke intuïtie.

'Een zuster. Isabelle. Ze gaat ons helpen.'

Anaïs bleef even zwijgend staan. 'Op naar Venetië dan?'

'Naar Venetië.'

Deel vier

De uitverkoren meesters gaan nog verder:
Zij beminnen de dood
als enige weg
naar de volmaaktheid.

1765, maçonnieke rite van Melissimo,
vriend van Casanova

57

Venetië

De *motoscafo* doorkliefde het ijskoude water in een waaier van opspattend schuim dat in kleinere golfjes wegrolde in de nacht. Handig ontweek het bootje de boeien van de routemarkering. Op een gemakkelijke leren bank achterin speurden Anaïs en Marcas door de patrijspoorten naar de lichtjes van de Dogenstad, maar ze zagen slechts hier en daar een scheepslamp. Ze waren nog aangeslagen door het bericht over de dood van de actrice. In het vliegtuig vertaalde Anaïs het artikel uit de Spaanse krant waarin werd gewaagd van een gasexplosie. Ze geloofden het geen seconde.

De man die hen opwachtte na de douane had even gepraat met de schipper van het bootje en naar rechts gewezen. Ze zaten op de laatste binnenkomende vlucht van die avond en de formaliteiten werden snel afgewerkt, want de politiemensen wilden naar huis. Een vliegtuig vol met Spaanse toeristen was niet bepaald iets wat hun speurzin prikkelde.

Giacomo Teone, een grijzende vijftiger met een roofvogelprofiel, had Marcas begroet met de rituele handdruk en Anaïs met een handkus. Een ouderwetse hoffelijkheid die helemaal hoorde bij Venetië. 'Hij lijkt op de Transylvanische graaf uit de film *Het bal van de vampiers*,' had de jonge vrouw Marcas toegesist. De man was eigenaar van een firma van *motoscafi*, de motorbootjes die de verbinding verzorgden tussen de luchthaven en Venetië, en aandeelhouder van een rederij van veerboten die de Adriatische Zee bevoeren. Teone straalde elegantie en gezag uit. Hij had de vluchtelingen aangesproken in een vlekkeloos Frans.

De *motoscafo* beschreef een bocht naar rechts en voer tussen twee rijen palen door.

'We komen in Venetië! Kijk die verlichte gevels eens,' zei de jonge vrouw die was gaan staan om beter te kunnen kijken.

Marcas strekte zijn hals en bewonderde het schitterende schouw-spel. De stad op palen rees op uit de duistere waterwereld. De zachte verlichting leek elk moment te kunnen worden gedoofd door een aan-stormende grondzee. Marcas die hier al twee keer eerder was geweest, herkende de daken van de huizen van de wijk Cannaregio, in het noor-den van de stad. De boot was kennelijk de Canale delle Fondamenta Nuove opgevaren. Hij ging op een andere bank zitten om te kijken of hij gelijk had.

Daar lag inderdaad het Venetiaanse eiland dat hij het allermooiste vond. San Michele was in duisternis gehuld, op een paar twinkelende lichtjes na. De strenge schoonheid van het kerkhofeiland wordt verbor-gen achter cypressen. Het eiland heeft mogelijk model gestaan voor het schilderij *Insel der Toten,* van Arnold Bocklin. Er kwamen meer beelden bij hem boven. Van een andere vrouw. Maar dat was al lang geleden.

Giacomo Teone kwam naar beneden en ging naast Marcas zitten, ter-wijl hij af en toe een steelse blik op Anaïs wierp.

'We gaan jullie afzetten in de Arsenale, iets verderop. Jullie logeren in het huis van een vriend die met vakantie is. Ik had jullie graag bij mij thuis ontvangen, maar onze broeder zei dat jullie vrij wilden zijn. Wat heb je allemaal nodig?'

'Inlichtingen en... wapens.'

De man keek Marcas kalm aan alsof het een heel alledaags verzoek was.

'Dure handel. Laten we beginnen met de inlichtingen. Ik veronder-stel dat het gaat om Henry Dupin en zijn paleis.'

'Ja. Ik merk dat onze broeder de zaak grondig heeft aangepakt.'

'Op tafel ligt een dossier klaar dat ik voor je heb samengesteld.'

'Ken je hem persoonlijk?'

'Nee. Heel wat rijkelui bezitten in Venetië huizen waar ze maar zelden komen. Het grootste deel van het jaar staan die mooie verblijven er jam-mer genoeg kil en verlaten bij. Zoals de meesten komt Dupin in februari voor het Carnaval en verder nog een paar dagen in de zomer. Maar...'

'Maar...'

'Hij is geen doorsnee rijke buitenlander. Hij heeft het eilandje San Francesco del Deserto gekocht, dat aan de andere kant van de stad in de lagune ligt. Over drie dagen houdt hij daar een groot gekostumeerd bal. Dat is nogal ongewoon, tenminste in dit seizoen. Een traiteur en een kledingverhuurbedrijf in de stad hebben een bestelling gekregen voor vijftig mensen.'

'Interessant,' zei Anaïs die erbij was komen zitten.

Het lawaai van de motorboot verminderde. Het klotsen van golfjes tegen de aanlegsteiger nam toe.

'En de wapens?'

'Ik heb een lijstje gemaakt. Twee klein kaliber pistolen. Beretta of zoiets. Een nachtkijker en een brandgranaat.'

Teone begon te lachen.

'Bereid je de invasie van dat eiland voor? Moet je niet ook nog een raketwerper en een landingsboot hebben? Kom, ik breng jullie naar het appartement.'

De *motoscafo* lag aangemeerd tegen een ponton. De schipper was op de kade gesprongen, had de landvast bevestigd en de loopplank uitgelegd. Anaïs huiverde. Er was een dunne mist neergedaald. Sierlijke lantaarns wierpen okerachtige lichtstrepen op hoge gevels. Links van hen, aan de ingang van het oude arsenaal van de stad, stonden twee robuuste torens met kantelen waarop een donker vaandel wapperde.

Zwijgend liepen ze een minuut of tien door smalle steegjes, staken twee keer een smalle gracht over en kwamen onder door vocht aangevreten poorten door. Zelfs op klaarlichte dag zou Marcas hier nooit de weg vinden. De doolhof verzonk in een mist die zich aan de gevels van de spookhuizen hechtte.

'We zijn er,' kondigde Teone aan en haalde een antieke sleutel tevoorschijn die hij in een ovale houten deur stak.

Voordat ze het vier verdiepingen hoge huis binnengingen, maakte Marcas de mentale aantekening dat ze in de Calle dell'Arco waren. Ze staken een betegeld binnenplaatsje over naar de enige deur, een van eikenhout. Teone toetste een code in op het metalen paneel naast de deur die toegang bood tot een hoge gang van flessengroen marmer. Ze namen de trap die bedekt was met een loper van dezelfde kleur en kwamen op de tweede etage. Teone pakte weer zijn sleutelbos en koos een moderne sleutel met een dubbele baard. Een golf van warmte sloeg hen tegemoet toen ze het appartement betraden.

'Eindelijk troost,' zei Anaïs en legde haar jas op een stoel.

Teone ging hen voor naar een kleine, smaakvol in laat-achttiende-eeuwse stijl ingerichte salon. Het blauwe velours van de canapé en de stoelen gaf het geheel een vrouwelijker aanzien dan de strenge entree had doen vermoeden. Teone trok de gordijnen open en onthulde daarmee het uitzicht op een duister kanaal en de gesloten luiken van een paleis aan de overkant.

'Ga zitten,' zei de vijftiger ferm en hij wees op twee stoelen bij een tafel. 'Even serieus. Ik zou graag willen weten wat jullie met die wapens van plan zijn.'

'Daarover doe ik liever geen mededelingen,' zei Marcas nadrukkelijk.

'Des te beter, maar wel aan mij. Ik vestig liever niet de aandacht van de politie op me als jullie expeditie naar meneer Dupin fout loopt. Punt uit. Anders vertrekken jullie morgenochtend maar weer. Om half acht gaat de eerste vlucht naar Parijs.'

Het dreigement was nauwelijks uitgesproken of een lange man met een korte nek en een litteken op zijn wang, kwam binnen. Marcas hoefde niet te raden wat die bobbel onder zijn jasje was. De man ging achter de jonge vrouw staan en legde zijn handen op de rugleuning van haar stoel.

Anaïs keek ongerust naar de politieman. De verandering van toon had haar in de war gebracht. Teone lachte niet meer. Marcas dacht even na en zag een rood dossier op tafel liggen waarop in sierlijke letters stond geschreven: HENRY DUPIN.

'Goed dan. Ik heb geen keuze, maar ik waarschuw je dat het een lang verhaal is.'

'In Venetië heeft tijd een andere waarde dan overal elders. Ik luister.'

Marcas had een dik half uur nodig voor het relaas over hun omzwervingen en de klopjacht van Dionysus. Onder het vertellen door serveerde Teones bodyguard de Fransen een lichte maaltijd. Op het einde, net nadat Antoine had uitgelegd hoe hij dacht ongezien op het privé-eiland van Dupin te kunnen komen, stuurde Teone zijn helper met een kort gebaar weg. Hij vouwde zijn handen onder zijn kin en bekeek de vluchtelingen aandachtig.

'Ongelooflijk. Die Dionysus valt niet te onderschatten. Ik wil jullie niet kwetsen, maar jullie plan is nogal amateuristisch. Als de eigenaar er is wordt dat eiland bewaakt door een horde veiligheidsmensen. Dionysus oppakken en dan de lokale politie bellen is een onzinnig idee.'

'Ik heb geen andere optie.'

'Toch wel. Er is misschien een andere manier om zijn paleis binnen te komen. Als gast van de gekostumeerde soiree.'

Anaïs die tot dan toe had gezwegen, keek naar Marcas.

'Er is geen sprake van dat je mij hierbuiten laat. Ik ben meegekomen naar Venetië omdat ik een rekening te vereffenen heb met Dionysus.'

'Het is veel te gevaarlijk voor een jonge vrouw als u,' glimlachte Teone. 'Hier bent u veilig.'

'Ik wens u niet toe dat u ooit meemaakt wat ik in één week heb doorstaan, meneer Teone. Ik weet echt wel wat het woord "gevaarlijk" inhoudt. Beter dan wie dan ook hier.'

Marcas pakte haar hand.

'Hij wil je alleen maar helpen.'

'Ik wilde u niet kwetsen,' voegde Teone eraan toe.

'Houden jullie er nu over op. Ik ga Dionysus opzoeken. Punt uit.'

Het bleef even stil. De Italiaan leunde achterover.

'Zoals u wilt. Het idee is dus dat jullie naar die soiree gaan. Ik ken de baas van die kostuumverhuurder. Hij kan me de lijst geven van genodigden die hij moet aankleden. Ik heb ook nog een paar waardevolle vrienden bij de politie van Venetië. Ik zal er een rechercheur van de Moordbrigade bij betrekken.'

'Een broeder?'

'Een Prins van Jeruzalem nog wel.'

'Zestiende graad, toch?'

'Bravo. Met de kluif voor zijn neus dat hij de aanstichter van de massamoord van Cefalù kan arresteren, haal ik hem wel over om wat mensen stand-by te houden op een boot in de buurt van het eiland. Jullie hoeven dan alleen maar Dionysus te identificeren en hen te waarschuwen.'

Het gezicht van Anaïs klaarde op.

'Dat kan lukken! We moeten ook uitnodigingen hebben. Je komt daar niet binnen alleen omdat je gekostumeerd bent.'

Teone grinnikte.

'Ik heb wel een ideetje! O! Onze broeder in Parijs heeft me ook gevraagd om het adres van een Casanovadeskundige. Waarom? Die zijn er bij bosjes in Venetië.'

Marcas dacht aan de bekentenis van Manuela Réal. Als ze de waarheid had verteld, zagen Dupin en zijn makkers zichzelf als erfgenamen van de geheimen van de Venetiaanse verleider. Dat was gevoelige informatie die hij liever met niemand deelde. Nog niet.

'Het schijnt dat Dupin iets met Casanova heeft. Dat kan een spoor zijn.'

'Een mager spoor, commissaris! In Venetië zitten altijd tientallen Casanovisten in de bibliotheken te graven. Bibliotheekratten noemen we hen.'

'Noem me dan de allerbeste!'

'De meest serieuze dan: André del Sagredo. Hij werkt voor de Finni Stichting, de meest gerenommeerde bibliotheek van Venetië. Hij is een autoriteit op het gebied van de Casanovastudie. Ik kan hem meteen bellen als je wilt.'

'Ja, ik zou hem zo snel mogelijk willen spreken.'

'Komt in orde! Ik laat jullie nu alleen. In de la van de kleine commode op de gang ligt een mobieltje dat jullie kunnen gebruiken. De pincode zit op de achterkant geplakt. En jullie slaapkamers zijn klaar.'

'Dank je voor al je hulp.'

'Graag gedaan. Het herinnert me aan de goede oude tijd van onze complotten. En ik ben trouw aan mijn belofte dat ik broeders in nood zal helpen. Tot morgen.'

Anaïs nam met een beleefd knikje afscheid van de Italiaan die gevolgd door zijn helper naar de gang liep. Door de bijna dichte deur klonk zijn stem gedempt: 'Ik vergeet nog iets. Jullie waren Dupin bijna tegengekomen op het vliegveld. Hij arriveerde een uur voor jullie uit Parijs.'

58

Venetië

Marcas werd pas laat in de ochtend wakker, zijn rug deed nog steeds pijn. Het was zijn eerste rustige nacht geweest sinds Granada. Ze hadden in aparte kamers geslapen, hoewel Marcas graag het bed met haar had gedeeld. Zijn emotie bij het ontwaken achter die vervallen ruïne stond hem nog helder voor de geest. Maar het zou schandalig zijn om misbruik te maken van de gelegenheid.

Toen hij in de salon kwam zag hij Anaïs in een fauteuil zitten met haar benen op een stoel. Met een kop koffie naast zich was ze verdiept in het dossier over Henry Dupin. Ze keek op toen ze Marcas hoorde aankomen.

'Goedemorgen, langslaper.'

'Iemand van mijn leeftijd heeft veel rust nodig.'

Ze glimlachte. Marcas vond die lach leuk.

'Wil de oude Antoine koffie? In de keuken staat nog. Teone heeft net gebeld. Hij heeft een afspraak met die Casanovaspecialist voor je geregeld, over een uur in café...'

'Niet zeggen... Café Casanova?'

'Die Teone heeft een goed gevoel voor humor,' zei de jonge vrouw, zich uitrekkend. 'En hij is charmant ook.'

'Jouw type man? Grijzende slapen, manieren die niet meer van deze tijd zijn... De vaderfiguur,' reageerde Marcas iets te snel.

Ze stond op en glimlachte weer.

'De commissaris is toch niet jaloers?... Schattig is dat. En wat is jouw type vrouw? Isabelle? Het intellectuele zusje met een schortje voor. Zo'n typetje dat tijdens het vrijen een boom opzet over passer en winkelhaak.'

'Dat is niet leuk,' zei Marcas gegeneerd.

Op dit terrein was hij niet zeker van de overwinning. Op geen enkel terrein op dit moment.

'Ik heb met die Isabelle een teer onderwerp aangeroerd.'

'Wat een stomme opmerking,' gromde hij en pakte het Dupin-dossier. 'En wat zit hierin?'

Anaïs keek zuinig.

'Krantenknipsels, een overzicht van zijn fortuin. Een interview waarin hij vertelt over zijn Casanovaverering. Er zit ook een reportage bij van zijn huis hier, een voormalig franciscanenklooster. Met interessante details, onder andere een plattegrond van het huis. Die kan ons van pas komen.'

Marcas keek uit over Venetië. Het was nog mistig en de stad had nog steeds diezelfde spookachtige sfeer van de vorige nacht. Het schoot hem te binnen dat hij Isabelle moest bellen.

'Ik moet een telefoontje plegen.'

'Met Isabelle zeker? Aandoenlijk, hoor,' sarde de jonge vrouw en nam het dossier weer op haar schoot.

Marcas haalde de gsm uit de la in de gang en koos het nummer.

'Met Isabelle Londrieu.'

'Hoi, met Marcas.'

'Antoine! Waar zit je?'

'In Venetië.'

'Je bent wel een doordouwer. Vertel me wat er is gebeurd.'

De politieman liep naar de salon en ging in een fauteuil tegenover het grote raam zitten. Hij begon te vertellen. Af en toe keek hij steels naar Anaïs, vertederd omdat ze er zo ondeugend uitzag in een veel te grote mannenpyjama en met verwarde haren. Hij eindigde met zijn plan het eiland van Dupin te infiltreren.

'Je bent stapelgek. Jullie zijn geen partij voor hem.'

Marcas kon het slecht hebben dat er aan zijn kwaliteiten werd getwijfeld. Vooral als een vrouw dat deed. Een oude machoreflex. Hij ging rechterop zitten.

'Mijn besluit staat vast. Ik verzoek je alleen om me de inlichtingen te sturen die ik je gevraagd heb. Stuur ze maar naar mijn mailbox, ik kan die van hieruit openen.'

'Hoe gaat het met Anaïs?'

Antoine was even sprakeloos.

'Hoe weet jij dat?'

'Van Alexandre Parell. Je adjunct schijnt gepraat te hebben. Ze is toch bij jou? Weet je dat ze je hebben laten vallen?'

'Ja,' moest de commissaris toegeven.

'En je bent nog altijd van plan om samen met dat meisje het hol van die gek te bestormen?'

'Ja.'

'Goed. Als die Venetiaanse smerissen lang op zich laten wachten, gebruik dan de troefkaart die je in handen hebt. De hartenvrouw. Je Anaïs.'

'Kun je dat even uitleggen?'

'Alle goeroes hebben dezelfde zwakke plek. Ze verdragen het niet dat volgelingen zich tegen hen keren. Dat maakt ze dol van woede, omdat ze bang zijn hun greep te verliezen. Hun grootste overwinning is ook om een afgedwaald schaap terug te drijven in de schaapskooi. In de groepen waarmee ik werk hebben we al eerder zulke gevallen meegemaakt.'

'Ik volg je niet. Anaïs haat die vent zo vreselijk dat ze in staat is hem met haar blote handen te vermoorden.'

'Het gaat er alleen maar om tijd te winnen tot de politie er is. Zeg tegen Anaïs dat ze een toneelstukje opvoert als jullie in de problemen komen. Dat ze zich aan zijn voeten moet werpen en doen of ze jou in de steek laat. Dat geeft je misschien een beetje respijt.'

'Daar zal hij nooit intrappen.'

'Dat is niet zeker. Ik heb me lang verdiept in de psychologie van sekteleiders. Sleutelwoorden voor hun perversie zijn vernederen en overheersen. Het streelt hun ego geweldig iemand aan hun voeten te zien liggen, vooral in het bijzijn van hun volgelingen.'

'Ik zal wel zien,' zei Antoine weifelend. 'Bel me nog even als je die info over Crowley hebt verstuurd.'

'Pas goed op jezelf, broeder.'

'Dank je.'

Marcas maakte een eind aan het gesprek. De waarschuwingen van Isabelle waren terecht. Hij merkte dat de angst hem weer bekroop. Hij had nog krap vierentwintig uur om zich voor te bereiden op de confrontatie met Dionysus en de zijnen. Voor het eerst sinds hij in Venetië was voelde Antoine zich weer kwetsbaar.

59

Parijs

Een koude regen daalde neer op de quai de Conti. De enkele voorbijgangers liepen gebogen onder hun druipende paraplu's. Oedipus holde de portiek uit en dook in de wachtende taxi.

'Roissy, terminal 2D,' zei hij tegen de chauffeur, een Aziaat met een petje op.

'Komt in orde.'

De taxi trok op en voegde zich in de verkeersstroom. Oedipus keek naar zijn in wit verband verpakte wijsvinger. Het was de prijs die hij betaalde voor alle gunsten die Dionysus hem verleende. Hoewel hij door die korte martelsessie geen gelegenheid had gekregen om iets te proberen met een vrouwelijke klant van de club. Dat was een voordeel waar hij altijd van profiteerde als hij in het hol van Dionysus geroepen werd. Hij begreep trouwens niet waarom de meester zich nooit met zijn klanten inliet. De man voor wie seks zo bovenmatig belangrijk was, schermde zijn eigen seksleven volledig af. In de drie jaar dat hij diens volgeling was, had hij hem nooit samen gezien met een vrouw of met een man. Zelfs bij praktische oefeningen van de ingewijden keek hij alleen maar toe. Het was een van de vele geheimen van de meester.

Op de vrije busbaan vloog de taxi treiterig langs de auto's die muurvast stonden op de rijstroken ernaast. Voor de zoveelste keer controleerde Oedipus of hij zijn Air France-ticket voor Venetië en een van zijn geldige paspoorten bij zich had.

Hij nam nog eens alle taken door die hem wachtten in de lagunestad. De bevelen van Dionysus waren ondubbelzinnig. Zelfs hij huiverde als hij dacht aan het plan dat de meester zo zorgvuldig had voorbereid.

Wat er in Venetië ging gebeuren zou de wereld zich nog lang herinneren.

Dionysus zou Casanova verdringen in het geheugen van de mensheid.

60

Venetië

Ze wachtten beleefd op een groep Chinese toeristen voordat ze zelf het smalle bruggetje namen over het kanaal dat bomvol lag met gondels en motorboten. Achter hen vond een klas Franse schoolkinderen dat ze niet genoeg opschoten. Anaïs en Marcas gingen opzij om ze te laten passeren.

'Het stadsbestuur zou dat groepstoerisme moeten verbieden. Het verpest alles.'

Marcas gaf de jonge vrouw een klopje op haar hand.

'Niet zo elitair doen. Die mensen hebben er ook recht op de charmes van Venetië te leren kennen.'

'Sorry, ik ben geen voorstandster van democratisch toerisme. Venetië is de stad voor paren, voor vurige liefde en voor mijn part voor scheidingen, maar niet voor klootjesvolk en cultuurbarbaren.'

De politieman las de zwarte letters op een plaquette boven een zuilengalerij.

Ponte della Nostalgia.

Hij keek weer op de geplastificeerde plattegrond. Na een korte aarzeling volgde hij met zijn vinger het kanaal.

'Als ik het goed heb, is het de eerste rechts.'

'Waar zijn we precies?'

'In de oude Joodse wijk. Het *Ghetto*. Een begrip dat zich snel verspreidde door de rest van Europa. Het is een vondst van de Venetiaanse senaat in de zestiende eeuw. De Joden werden verplicht te gaan wonen in de wijk van de ijzersmelterijen, de *geto's*. Vandaar die naam. Het was lekker handig, 's nachts en op christelijke feestdagen konden de autoriteiten de bruggen afsluiten.'

'De Venetianen zullen niet trots zijn op dat stukje verleden.'

'Venetianen zijn altijd praktische lieden geweest. Ha! We zijn er. Café Casanova.'

Het etablissement lag verstopt in een hoekje. Het had niets gemeen met het beroemde café Florian op het San Marco-plein, dat al meer dan een eeuw toeristen uit de hele wereld aantrok. Als de eigenaren misschien nog even gedacht hadden dat de internationaal bekende naam van de verleider toeristen zou trekken, hadden ze die hoop zeker al laten varen. Binnen zaten alleen stamgasten, van wie de meesten verdiept waren in eindeloze dominospelletjes. Er stond een in tweed geklede man op, die zijn witte baard gladstreek.

'Bent u de vrienden van Giacomo Teone?'

Marcas had moeite zich voor te stellen dat de zwierige zakenman en gewezen geheim agent bevriend was met een onderzoeker die eruitzag als professor Zonnebloem.

'Ja. Mag ik even voorstellen…'

Antoine kon zijn zin niet afmaken. De bejaarde, gebogen bibliothecaris repte zich naar Anaïs en gaf haar een handkus.

'Mag ik me voorstellen, André del Segrado. Mijn vriend Teone heeft me gesproken over uw schoonheid, maar hij heeft zich uitgedrukt in eufemismen. Hij had metaforen moeten gebruiken!'

'Kent u br… meneer Teone goed?' vroeg de commissaris om de aanstormende woordenvloed te keren.

'In Venetië kent iedereen iedereen. Er zijn zo veel gelijklopende belangen. Giacomo is heel gul geweest voor de Finni Stichting, waar ik werk. Dus toen hij zei dat twee buitenlandse gasten belangstelden in Casanova…'

Anaïs onderbrak hem.

'We zijn helaas slecht bekend met het oeuvre van Casanova. We hebben alleen een paar simpele inlichtingen nodig…'

'Eigenlijk zijn we benieuwd naar uw mening over de verkoop in Parijs van dat ongepubliceerde manuscript een paar weken geleden,' verduidelijkte Antoine.

'U werkt voor de verzekering, geloof ik?'

De geleerde keek hen plagerig aan.

Anaïs en Marcas zwegen.

'… Ik snap het, ik snap het! U moet discreet te werk gaan. Ik vind dat…'

'Ja?'

'Dat de verkoopprijs…'

De oude man bespeelde zijn gehoor alsof hij op de planken stond.

'Wat wilt u daarmee zeggen?' wilde Anaïs ongeduldig weten.

'Dat het geen geringe verantwoording is om zo'n manuscript te verzekeren.'

Anaïs besloot het spelletje mee te spelen. Als de baardige bibliothecaris hen voor verzekeraars hield, konden ze net zo goed doen alsof.

'Onze firma heeft al kunstvoorwerpen verzekerd voor veel hogere bedragen.'

'Dat geloof ik best. Maar stel u voor dat er iets ergs gebeurt met dit manuscript, dan moet u een leuk sommetje uitkeren.'

'Eén miljoen euro,' zei Antoine die de vorige avond op internet nog eens alle details van de verkoop had bekeken.

'Dat is veel geld,' hield Del Segrado vol.

'Toch minder dan voor manuscripten van Céline of Kafka.'

'Het blijft veel geld,' zei de oude man koppig.

'Maar waarom dan?'

'Omdat het een vervalsing is!'

61

Venetië,
Calle de Oro,
loge San Giovanni della Fedeltà

Broeder Teone was bij de laatsten die de Tempel verlieten. Op het voorhof praatten meesters gedempt na over het bouwstuk van deze comparitie. Anderen voegden zich bij hun broeders in de zaal waar het broedermaal werd gehouden. In de bar werd alweer gelachen en sigarettenrook kringelde langs de trap omhoog. Een officier-dignitaris van de loge, de Voorbereider, vouwde zorgvuldig cordons in een zwart koffertje, terwijl de Ceremoniemeester de officiële aankondigingen van de obediëntie van het mededelingenbord haalde.

In Venetië werd vrijmetselaars geen strobreed in de weg gelegd, maar dat was niet altijd zo geweest. De broeders hadden daarom de gewoonte aangenomen niets in de Tempel achter te laten wat niet bestemd was voor profane bezoekers. Het enige wat bleef hangen op de muur van het voorportaal was de ingelijste kopie van de akte van de oprichting in 1780. Het origineel werd bewaard in het Nationaal Archief.

Teone was een bedachtzaam man. Hij besliste nooit iets zonder eerst uitvoerig alle inlichtingen daaromtrent te hebben bestudeerd. Dankzij die voorzichtigheid leefde hij nog. Nadat hij zich op uitdrukkelijk verzoek van de bolle broeder had ontfermd over de twee Fransen, had hij het verhaal van hun bizarre wederwaardigheden aangehoord. Vanavond zou hij alles natrekken en dan beslissen.

De Voorzitter kwam op Teone af en nam hem bij de arm.

'Kom, ik stel je voor aan de man die je wilde zien.'

Zwijgend volgde Teone zijn broeder.

Nadat hij Marcas en Anaïs had verlaten, had hij zijn Voorzitter gebeld. Het was een kort gesprek geweest. De Voorzitter had hem direct begrepen. Als ingewijde in de hogere graden, kon hij een broeder van zijn eigen rang niets weigeren. Vooral niet als die broeder Teone heette.

'Ik heb de Engelse salon open laten doen. We gebruiken die zelden, maar we zitten er rustiger.'

De Engelse salon! Voor de broeders van deze loge was deze plek haast mythisch. In de negentiende eeuw was Venetië een bedevaartsoord geworden voor cultuur minnende Engelsen. In het kielzog van hun landgenoot John Ruskin, die met zijn boeken de Europeanen de vergeten bekoringen van de stad in herinnering had gebracht, waren honderden Engelsen er neergestreken. Ze huurden of kochten er paleizen die ze grootscheeps lieten restaureren.

Veel van die Engelsen waren vrijmetselaars die de loge San Giovanni della Fedeltà bezochten. Daar werd de in het Britse rijk meest voorkomende Schotse ritus gevolgd. De contacten met de Italiaanse broeders waren voortreffelijk, maar de Engelsen hadden er soms ook behoefte aan om onder elkaar te zijn. Ze kregen toestemming om op de bovenverdieping een aparte salon in te richten, waar ze elkaar konden ontmoeten in een Engelse clubsfeer. Dit trefpunt van generaties van Hare Majesteits onderdanen werd gesloten met de opkomst van Mussolini. Na de Tweede Wereldoorlog werd de salon niet meer gebruikt, maar de opeenvolgende Voorzitters hielden de plek eerbiedig in ere, als aandenken aan voorgoed vervlogen tijden.

Teone betrad de salon. In een van de lederen clubfauteuils zat een man in een donker pak. Hij was in de vijftig en had wit, kortgeknipt haar. De Voorzitter stelde hen voor.

'Teone, dit is broeder Michele.'

'Aangenaam, broeder. Bij welke loge bent u?'

Er blonk een olijke vonk in de blik van Michele en de Voorzitter begon te lachen.

'Broeder Michele hoort bij de... orde van de dominicanen! Je had gevraagd om een sektespecialist... dus...!'

Nu begreep Teone waarom ze in de Engelse salon waren. Een monnik mocht geen loge betreden. Hij wilde zich voor zijn blunder verontschuldigen, maar broeder Michele begon de reden voor zijn aanwezigheid al uit te leggen.

'Onze orde heeft sinds zijn oprichting in de achtste eeuw altijd ketterijen bestreden. Tegenwoordig richten we ons op de sekten.'

De dominicaan had een heldere, kille stem die Teone onaangenaam trof. De heilige inquisitie lag heel wat Venetianen en vooral de vrijmet-selaars onder hen nog vers in het geheugen. Maar hij had informatie no-dig over sekten, dus vooruit maar…

'Eigenlijk zoek ik inlichtingen over…'

'Uw Voorzitter heeft me uitgelegd dat u op zoek bent naar sektarische groeperingen die seksuele riten uitvoeren. Klopt dat?'

Giacomo aarzelde even.

'Dat is te zeggen…'

De dominicaan haalde een leren sigarenetui tevoorschijn.

'Rookt u?'

'Jawel.'

'Houdt u me dan gezelschap? Als ik buiten het klooster ben, sta ik mezelf deze kleine zonde toe. Het zijn trouwens *Romeo y Julieta's*. Een legendarisch paar. En zo blijven we nog bij ons onderwerp ook.'

Teone waardeerde de humor van de kloosterling, en stak een sigaar op. De dominicaan begon zijn uiteenzetting.

'Al die sektarische stromingen die de seksualiteit centraal stellen, gaan uit van het geloof in een oerpaar dat een nieuwe, androgyne mens kan voortbrengen.'

'Waar komt dat geloof vandaan?'

'In de christelijke wereld uit een onjuiste interpretatie van Genesis. Sommige sekten zien de scheiding van de geslachten in het paradijs als het werkelijke begin van de erfzonde.'

De sigarenrook bereikte het plafond. Teone nam een trek voordat hij de vraag stelde die hem het meeste bezighield: 'En met seks zou men de oertoestand weer kunnen herstellen?'

'Er zijn twee manieren. Die hebben inderdaad allebei met seks te ma-ken. U hebt de keuze tussen de orgie en de ejaculatieonthouding.'

'De orgie kan ik me nog wel voorstellen, maar ejaculatieonthou-ding…'

'Het sparen van het zaad. Het is de meest aanbevolen manier.'

Broeder Teone kon zich even niet inhouden. 'Zelfs in de christelijke traditie?'

De dominicaan glimlachte. 'Hebt u wel eens gehoord van de Maria-kwestie?'

'Nee.'

'Die slaat op een gnostische tekst uit de begintijd van het christendom. Er is sprake van een Jezus die denkend aan Maria Magdalena een forse erectie krijgt.'

'Een erectie?'

'Een erectie gevolgd door een ejaculatie.'

'Maakt u een grapje?'

'Nee. U moest eens weten welke onzin er in die heidense geschriften staat. Goddank heeft de Heilige Moederkerk al een flinke schoonmaak gehouden in de schrijfsels van die verwarde geesten.'

Teone legde zijn sigaar in een asbak. Die dominicaan wist duidelijk waar hij het over had.

'Jezus en Maria Magdalena trouwden en kregen een heleboel kinderen. Die werden de kinderen van de Graal genoemd. Het doet me denken aan een zekere bestseller. Hebben andere religieuze tradities soortgelijke ideeën over seks ontwikkeld?'

'Ja, je hebt het tantrisme in India en het taoïsme in China. In beide gevallen is de techniek hetzelfde. Tijdens het geslachtsverkeer mag de man niet ejaculeren. Die oefening in onthouding geeft uiteindelijk wat de tantristen de *kracht van de slang* of de *Kundalini* noemen.'

'Is dat een spirituele energie?'

'Ja, en één die de metamorfose van de mens bewerkstelligt, hem verheft tot een goddelijk niveau en hem een absolute verlichting brengt.'

De oude spion keek de monnik vorsend aan.

'Zeg eens eerlijk, gelooft u dat?'

'Waar het mij om gaat is dat die sekten het geloven!'

Teone twijfelde. Hij had die twee Fransen wel geholpen, maar bepaalde details van hun verhaal zaten hem niet lekker. Ze waren er natuurlijk op voorspraak van de bolle broeder, die boven alle verdenking stond. Maar toch... moest hij nog iets checken.

'Zegt de naam Aleister Crowley u iets?'

De dominicaan doofde zijn sigaar.

'Die is de ergste van allemaal! Die zocht geen energie, maar macht. Macht over anderen. En om die te krijgen bediende hij zich van seksuele magie. Hij probeerde mensen te beheksen.'

'Hoe deed hij dat dan?'

'Door copulatie en masturbatie. In beide gevallen ving hij het resultaat van de operatie op en gebruikte dat bij de bezweringsrituelen.'

Die Fransen hadden dus niet gelogen. Al sinds de oudheid bestaat er echt een traditie die seksuele praktijken hanteert als sleutel tot het paradijs of de hel. Nu wist Teone wat hem te doen stond.

'Hebt u nog andere vragen?'

De vraag van de dominicaan haalde hem uit zijn overpeinzingen.

'Nee, ik dank u hartelijk. Trouwens…'

Teone stond op. Hij moest dringend weg.

'Ik kan u niet genoeg danken dat u hier hebt willen komen.'

'Het genoegen is geheel aan mijn kant. Ik was nog nooit eerder in een vrijmetselaarsloge.'

Broeder Teone verstarde. Een fractie van een seconde stelde hij zich de monnik voor met alle parafernalia van het kruis… en de brandstapel waar de inquisiteurs zo dol op waren. Nu kreeg hij helemaal haast.

Een minuut of tien na het vertrek van Teone, deed de Voorzitter zijn bezoeker uitgeleide. Bij de deur liet broeder Michele zich ontvallen: 'Uw vriend stelt erg veel belang in sekten.'

'Waarschijnlijk werkt hij aan wat wij een bouwstuk noemen over dit onderwerp.'

'Waarschijnlijk. Hij is al goed op de hoogte. Maar weinig mensen kennen de naam van Aleister Crowley.'

De Voorzitter had de grootste moeite om de sleutel om te draaien.

'Ik was trouwens verbaasd dat hij niets vroeg over een andere naam.'

'Welke naam?'

De Voorzitter kreeg eindelijk de deur open.

'Casanova.'

62

Venetië

In het café Casanova keken Anaïs en Marcas hun buurman stomverbaasd aan.

'Is het Casanovamanuscript een vervalsing?'

André del Segrado knikte opgewekt.

'Zonder enige twijfel.'

Anaïs was de eerste die met een tegenwerping kwam.

'Maar voor die prijs controleren de experts toch alles! Het handschrift, de inkt, het papier!'

'Natuurlijk en ik ben er zeker van dat de resultaten positief waren. Juist omdat voor zo'n prijs vervalsers niets aan het toeval overlaten.'

'Maar je kunt het handschrift van die tijd toch niet nabootsen?'

'Vergist u zich niet, dat is het gemakkelijkste van het hele karwei. Geletterde achttiende-eeuwers hadden allemaal geleerd in schoonschrift te schrijven. Als je het geschrift van Voltaire vergelijkt met dat van Rousseau zie je nauwelijks enig verschil. Het enige onderscheid zit in de grootte van de letters, hoe schuin ze staan en in misschien enkele karakteristieke eigenaardigheden. Wanneer je je die variabelen hebt eigen gemaakt is het doodsimpel om met een ganzenveer een vervalsing te maken.'

Marcas was nog niet overtuigd.

'En de inkt dan, je kunt die toch laten analyseren...'

'Juist, we kennen exact alle chemische samenstellingen van de inktsoorten uit die tijd. De gespecialiseerde laboratoria publiceren hun analyses gewoon op internet. Je hoeft maar de goede compositie te maken. En kom me niet aanzetten met de koolstof-14 dateringsmethode. Die is voor deze periode niet toepasbaar. Niet lang genoeg geleden.'

'En het papier?' probeerde Anaïs.

'Kijk maar op de site livresrares.com van een Zwitserse handelaar die oude boeken verkoopt. In de rubriek 'manuscrit' vind je achttiende-eeuwse kasboeken. De handelaren die er hun rekeningen in bijhielden gebruikten vaak niet het hele boek. Er bleven tien, twintig, vijftig of soms meer bladzijden leeg. Tast maar toe!'

Antoine snapte er niets meer van.

'Maar wat is het nut van zo'n vervalsing?'

Del Segrado maakte een berustend gebaar.

'Winstbejag. Er is geen aanbod van Casanovamanuscripten. Onze Venetiaan heeft heel veel nog ongepubliceerd werk nagelaten. Maar dat is direct in handen gekomen van de familie Waldstein die hem onderdak had gegeven. Daarna is het naar de Staatsarchieven in Praag gegaan. Geen denken aan dat er ook maar één velletje van is gaan zwerven.'

'En het manuscript van zijn *Mémoires*?'

Dat is sinds 1820 eigendom van de Duitse uitgeverij Brockhaus. Die heeft het tot op heden kunnen conserveren. En dat gebeurde niet met de bedoeling er nu een stuk van te verkopen. Conclusie, er is geen enkel manuscript in omloop. Vandaar dat het financieel aantrekkelijk is er één *uit te vinden!*'

'Kortom,' zei Antoine, 'het is uitgesloten dat een ongepubliceerd geschrift van Casanova onbekend gebleven zou zijn, dus...'

'Dus staat het als een paal boven water dat het om een vervalsing gaat!'

'Maar de inhoud dan?'

Nu deed Del Segrado verbaasd.

'Hoezo, de inhoud?'

'Nou, om eventuele kopers te interesseren moet ook de tekst belangwekkend zijn. En als ik het goed begrepen heb staan er nieuwe onthullingen over Casanova in.'

De deskundige begon te lachen.

'Dat Casanova vrijmetselaar was! Dat wisten we toch allang! Vraagt u maar aan uw vriend Teone. Er is niets nieuws onder de zon.'

'Waarom zou iemand juist de vrijmetselarij tot het onderwerp van een vervalsing maken?'

Plotseling veranderde Del Segrado's toon.

'Waarom? Stel u in de plaats van de vervalser. Het leven van Casanova is ons al tot in detail bekend. Wat kun je nog voor nieuws verzinnen?'

'Geen idee, een nieuwe maîtresse?' zei Anaïs.

'Uitgesloten! Casanova was heel sentimenteel. Hij raakte niet uitgepraat en uitgeschreven over nieuwe veroveringen, zelfs al zocht hij ze nooit meer op! In elke stad waar hij ooit een vrouw heeft liefgehad, gaat hij direct weer op zoek naar zijn vroegere passie. Elke minnares wordt in zijn *Mémoires* ten minste tien keer genoemd. Uitgesloten dat hij een vrouw aan wie hij ooit een hoofdstuk wijdde, nooit meer zou noemen.'

'Wat dan?'

'Nou, de vrijmetselarij! Van dat deel van zijn activiteiten is het minste bekend, ondanks het feit dat er tientallen boeken over zijn geschreven. Bedenk dat er maar één document bestaat dat Casanova's vrijmetselaarschap bewijst, en dat is een visiteurenboek met zijn handtekening.'

'Maar u zei net dat iedereen wist dat Casanova vrijmetselaar was?'

'Omdat hij het van de daken schreeuwde! Omdat het in die tijd bon ton was om broeder te zijn! Omdat hij sprak en schreef voor de eeuwigheid. Maar wat hij werkelijk deed binnen de vrijmetselarij blijft een raadsel.'

Antoine begon zijn geduld te verliezen.

'U beweerde dat een vervalser expres dat deel van Casanova's leven koos om de vrije hand te hebben.'

Del Segrado keek op de afgebladderde houten klok boven de toog. Het begon laat te worden.

'Ja, en om nog een andere reden.'

'Welke?' wilde Anaïs weten.

'Zijn potentiële klantenkring uitbreiden.'

'Naar wie?'

De expert tastte naar zijn portefeuille. Marcas wilde hem tegenhouden.

'Nee, nee! Vrienden van Teone zijn mijn gasten. Weet u, hier in Venetië doet een verhaal de ronde. Er wordt gezegd dat Casanova zijn eigen loge heeft opgericht en dat hij zelfs een eigen ritueel heeft bedacht.'

'Zijn eigen ritueel…' herhaalde Antoine, zonder dat hij het besefte, hardop.

'Ja, een ritueel met wonderlijke praktijken. Toen Casanova hier in Venetië werd gearresteerd vond men stapels boeken bij hem. Boeken over magie. Met toverformules! Over de kabbala!'

'Is dat echt waar en bewezen?' vroeg Anaïs verdwaasd.

'Ja, we hebben het verslag van de inquisiteurs die de boeken in beslag namen en er lijsten van maakten. Hij bezat een complete bibliotheek over occulte zaken.'

'Nou en?'

'Stel u voor, ineens duikt die volmaakte vervalsing op waarin iemand de rite heeft gereconstrueerd en tot in detail heeft beschreven. Ga maar na! Wie zouden dat willen kopen?'

Plotseling drong het tot Marcas door! Even maar, want hij kon nog niet alles bevatten.

'Weet u het niet? Dan zal ik het u zeggen! Alle mystici, alle fanaten van esoterie en spiritualiteit storten zich erop!'

'Maar waarom?' riep Anaïs.

'Om een nieuwe religie te vestigen. Hun religie.'

63

Venetië

Het grijze, vier verdiepingen hoge gebouw vloekte hevig met de architecturale schoonheid van Venetië. Het hoofdkantoor van de firma Teone stond tussen twee ongebruikte pakhuizen langs de rails van het Santa Lucia-station. Het had net zo goed een verlaten industrieterrein in Milaan of Turijn kunnen zijn. Drie verroeste *motoscafo's* versperden als grote, dode vissen een zijspoor dat al dertig jaar niet meer werd gebruikt. Uit een kanaaltje dat langs het gebouw liep steeg een beerputlucht op.

'Geweldig. Het geheime Venetië dat in geen enkele toeristische gids wordt vermeld. Hierbij vergeleken zinken het San Marco-plein en hotel Danieli in het niet,' foeterde Anaïs, haar neus dichtknijpend.

'Geeft niet. Het toeristische gedeelte van onze trip komt nog wel. Als we het paleis van Dupin gaan bezichtigen, bijvoorbeeld…' antwoordde Marcas, stampvoetend van de kou.

Ze kwamen voor een olijfgroene deur met een betralied luikje. Marcas belde aan. Na tien seconden ging het tralieluikje open en keken ze in een paar mannenogen.

'Hermes,' zei Marcas schor.

'Trismegistus,' antwoordde de man.

De reus die ze de avond tevoren hadden gezien in het appartement deed de deur open en wees naar een zaal die vol stond met boeien, onderdelen van boten en geverniste planken. Een anker dat betere dagen had gekend hing als een verroeste vishaak aan een grove spijker in de muur. Ze liepen de zaal door en kwamen in een nog smeriger vertrek. Aan de rechtermuur hing een enorme vergeelde foto van het soort zonsondergangen dat in de hippieperiode zo gewild was. Links onthulde een kalender van 1969 de vermoeide charmes van een pin-up die inmiddels waarschijnlijk zat te dementeren in een bejaardenhuis. Een groot multiplex bureau verdween onder stapels pakpapier.

'Het lijkt meneer Teone niet erg voor de wind te gaan,' fluisterde Anaïs.

Op een wankel stoeltje balancerend keek de baas van de firma Teone glimlachend op van een computerscherm.

'Welkom in paleis Teone, vrienden.'

Anaïs glimlachte benepen naar Marcas. De Venetiaan bleef zitten en liet hen staan waar ze stonden.

'Geef maar toe dat jullie iets beters hadden verwacht!'

'Och, uiterlijkheden…' zei Marcas ironisch.

'Inderdaad, alles is maar schijn,' zei Teone opstaand.

Hij draaide zich om en drukte op een klein plastic anker aan de muur.

Voor de verbaasde ogen van de twee Fransen werd er onder de grote poster van de zonsondergang een gecamoufleerde deur zichtbaar.

'Daar waar de ster geboren wordt, straalt het ware licht… Volg me maar,' zei Teone ernstig. 'Opgepast, de trap is heel steil.'

Het groepje daalde een aantal betonnen treden af die uitkwamen in een nauwe gang. Hij was net breed genoeg voor één persoon. Op regelmatige afstanden geplaatste nachtlampjes gaven nauwelijks genoeg licht om de plassen op de vochtige bodem te kunnen ontwijken. Ze bestegen een trap en kwamen voor een ijzeren deur met een groot portret van een gehelmde Mussolini. De bolle ogen van de dictator staarden naar het plafond. Eronder stond in zwarte letters geschreven: ¡CON IL DUCE, FINO ALLA MORTE!

'Gezellig,' zei Anaïs. 'Een clublokaal voor oude fascisten? Als ik het had geweten, had ik mijn spijkerlaarzen aangetrokken.'

Teones stem galmde door de holle gang. 'Ik heb deze geheime doorgang ontdekt toen mijn vader hier in 1960 zijn firma vestigde. Hij werd aangelegd door de fascisten als verborgen uitgang van een bureau van de geheime politie. Zo konden verklikkers komen en gaan zonder opgemerkt te worden door de partizanen.

'En waar gebruik je hem nu voor?' vroeg Marcas.

'Om naar mijn echte kantoor te komen. Mijn schuilplaats. Van mijn tijd bij de geheime dienst heb ik heimwee naar de clandestiniteit overgehouden. De Duce is maar een grapje.'

Teone stak een plastic kaartje in de stalen gleuf die op de plaats van het sleutelgat zat. Hij duwde de deur open en liet de Fransen voorgaan. Ze kwamen in een enorm modern kantoor. Door smalle vensters tussen oranjeachtig houtwerk viel het daglicht naar binnen. Een donkerrood Perzisch tapijt bedekte de parketvloer. Boven de boekenkast hing een groot rechthoekig schilderij van de San Giorgio Maggiore-kerk, gezien vanaf het Giudecca-kanaal. Marcas weifelde. Hij vroeg zich af of het een echte Canaletto was of een heel goede kopie.

Op een zandkleurige canapé zat een corpulente man in een tweedjasje een sigaret te roken. Over een van zijn wangen liep een dun litteken. Hij bekeek de nieuwkomers aandachtig met bleekblauwe ogen. Teone stapte naar hem toe en wees op Marcas en Anaïs.

'Beste kapitein Pratt, dit zijn onze vrienden. Zij hebben een lange reis gemaakt om hier te komen.'

Iedereen ging zitten; de man schudde de drie binnenkomers snel de hand.

'Pratt spreekt Frans; hij heeft tien jaar geleden bij Interpol in Lyon gezeten,' legde Teone uit. 'Het woord is aan u, kapitein.'

De Italiaanse politieman had een gedetailleerde kaart van het eiland San Francesco del Deserto op de glazen tafel uitgespreid. Hij keek naar Marcas en Anaïs.

'Teone heeft me het hele verhaal verteld. Ik verhul niet dat het een heel gewaagde onderneming is. Het is uitgesloten dat mijn mannen met u meegaan in het paleis van Henry Dupin. Daarvoor heb ik geen officieel mandaat.'

'Dat vragen we ook helemaal niet van u. We vragen alleen logistieke steun om Dionysus te laten arresteren.'

'Leg me even snel uit wat jullie van plan zijn,' zei Pratt, een trekje van zijn sigaret nemend.

'We gaan met de uitnodiging van een ander paar naar het bal van Dupin. Ter plaatse kan Anaïs Dionysus aanwijzen, zonder ons te laten ontmaskeren. Ik bel u op uw gsm en u komt met uw mannen om hem te arresteren.'

Pratt keek naar Teone en vervolgens weer naar de twee Fransen.

'Veel te gevaarlijk… Ik zie het niet zitten. Als het fout loopt heb ik een groot probleem.'

Anaïs kwam vriendelijk tussenbeide.

'Kapitein, alle risico's zijn voor ons. Als Dionysus of een van zijn helpers ons herkent, zullen ze niet aarzelen om ons te vermoorden.'

'Dat zal wel, maar ik heb verantwoording af te leggen. Mijn mensen inzetten zonder mijn meerderen op de hoogte te brengen kan me duur te staan komen.'

'Behalve als u de aanstichter van de moorden in Cefalù arresteert. Dan gaat u met de eer strijken,' zei de jonge vrouw.

De politieman doofde zijn sigaret.

'Juffrouw, dat kan allemaal veel eenvoudiger. Ik arresteer u nu als enige getuige. U wordt gezocht door alle politiediensten in dit land. Daarna omsingel ik het eiland van Dupin om uw Dionysus in te rekenen. We confronteren u met alle aanwezigen en u wijst me de man aan. Dan is alle eer ook voor mij. En u hoeft uw leven niet te wagen.'

Anaïs keek ongerust naar Marcas.

'Daar is geen speld tussen te krijgen, collega,' zei Antoine. 'Maar als u Anaïs arresteert is het nog niet gezegd dat u toestemming krijgt om Dionysus uit zijn hol te halen. Temeer daar Anaïs niet alleen getuige, maar ook... verdachte is. Eén verdachte is al ruim voldoende.'

'Geen mens gelooft dat een vrouw de leiding heeft van zo'n duivelse sekte. Jammer genoeg bedenken alleen mannen zulke gruweldaden,' bitste de kapitein.

'Voor de verandering ben ik u dankbaar voor die macho-opmerking,' zei Anaïs snibbig.

Teone had zijn benen over elkaar op de canapé gelegd.

'Toch hebben ze gelijk, Pratt. Je moet hen het beest in zijn hol laten opzoeken. En ik heb trouwens besloten met hen mee te gaan om een handje te helpen.'

Anaïs en Antoine keken hem verbluft aan. Ook Pratt zette grote ogen op. Teone wuifde alle bezwaren bij voorbaat al weg.

'Punt uit. Het is net of die goeie oude tijd weer terug is. Nu deze zaak op mijn pad is gekomen, heb ik heimwee naar mijn actieve jaren in de dienst.'

Marcas was de eerste die reageerde.

'Alles goed en wel, maar dan moeten we nog een extra uitnodiging zien te vinden.'

Teone grinnikte.

'Alles is al geregeld met de kostuumverhuurder. Drie gasten zullen net voor het begin van het bal door mijn mensen worden aangehouden. Eentje is bankier in Lugano en bekend als specialist in het wegsluizen van fortuinen. De twee anderen zijn een echtpaar en allebei televisie-producenten uit Milaan. De loge Casanova doet in chic volk. We houden ze vast zolang als nodig is. En dan laten we ze weer gaan. Ze zullen hun mond wel houden uit blijdschap dat ze zijn ontkomen aan wat zij voor een criminele gijzeling hielden.'

Anaïs barstte in lachen uit. Opmerkelijke zeden en gewoonten hielden die Italianen erop na.

'We hebben nog één dag voor het bal. Dus doet u met ons mee, beste... Prins van Jeruzalem?' vroeg Teone aan de Italiaanse politieman.

'Ik hoop broederlijk dat u weet waarin u ons meesleept.'

'Nee, en dat is nog het ergste van alles,' besloot Marcas het gesprek.

64

Venetië

De zon verdween achter de daken van de paleizen met hun ontpleisterde voorgevels. De vensters van de hoogste verdiepingen die het langste zon hadden, kaatsten stralen terug die even rood waren als de zee. Beneden, in de smalle straatjes langs de kanalen, was het al donker in de hoekjes waar de zon niet meer kon komen.

Drie in spookachtige capes gehulde silhouetten liepen zwijgend voort, af en toe kruisten ze voorbijgangers die nieuwsgierig naar hun vermommingen keken. Het groepje had tien minuten tevoren de verhuurderij van gelegenheidskleding in de Dorsoduro-wijk verlaten en begaf zich naar de aanlegsteiger van de Accademia.

De lagune was alweer in de mist gehuld en de Venetianen haastten zich naar huis. Alleen de weinige toeristen in dit seizoen bleven talmen langs het Canal Grande.

Het groepje stapte op de verlaten ponton waar net een *vaporetto* puffend wegvoer. De gevel van de Accademia achter hen was nauwelijks meer zichtbaar in de duisternis die erover was neergestreken.

Anaïs tilde de capuchon van haar zware cape op en onthulde een met groen glanzende zwarte veren verfraaid wit Venetiaans half masker, waaronder alleen haar mond zichtbaar was.

'Niet echt een leuke plek 's avonds,' zei de jonge vrouw tegen haar twee gezellen wier maskers ze nauwelijks meer kon zien onder hun kappen.

'Vroeger gooiden moordenaars hun slachtoffers op deze plek in het kanaal. Dat was nog voor de Accademia werd gebouwd,' doceerde Teone die ook zijn capuchon had laten zakken.

Zijn gitzwarte masker stelde een roofvogelkop voor, met smalle schuine openingen voor de ogen.

Marcas keek op zijn horloge. Binnen drie minuten kwam de *motosca-fo* die ze naar het eiland van Dupin zou brengen. Hij haalde de glanzend zwarte uitnodiging tevoorschijn. Midden op de kaart stond een ovaal medaillonportret van Casanova. Op de achterzijde stond in schoonschrift een Franse tekst afgedrukt.

Soirée de l'étoile à la fenêtre d'Orient.
Henry Dupin.
Palais del San Francesco del Deserto.

Antoine snoof de leerlucht van zijn maanvormige halve masker op. *De ster aan het Oostenraam*, peinsde hij en stak de uitnodiging weer weg. Weer dat symbool waar ook Crowley zo dol op was. Er schoot hem ook de raadselachtige titel te binnen van het merkwaardige stripalbum *De Engel aan het Oostenraam*. Het is een avontuur van Corto Maltese en de auteur was een vrijmetselaar die was ingewijd in de hoge graden. Vreemd, zoals zijn geheugen werkte. Hij zag dat Anaïs met haar gehandschoende hand nerveus aan haar cape pulkte. Hij ging dicht bij haar staan.

'We kunnen alles afblazen. Het is nog vroeg genoeg.'

Ze pakte zijn hand.

'Weet ik wel. Ik zou het liefst de benen nemen en alles ver achter me laten. Ik ben… doodsbang voor wat ik daar zal aantreffen.'

'We stoppen ermee!'

Ze strengelde haar vingers door de zijne.

'Nee, dat zou laf zijn. Eén stuk van me sterft van angst en het andere…'

'Het andere?'

'… wil die gek terugzien. Het is zo verwarrend; om de minuut verander ik weer van mening. Als die boot niet gauw komt geef ik er de brui aan. Ik ben jaloers op jouw kalmte.'

Marcas pakte haar bij de schouders.

'Trap er niet in. Dat is maar schijn… Ik probeer gewoon het hoofd koel te houden. En ik ben blij dat Teone bij ons is.'

'Dank voor de erkenning, broeder,' zei Teone hartelijk. 'En laten we ook vooral even meeleven met de drie leden van de Casanovaloge die op dit moment in een vochtige kelder zuchten. Ha! Daar is onze boot!'

Uit de mist dook een zwarte motorboot op die voorzichtig aanmeerde. Pratt kwam uit de kabine, gekleed in een lange antracietgrijze jas en met een half op zijn voorhoofd geschoven masker.

'Sorry voor de vertraging. Door de mist moesten we langzaam varen. Kom aan boord.'

Ze stapten in en nog voordat ze zaten, voer de boot al langs het Guggenheim Museum naar de monding van het Canal Grande. Pratt bleef staan en hield zich vast aan de handgrepen op het lage plafond.

'We hebben niet veel tijd voordat we bij het eiland komen. Luister goed. Ik geef jullie een doosje dat niet groter is dan een sleuteletuitje en een signaal kan uitzenden met een bereik van een kilometer. Dat signaal activeert een vuurpijl die mijn mensen waarschuwt.'

'Waarom een vuurpijl? Dat ziet iedereen en Dionysus zal de benen nemen!'

'We pakken hem wel, wees maar gerust. Als jullie in moeilijkheden komen zeg je maar dat de politie het eiland omsingeld heeft. In het ergste geval zullen ze jullie gebruiken als wisselgeld om te kunnen ontsnappen.'

'Leuk om te horen. Waar zijn uw mannen?'

'Op drie boten op drie punten rond het eiland, op tweehonderd meter van de aanlegsteigers. Buiten bereik van de beveiligingsradar die de nadering van ongewenste gasten van Dupins huis detecteert.'

'En de vuurpijl?'

'Eén van mijn duikers heeft hem vastgemaakt aan een paal die vijftig meter voor het eiland in het water staat. Vanuit de grote zaal van het klooster, kun je hem links zien staan.'

Marcas had zijn masker afgezet. Er parelde zweet op zijn voorhoofd. Anaïs hield het hare koppig op. Pratt leek bloednerveus.

'Nog iets anders. Theoretisch zitten er minstens vijf minuten tussen het moment waarop jullie het signaal geven en de bestorming van het eiland door mijn mannen. We zullen onze politiesirenes aanzetten om de bewakers af te schrikken.'

Anaïs zei koeltjes: 'Wie garandeert ons dat ze niet gaan schieten?'

'De bewakers die Dupin heeft ingehuurd zullen niets ondernemen tegen de politie. Maar zeker weten doe je het nooit. En de bodyguards van Dupin kunnen voor problemen zorgen.'

De boot voer langs het prachtig verlichte Lido. Antoine keek naar Anaïs.

'Gaat het?'

'Nee. Ik zou best een borrel willen om me moed in te drinken.'

Teone pakte een bruine fles en twee terracotta kopjes uit een grote lade onder de bank. Hij schonk een gele drank in en gaf de Fransen elk een kopje.

'Curaçaolikeur, een prima hartversterker voor als je je in het hol van de leeuw waagt.'

'Dank u, dat is een hele troost,' zei Anaïs en ze sloeg de likeur in één teug achterover.

De boot minderde vaart. Een door bomen omgeven vaargeul ging naar het eiland van Dupin. Aan het einde ervan waren nog net de okeren muren van het voormalige franciscanerklooster zichtbaar. Uit de lagune steeg een akelige stank op.

'Nu,' zei Pratt die bij de schipper ging staan.

De drie genodigden zetten hun maskers op en kwamen overeind. Marcas greep de arm van de jonge vrouw vast.

'Eén woord van jou en de boot maakt rechtsomkeert. Straks kan het niet meer.'

Anaïs keek hem aan van achter haar masker. Haar groene ogen waren bijna angstaanjagend hard.

'Het is al te laat... sinds Sicilië. Kom, we gaan.'

De boot meerde aan langs een houten pier. Een rij van zeker vijftig toortsen verlichtte de nacht.

Boven aan een trap op het eind van de pier stond een spookachtig tribunaal van drie Commedia dell'Arte-personages.

Eén voor één klommen Anaïs en haar gezellen omhoog. De als Arlecchino verklede figuur stak een hand uit om Anaïs op het platform te helpen en maakte een toneelbuiging.

'*Benvenuti a San Francesco del Deserto. Mi presenti i suoi inviti.*'

Marcas gaf de drie uitnodigingen aan Pulcinella die ook een buiging maakte en met welluidende stem zei: '*Vi aspetta une notta di piacere. ¡Cho colui che regge il cielo abbia cura... del resto!*' (Een mooie avond vol van plezier en dat de hemel... de rest doet!)

'*Grazie mille,*' antwoordde Teone.

Pulcinella inspecteerde de kostuums van de drie nieuwkomers en liet hen toen passeren. De motor van de boot die hen had gebracht sloeg weer aan. De boot voer langzaam achteruit. Anaïs kreeg een knoop in haar maag toen ze hem langzaam kleiner zag worden. Hoe dichter ze bij hun doel kwamen, hoe sneller haar polsslag ging. Het vuur van de toortsen danste in de donkere nacht.

Het deed haar denken aan een ander genadeloos en dodelijk vuur.

Achter haar masker kon ze hun hitte bijna voelen. Alles zou weer net zo gaan. Ze zouden eindigen op de brandstapel. Ze bleef stokstijf staan. Ze konden niet van haar vragen om nog verder te lopen. Ik had nooit moeten meegaan. Ze keek om en zag de boot van Pratt in de mist verdwijnen. Het was te laat om nog terug te krabbelen.

Ze pakte Antoines hand.

'Flink zijn,' fluisterde hij in haar oor.

De jonge vrouw zweeg. Met elke stap die ze deed kwam ze dichterbij het absolute kwaad.

Voor hen verrees het klooster dat werd omringd door hoge cypressen. Aan het einde van een grindpad, voor een hoge gebeeldhouwde poort, stond een man in een geklede jas. Hij droeg een pruik, maar geen masker.

Toen ze hem tot op drie meter was genaderd, kon ze een kreet van afgrijzen nauwelijks onderdrukken. De laatste keer dat ze die man had gezien, had hij haar wijn ingeschonken. In de eetzaal van de Abdij van Cefalù. De laatste avond. De avond van de massamoord.

65

Venetië

Teone liet hun uitnodigingen zien aan de dienaar die eerbiedig het hoofd boog en de poort voor hen opende. Anaïs liep stijf van angst zo dicht langs de man van Dionysus dat ze de misselijkmakende citroengeur van zijn aftershave kon ruiken. De man keek op en glimlachte naar haar. Anaïs glipte langs hem heen. Mijn masker beschermt me. Maar hoe lang nog...?

Een bediende nam hun capes aan en wees hun de ovale deur die harde muziek doorliet. Ze kwamen in een enorme zaal die vroeger het hoofdgebouw van het klooster geweest moest zijn. De stenen bogen tussen de romaanse ramen waren zo uitgelicht dat het plafond tot de hemel leek te reiken. Op elke okerkleurige muur stond een spot gericht op de sjabloon van Casanova's profiel.

In het midden van de zaal deinde een menigte van in historische kostuums uitgedoste mannen en vrouwen. Iedereen had zich uitgesloofd om zo elegant mogelijk voor de dag te komen. In barokjurken die schitterden in het subtiele lichtspel, in geborduurde jassen die vonken terugkaatsten, in spinachtige zwarte mantels. En om elke individualiteit uit te wissen droeg iedereen een masker.

Het waren fantomen uit een vervlogen tijd en hun schaduwen dansten bij het licht van tientallen armkandelaars die over de stenen scheidingsmuurtjes waren verdeeld. Beschenen door lichtflitsen vanuit de hoge arcades bewogen de gekostumeerde geestverschijningen op het ritme van donkere bassen en het eentonige gezang van een hoge, bijna androgyne stem.

In het halfduister achterin was een marmeren verhoging met daarop een stenen troon.

Aan weerszijden van de zaal verdrongen gasten zich rond buffetten met heerlijkheden: coupes met kaviaar, stapels gevulde kwartels en schalen met voorgesneden wild.

'Er is genoeg om de halve stad te voeden,' fluisterde Anaïs tegen Marcas.

Kelners presenteerden de gasten glazen champagne. Teone nam er een die hij doorgaf aan de jonge vrouw: 'Drink iets, dat zal u goeddoen. Nu moet u in die mensenmassa uw goeroe nog zien te vinden. We kunnen ons het beste tussen de mensen mengen en doen of we ons amuseren.'

De oude kloostermuren weerkaatsten gelach en uitroepen in alle talen.

'Nou vooruit dan... laten we lol gaan maken,' zuchtte Anaïs vermoeid. 'Ik heb de indruk of ik meespeel in het *Bal van de vampiers*.'

'Die film is een obsessie voor je,' zei Antoine, de zaal inspecterend op uitgangen.

'Vooral die scène waarin de helden voor een spiegel staan te dansen te midden van al die gekostumeerde vampiers. Ze worden verraden door hun spiegelbeeld. En dan storten al die bloedzuigers zich op hen.'

'Ja ja,' zei Marcas nerveus. 'Wees maar gerust, hier zijn geen vampiers.'

Plotseling stopte de muziek. Het licht veranderde van kleur. De zaal baadde in een blauw schijnsel dat de gekostumeerde gasten een onwerkelijk aanzien gaf. Alleen de portretten van Casanova staken nog af.

Een gestalte maakte zich los uit de menigte en beklom de vier marmeren treden van wat waarschijnlijk ooit de zetel van de abt geweest moest zijn. Gevangen in een witte lichtstraal ging hij achter een microfoon staan. De man hief zijn hand op. Hij was helemaal in het zwart, droeg een driekantige steek en zijn gezicht ging schuil achter de geloken blik van een vos.

De genodigden staakten hun gesprekken en keken allemaal op naar de verhoging.

De commissaris kneep in Anaïs' hand: 'Is hij het?'

Anaïs zei niets en staarde ademloos naar het podium. Marcas tastte in de diepe zak van zijn kostuum naar het alarmsignaal. Opgelucht voelde hij het vierkante doosje. Eén druk en het signaal zou afgaan.

'Anaïs, zeg iets. Is dat Dionysus?'

De jonge vrouw wendde haar masker naar de politieman.

'Ik… weet het niet zeker. Met die vossenkop is het moeilijk te zien. Ik moet eerst zijn stem horen.'

Marcas draaide zich om naar Teone, maar die was al dichter bij het podium gaan staan.

De man achter de microfoon nam tergend langzaam zijn masker af.

Anaïs dacht dat haar hart het begaf. Ze keek naar de kin die het eerste zichtbaar werd en bereidde zich voor op het zo gehate gezicht. De onderlip van de man. Zijn mond… Schiet op! Smeerlap! Laat je vuile rotkop zien! Het bloed bonkte in haar aderen.

Antoine omklemde het doosje alsof hij het wilde vermorzelen. Eén druk op de knop en het was gebeurd.

Eindelijk werd het gezicht van de man in zijn geheel beschenen door het witte licht.

Henry Dupin. De heer van San Francesco del Deserto.

'Nee toch…' kreunde Anaïs teleurgesteld.

Marcas liet het plastic doosje los.

'Shit.'

De stem van Henry Dupin resoneerde onder de arcades.

'Ik heet u allemaal van harte welkom. Liefde en lust maken hier vanavond weer de dienst uit.'

Een daverend applaus steeg op uit de dichte menigte.

'De soiree van de ster aan het Oostenraam is hierbij geopend. Maar eerst…'

De lange couturier speelde op effect.

'Eerst herdenk ik de man zonder wie dit allemaal niet mogelijk geweest zou zijn. Onze enige ware meester. Sir Aleister Crowley. De bevrijder van de ster.'

Op het moment waarop hij de naam van de Engelse magiër uitsprak, verdwenen ineens alle Casanovagezichten van de muren. Hun plaatsen werden ingenomen door de portretten van een kale man met woeste blik.

'Crowley,' vloekte Marcas.

De meester-magiër keek sikkeneurig neer op zijn volgelingen. De wanstaltige engel was opgewekt om met zijn toverstaf opnieuw mystieke waanzin te veroorzaken.

De menigte gilde uitzinnig. De verdoemden juichten hun messias toe. Henry Dupin hief zijn handen op.

'Laat ons nu ook de geheime meester begroeten. De erfgenaam van de profeet van het ware woord. Hij is onder ons.' Dupin wees naar de eerste rijen.

Antoine voelde de hand van Anaïs verkrampen. Hij tastte opnieuw naar het doosje. Het moment was aangebroken.

'Ik waarschuw Pratt.'

'Nee,' zei Anaïs schor. 'Nog niet, eerst moet ik hem zien.'

'Maar…'

'Alsjeblieft, Antoine.'

Henry Dupin liet zijn handen zakken en vouwde ze samen alsof hij ging bidden. Hij sprak plechtig: 'Houd u gereed!'

Met veel geschuifel begon zich een kring te vormen. Het zag eruit als een slang die in zijn eigen staart wilde bijten.

'Laat de uitverkorenen naar voren komen.'

Vijf gemaskerden stapten uit de cirkel.

'Laat hen de ster vormen.'

De uitverkorenen gingen op vijf punten in het midden van de cirkel staan.

'De ster is gevormd. Breng nu de Aarde!'

Anaïs en Antoine keken om naar een smalle deur waar een naakte vrouw verscheen. Ze droeg geen masker en keek verwilderd rond. Ze was nog jong en had zware borsten.

'Breng haar naar het midden van de ster.'

Marcas zag hoe het ontklede, kronkelende lichaam op de grond werd gelegd.

'Zusters, laat het zaad wellen dat de Aarde in zich verbergt.'

Twee gemaskerden verlieten hun punt van de ster en gingen op de onbekende vrouw liggen. Anaïs keek weg. Een zwaar gehijg steeg op van de tegelvloer.

'Het zaad!'

'Het zaad!'

Het kreunen versnelde.

'Broeders, houdt u gereed.'

De gemaskerden op de drie overige punten van de ster ontblootten hun onderlichaam.

'Laat de levensbomen oprijzen.'

Antoine kon er niet naar kijken en richtte zijn blik naar de grond. Hij hoorde hoe de voetstappen van de drie mannen hol opklonken in de ineens doodstille zaal. De gemaskerden gingen rond de naakte vrouw staan. De bevende stem van Dupin schoot omhoog als een steekvlam.

'Broeders, deze avond is uniek. U zult nu worden ingewijd in de allerhoogste graad, die van de uitverkoren meesters. Net als Crowley en Casanova gaat u de ster zien.'

Er ging een huivering door de menigte. De twee eerste gemaskerde gasten namen hun plaats in de cirkel weer in.

'Dat de drie punten bevredigd mogen worden.'

De rauwe kreten van de vrouw op de grond gingen over in gehuil toen de laatste man haar penetreerde. De omstanders gooiden opgetogen hun armen in de lucht.

'De Aarde is bewerkt! De Aarde is geploegd! De Aarde is bevrucht!'

Minutenlang werd er gejuicht en geroepen.

Als een kanonschot knalde het commando van de couturier door de zaal.

'Trek u terug, broeder!'

Marcas keek weer.

De onbekende op de grond bewoog niet meer. Ze was dood.

'Allemachtig,' fluisterde Anaïs. 'Die lui zijn knettergek.'

Een beetje achteraf op de verhoging stond een gedaante met een wit masker toe te kijken. Ze hield haar handen voor haar buik. Ze leek gehypnotiseerd door het lijk van de jonge vrouw.

'En laat nu de dans van de dood maar beginnen,' krijste de hoge stem van Henry Dupin.

'De dodendans!' joelde de in vervoering gebrachte menigte.

Langs de arcades schoten groene en witte lichtflitsen.

'Ze gaan nu toch niet gezellig dansen?' stamelde de commissaris.

Uit verborgen geluidsboxen knalde woeste muziek. Het ritme ging steeds sneller. De gemaskerde mensen namen elkaar bij de hand en begonnen aan een sinistere rijdans.

Anaïs keek Antoine aan.

'Wat is dit voor een circusvertoning?'

Voor de politieman iets terug kon zeggen, werd hij vastgepakt en meegetrokken door een rij dansers. Hij zag Anaïs achteruit wankelen alsof ze in een draaikolk verdween.

'Help! Antoine!'

De angstkreten van de jonge vrouw vervaagden achter de rij spook-
verschijningen die haar verzwolg.

Hij probeerde zich los te maken, maar een krachtige greep deed hem
wankelen. Hij probeerde een hand in zijn zak te steken, maar een andere hand hield de zijne gevangen. Hij herkende Arlecchino en Pulcinella
die hem meesleurden in een dolle dans. Hij probeerde zich te laten vallen, maar de twee gemaskerde mannen hielden hem overeind en braken
bijna zijn vingers. Ze lieten hem ronddraaien als een ledenpop. Het dui-
zelde Marcas in die potsierlijke maalstroom. Hij zat gevangen in een ca-
leidoscoop van grijnzende maskers. Het doffe gedreun werd alsmaar
harder. Hij voelde de resonans ervan op zijn hart beuken.

Arlecchino en Pulcinella hadden hem tot bij de verhoging gesleept
waar ze hem op de harde vloer lieten vallen.

Hij probeerde overeind te komen, maar was te duizelig.

Na een paar seconden ontwaarde hij boven zijn hoofd het boosaardige gezicht van Crowley.

Hij schrok op van een gekreun naast hem.

Het was Teone die geknield zat, met het masker boven op zijn hoofd
geschoven. Uit zijn mondhoek liep een dun straaltje bloed.

'Dio… ik zag Diony…'

De Venetiaan viel om, bloed gulpte uit zijn mond.

'Nee!' brulde Marcas.

Hij probeerde zijn hand in zijn zak te steken. Een knuppel raakte zijn
slaap.

66

Venetië

De stenen troon stond voor brede spitsboogramen. Op de door de tijd aangetaste rugleuning stond de ster van koning Salomo gebeiteld. Een symbool dat mensen elkaar al eeuwenlang betwisten.

Het blauwe licht van de grote zaal bereikte net de voet van de troon. De mystieke zetel zelf werd uitgelicht door fijne kolommen van een verblindend wit licht.

Op een lessenaartje naast de troon lag een groot, in leer gebonden boek.

Dionysus besteeg langzaam de treden, bleef staan naast de antieke troon en ging met zijn gehandschoende hand over de stenen armleuning. Hij sprak net zozeer tegen zichzelf als tegen zijn gehoor.

'Deze stoel is in Venetië bekend als de stoel van Antiochius. Volgens de overlevering gaat hij terug tot de apostel Simon Petrus, de eerste paus. Tot voor kort stond hij nog in de kerk San Pietro di Castello. Ik heb de restauratie ervan aangegrepen om hem te verwisselen met een kopie.'

Hij keek naar de menigte die in een collectieve trance leek te verkeren en vervolgens naar Anaïs die stevig werd vastgehouden door twee mannen in zwarte jassen. Het masker van de jonge vrouw lag aan haar voeten. In haar ogen blonk felle haat.

Twee meter verderop lag Marcas, bewusteloos dubbelgevouwen. In een grote plas bloed naast de trap lag het lijk van Teone.

Dionysus ging verder: 'De legende wil dat wie deze stoel bemachtigt en erop plaatsneemt al zijn wensen vervuld ziet worden. Laat ons zien...'

Voorzichtig ging hij op de stoel zitten en legde zijn handen op de armleuningen.

'Mijn eerste wens is vervuld. Ik wilde mijn lieve sterretje Anaïs terugzien. En daar staat ze al voor me.'

De jonge vrouw wierp hem moordzuchtige blikken toe.

'Hoe heb je me gevonden tussen dit stelletje randdebielen?'

Dionysus legde zijn wijsvinger tegen zijn lippen.

'Geen lasterpraat in het paleis van onze gastheer. Het was doodsimpel. Toen jullie aankwamen op de steiger, verwelkomde Pulcinella jullie met een citaat van Ariosto dat Casanova gebruikt als hij in zijn *Mémoires* zijn ontsnapping uit de Loodkamers beschrijft. "*¡Che colui che regge il Cielo abbia cura... del resto!*" (En dat degene die waakt over de hemel de rest doet!) Jullie hadden het vervolg daarop moeten citeren: "*Che la Providenza se ne occupi se non spetta al Ciela.*" (Of de voorzienigheid als het niet een zaak voor de hemel is.) Alle genodigden kenden dat wachtwoord. Behalve jullie.'

'Je hebt ons dus bij de ingang al in de gaten gekregen...'

'Ja, Pulcinella sloeg alarm, het hele eiland wordt bewaakt door camera's... Maar ik heb nog een tweede wens. Laat ons zien of deze troon echt wonderen verricht. Ik wil deze Franse politieman zien sterven. Laten we de legende niet in zijn hemd laten staan. Oedipus, jaag hem een kogel door het hoofd.'

'Nee!' schreeuwde Anaïs.

Iedereen keek naar de jonge vrouw die zich probeerde los te rukken. Marcas moest bijkomen. En op zijn alarm drukken. De Italiaanse politie waarschuwen. Ik moet tijd winnen. Mijn god, al is het maar één minuut. Ze moest Antoines raad opvolgen. De ijdelheid van de meester bespelen in het bijzijn van zijn volgelingen. Tot Marcas bijkwam.

Ze schreeuwde zo hard dat iedereen het moest horen.

'Ik erken mijn fouten. Ik vraag vergiffenis voor wat ik heb gedaan. Dionysus, neem me terug.'

De meester bleef onaangedaan als een standbeeld en murmelde: 'Ondanks alles wat ik je heb aangedaan? Ondanks de verbranding van je minnaar op het strand op Sicilië? Ik vermoordde de enige man van wie je ooit hebt gehouden en jij vraagt mij om vergiffenis?'

'Ja,' zei de jonge vrouw tegen de toehoorders. 'De dood is slechts een passage. Ik verkondig het hier met u allen als mijn getuigen. De meester heeft mij de weg getoond en ik heb het niet begrepen.'

Dionysus gaf een teken aan Oedipus om haar los te laten. Anaïs keek naar het wezen dat ze meer dan wie ook ter wereld haatte. Ze moest deze vernederende komedie volhouden. Om tijd te winnen. Ze knielde.

Op zijn troon gezeten keek Dionysus onbewogen toe. Het kille bleke licht gaf zijn gemaskerde gezicht een spookachtige stralenkrans. Om zijn lippen speelde een machtswellustige glimlach. Anaïs ging door met haar smeekbede.

'Ik bid u, gun mij de verlossing.'

Er ging gemurmel door de rijen.

'Sta op, mijn kind. Oedipus, laat haar tot me komen als ze dat wil.'

Anaïs wierp een snelle blik op Marcas. Die leek nog altijd bewusteloos. Het signaal, toe nou, zet het signaal in werking. Ze stond langzaam op, volhardend in haar onderdanige houding. Haat verschroeide haar ziel en vrat aan haar geest. Ze hoorde zichzelf toonloos vragen: 'Zijn mijn fouten mij vergeven... meester?'

'Ik zou graag aan je oprechtheid geloof willen hechten, kleine ster, maar je hebt al eerder aan mij getwijfeld. Ik had je de onsterfelijkheid aangeboden. Ben je bereid om mij te overtuigen van je goede wil? Het is wonderlijk dat vooral vrouwen me verraden, zoals ook onze lieve Manuela...'

'Ik doe alles,' mompelde ze met van woede verstikte stem. Word wakker, Marcas, stuur het signaal.

Dionysus stak zijn hand naar haar uit en wenkte haar.

'Kom dan bij me zitten. Je taak is nog niet volbracht.'

Anaïs beklom de drie treden naar de troon. Ze zag de politieman even bewegen. Zijn vingers krasten over de tegels.

De jonge vrouw ging op de derde trede zitten, met haar hoofd ter hoogte van Dionysus knieën. Het gaf haar kippenvel. De meester legde zijn hand op haar hoofd en streelde verstrooid over haar haren. Zoals je een brave hond aait. Inwendig krijste ze. Ze zou de moordenaar van Thomas naar de strot willen vliegen, hem zijn masker afrukken en hem zijn ogen uitkrabben. Op zijn gezicht willen beuken en die duivelse glimlach in zijn eigen bloed smoren. Kalmeer. Elke seconde telt. Vlei die smeerlap.

Anaïs verklaarde met heldere stem: 'Dionysus is mijn enige heer.'

'Echt waar? Dat is een beloning waard. Kijk maar!'

Met een traag gebaar zette de man op de troon zijn masker af. Zijn mooie androgyne gezicht straalde in het iriserende licht. Anaïs kreeg een schok. Hij zag er nog net zo uit als op Sicilië. Zelfverzekerd, dominant en meedogenloos.

'We zullen snel weten of ons jonge sterretje oprecht is. Geef haar je wapen, Oedipus. Anaïs, doód meneer Marcas.'

Gehoorzaam stak de moordenaar Anaïs zijn wapen toe. De jonge vrouw stond op, pakte het automatisch aan en vouwde haar vingers om de kille kolf. Dionysus keek geamuseerd toe.

'Toe maar, sterretje! Je bent ons devies 'Doe wat ge wilt' toch nog niet vergeten? Ik vertrouw je. Je kunt dat wapen op mij richten en me vermoorden.'

Dat was ook haar enige wens. Het pistool tegen de slaap van haar beul te zetten en het leeg te schieten. Zijn schedel uit elkaar zien spatten. Thomas wreken. De bewakers zouden haar zeker doden. Dat moet dan maar. Dan zal ik tenminste rust vinden.

Maar er was ook Marcas. Die mocht niet sterven. Hij had niemand te wreken. Sta toch op, alsjeblieft. Dionysus maande haar aan.

'Kom, sterretje, we hebben niet de hele avond de tijd. Dood hem.'

Net toen de meester het laatste bevel uitsprak, tilde de politieman zijn hoofd op. Eindelijk, dacht Anaïs. De Fransman krabbelde moeizaam overeind, koeltjes gadegeslagen door Oedipus. Er was misschien nog een kans dat het signaal verzonden kon worden. Ze daalde één trede af, en dan een tweede. De politieman was ook op zijn knieën gaan zitten en masseerde zijn slapen. Hij keek naar Anaïs die nog maar drie meter bij hem vandaan stond. Zijn zicht was nog troebel. Hij liet zijn armen zakken naar de kraag van zijn jas. Het doosje.

'Niet aarzelen, lieve Anaïs,' zei Dionysus krachtig.

Voor het eerst richtte Marcas zijn blik op Dionysus, die op een paar meter voor hem zat. Hij verstarde.

'Antoine, pak dat doosje!' riep Anaïs. 'Druk op de knop!'

Maar de politieman was aan de grond genageld en liet zijn armen hangen. Zijn ogen waren wijd opengesperd van ontzetting over wat hij net ontdekt had. Anaïs had het griezelige gevoel dat ze in een nachtmerrie stortte. Alles ging fout, hij moest dat alarm laten afgaan.

'Antoine, toe dan! Drukken! Drukken!' schreeuwde Anaïs.

De politieman was als een slaapwandelaar dichter naar de troon geschuifeld. Zijn stem klonk verstikt.

'Het is niet waar. Niet jij!'

Dionysus lachte zijn androgyne lachje. Met moeite stamelde Marcas: 'Isabelle…'

67

Venetië

'Antoine, waarde broeder, welkom in ons midden.'

Via slim weggewerkte luidsprekers schalde Isabelles stem door de zaal van het oude klooster. De volgelingen stonden dicht opeengepakt voor de verhoging om niets te hoeven missen. Marcas kon zijn ogen niet afhouden van de vrouw die zich Dionysus liet noemen. Anaïs brulde nogmaals: 'Antoine!'

De politieman bleef doof voor haar aandringen en staarde naar Isabelle. Naar haar fijne gelaatstrekken, haar harde blik, haar spottende glimlach. De zachte, intelligente vrouw die hem had geholpen bestond niet meer. Isabelle was veranderd in dit monsterlijke wezen. Haar gezicht was nog hetzelfde, maar het leek of een demonische entiteit bezit van haar had genomen. Man noch vrouw of juist beiden. De volmaakte androgyn.

Ze nam hem uitdagend op.

'Antoine Marcas, mijn gewaardeerde broeder. Verbaasd dat Dionysus een vrouw is? Wil je dit ontroerende weerzien samen met ons vieren? Want Anaïs wil je kennelijk geen kogel door het hoofd jagen.'

De commissaris slaagde erin op te staan.

'Waarom?'

Triomfantelijk leunde Isabelle achterover op de troon.

'Er zijn zo veel "waaroms" waarvan jij het antwoord nooit zou begrijpen. Laten we het erop houden dat jullie werktuigen zijn van een toekomst die jullie voorstellingsvermogen te boven gaat.'

Ineens draaide Anaïs zich een kwartslag om en richtte haar automatische pistool op Dionysus. Gelijk sprongen Oedipus, die zijn Arlecchinomasker had afgezet, en twee bewakers op het podium. Ze namen de jonge vrouw en Marcas onder schot.

'Laat dat wapen vallen, nu meteen. Anders pomp ik je vol lood,' schreeuwde de moordenaar met de waanzinnige blik.

'Kom, kom, Anaïs doet heus niets. Zo is het toch, sterretje?' vroeg Isabelle.

Anaïs' hand beefde, krampachtig omklemde ze de pistoolkolf. Ze had het gezicht van Dionysus in haar vizier. Ze hoefde de trekker maar over te halen en de nachtmerrie was voorbij.

'Het kan me niets schelen om dood te gaan. Jij hebt Thomas en de anderen in as veranderd. Mij bleef je achtervolgen. Waarom?'

Dionysus bracht haar handen samen alsof ze ging bidden.

'Alweer een "waarom"?... Ik moet je iets bekennen: je leven is nooit in gevaar geweest. Niet één keer! Ik heb je nooit kwaad willen doen.'

Anaïs schreeuwde van razernij.

'Allemaal leugens. Op Sicilië zat je bloedhond me al achterna en als ik geen schuilplaats had gevonden, was ik nu dood geweest. Daarvoor zul je boeten.'

'Werkelijk?' zei Dionysus en wenkte met haar rechterhand naar iemand in de menigte.

Twee mannen die verkleed waren als prinsen uit de renaissance, stapten naar voren. Anaïs riep: 'Staan blijven. Anders schiet ik.'

'Vrienden, zet uw maskers af om onze kleine Anaïs gerust te stellen en zeg haar goedendag!' riep Dionysus hen toe.

De twee mannen deden wat ze vroeg. Anaïs slaakte een kreet van afschuw.

'Dat kan toch niet waar zijn...'

Voor haar stonden Giuseppe en zijn vader, de Sicilianen die haar leven hadden gered, te grijnzen of ze een lang verloren vriendin hadden teruggevonden. Anaïs was volkomen uit het lood geslagen en verbijsterd. De jongste Siciliaan blies haar een kus toe.

'Dat is niet mogelijk.'

'Toch wel. Giuseppe en zijn vader zijn mijn trouwste volgelingen op Sicilië. Ik wilde vanaf het begin al dat jij aan de brandstapel zou ontkomen. Je had maar een heel lichte dosis slaapmiddel gekregen, zodat je op tijd wakker zou worden. Mijn mannen hebben je op afstand gevolgd tot in de schaapskooi. Ik ben zelfs op een nacht in het huis van Guiseppes vader naar je komen kijken. Je sliep als een kind. Ik heb je voorhoofd gestreeld...'

'Maar Don Sebastiano en de zelfmoord van zijn dochter?'

'Fabeltjes.'

Verwilderd keek Anaïs naar Giuseppe. De man die haar vluchtig had bemind, zo teder en sensueel. En nu stond hij haar uit te lachen. Alles bleek in scène te zijn gezet.

'Maar dat is toch waanzin,' riep Marcas. 'En die achtervolging op het vliegveld van Palermo dan?'

'Dat was maar show. Om haar haat aan te wakkeren, te voeden en sterker te maken. In Parijs werden haar appartement en dat van haar oom in de gaten gehouden. Toen ze bij onze groep was, had ze ons alles verteld over haar leventje.'

'En wat was de reden van dat bloedbad in Parijs?'

'Ik geef toe dat Oedipus daar heeft moeten improviseren. Overal was op gerekend, behalve op het feit dat jullie elkaar zouden ontmoeten. Het toeval wilde dat een metselende smeris zich met de minister ging bezighouden en het verband met Manuela legde. En bovendien kwamen jullie elkaar tegen door Anselme. Ik heb mijn plannen voortdurend moeten aanpassen. En het geestigste was dat jouw obediëntie uitgerekend mij vroeg om je te helpen. Ik zag er een vingerwijzing van het lot in.'

'En Granada?'

'Oedipus moest jullie terughalen en Manuela uitschakelen. Jullie ontsnapping uit Granada stuurde alles in de war. Ik dacht even dat ik jullie kwijt was. Gelukkig kwam de brave broeder Marcas op het idee om zijn gewaardeerde zuster Isabelle om hulp te vragen. Je besluit om naar Venetië te gaan kon niet beter. Oedipus zou je er toch naartoe gebracht hebben.'

Anaïs liet het pistool zakken.

'Dat ding is niet geladen, zeker? Je hebt daar vast ook mee geknoeid.'

'Absoluut niet. Maar ik was er zeker van dat je niet zou schieten. Niet voordat je zou weten wat jouw rol in dit verhaal was.'

Antoine sprong tussen hen in en hield het zwarte doosje omhoog.

'Het spel is uit, Isabelle. Het eiland is omsingeld door de Italiaanse politie. Vertel de rest maar aan de rechtbank.'

Er ging een golf van paniek door de rijen van de volgelingen die elkaar ongerust aankeken.

'Hij bluft,' riep Henry Dupin die naast de troon was gaan staan.

De commissaris keerde zich om naar de vijandig gezinde menigte.

Zijn doosje leek hem een vreselijk nietig wapen. Achter zijn rug zat de meewarig glimlachende Isabelle. Aleister Crowley keek vanaf de muren dreigend neer op zijn volgelingen.

Marcas drukte op de knop. Buiten het klooster klonk een doffe knal. De volgelingen verdrongen zich voor de spitsboogramen. Een vuurpijl klom omhoog langs de hemel. Er klonk weer een ontploffing. Aan het einde van zijn baan spatte de pijl uiteen als een vergankelijke zon die de donkere hemel verlichtte alvorens in de lagune te storten.

Een ongerust gemompel steeg op uit de menigte. De maskers werden afgenomen en gespannen gezichten werden zichtbaar. Weer vulde Dionysus' stem de ruimte.

'Dat was inderdaad een prachtige ster. Ik had eraan moeten denken toen ik de verbranding in Cefalù plande.'

Op dat moment klonken er politiesirenes in de mist. Marcas riep tegen de menigte: 'Dadelijk zijn de carabinieri hier. Werk niet mee aan nog meer moorden. Het spel is uit.'

Er brak paniek uit. De volgelingen holden alle kanten uit op zoek naar uitgangen. Henry Dupin had het podium verlaten. Ook Oedipus en zijn twee handlangers waren spoorloos verdwenen.

Isabelle bleef merkwaardig kalm op haar troon zitten en keek onverschillig naar het gedrang.

'Ga maar, kinderen, we zullen elkaar weerzien,' riep ze. En terwijl ze zich naar Anaïs wendde, zei ze: 'Ik heb nog een laatste verrassing voor je.'

Ze stond langzaam op en pakte een linnen tas die al die tijd achter de troon van Petrus had gelegen. Ze tilde hem op en schudde de inhoud uit op de traptreden.

Anaïs hield Isabelle nog altijd onder schot. Het zweet droop van haar voorhoofd.

Een bruine bal stuiterde langs de treden en rolde tot aan de voeten van de jonge vrouw die haar beul geen seconde uit het oog verloor.

'Kijk je niet, Anaïs? Ik heb het zo goed bewaard sinds die avond op het strand van Cefalù.'

Anaïs voelde het ding tegen haar voet. Ze wilde niet naar beneden kijken. *Niet kijken. Vooral niet kijken.* Ze wist al wat het was.

De commissaris liep naar de jonge vrouw toe en zag de onbeschrijflijke gruwel die Isabelle had aangericht.

Het was een verkoold hoofd, met zwarte oogkassen en stukken bot die waren versmolten tot een afschuwelijke grijns. Aan de kaken en op het voorhoofd hingen nog lappen rottend vlees. Antoine smeekte: 'Niet schieten Anaïs. Geef mij dat pistool. Het is voorbij. Niet kijken.'

De jonge vrouw liet haar arm zakken alsof ze van plan was te doen wat hij vroeg. De schijnwerpers van de politieboten streken al langs de buitenmuren en de ramen van het klooster. De carabinieri waren net aan land gekomen. De stem van Isabelle knalde door de luidsprekers.

'Anaïs! Je wilt je minnaar toch nog wel een laatste keer zien? Ik heb hoogstpersoonlijk zijn hoofd afgehakt, net nadat jij gevlucht was.'

'Nee!' gilde Anaïs toen ze keek naar de verbrande schedel aan haar voeten.

Haar blik was vervuld van een onuitsprekelijke haat. Ze richtte de loop van het pistool op Isabelles hoofd. Haar vinger kromde zich om de trekker. Marcas schreeuwde: 'Niet schieten, Anaïs. Als je haar doodt zullen we nooit de waarheid weten!'

Op dat moment bestormde de politie de grote zaal.

Isabelle nam het in leer gebonden antieke boek van de lessenaar naast de troon. Ze zag eruit als een bezetene. Als een Mozes met de Tafelen der Wet stak ze het boek omhoog.

'De oplossing van het ultieme raadsel van de liefde en de dood is te vinden in dit manuscript van Casanova. De valse godsdiensten zullen één voor één verdwijnen als alle mensen kennis zullen hebben van zijn leer. Zo is voorspeld door Aleister Crowley. Dit boek kan mannen en vrouwen in sterren veranderen. Ik schenk de gehele mensheid... de absolute vrijheid.'

'Hou op met dat geraaskal. Het is een vervalsing. Het zoveelste bedrog. Casanova heeft deze tekst nooit geschreven. Leg dat boek neer en geef je over,' brulde Marcas.

Isabelle was door het dolle heen. Ze keek naar Anaïs.

'En jij, mijn uitverkoren sterretje, geloof jij me? Weet je hoeveel moeite het me heeft gekost om op die brandstapel de halswervels van je minnaar los te krijgen? Dat mooie gezicht...'

Er viel een schot. En toen weer een.

Met wijd open ogen keek Isabelle naar de zich snel uitbreidende rode vlek op haar borst. Het Casanovamanuscript viel op de grond.

Met een sprong was Marcas bij Anaïs en hij rukte het pistool uit haar hand.

Isabelle wankelde. Haar bloed drupte op het manuscript.

'Anaïs… ik ben een ster…'

Ze tolde om haar as en zakte in elkaar.

68

Twee maanden later

Het enorme opnamescherm lichtte op met vlammen die hoog oplaaiden in de nacht. Op vijf brandstapels stonden vier vrouwen en vijf mannen te krijsen van angst. Dionysus hief haar armen op naar de vuurzee, haar gezicht was bedekt met een zwart masker. Ze droeg bezweringen voor terwijl haar slachtoffers zich in bochten wrongen van de pijn. Naast haar blaften twee grote dobermans hun griezelige tanden bloot. Een naakte jonge vrouw met zware borsten kroop door het gras achter de brandstapels.

Een voice-over vertelde.

De jonge Française was de machteloze getuige van de slachting die werd aangericht op bevel van de sadistische biseksuele meester van de Casanovaloge. Ze zag hoe haar vriend Thomas zich wanhopig probeerde los te maken. Vergeefs. Verborgen achter een boom en volledig naakt zwoer ze dat ze haar gemartelde geliefde zou wreken. Na de reclame kunt u het vervolg zien van ons door acteurs nagespeelde docudrama van de massamoord van Cefalù.

Als hoofdgast van het programma *De waarheid achter het nieuws* keek Anaïs met groeiende ontzetting naar de televisiedocumentaire die was gebaseerd op haar eigen verhaal. De actrice die haar personage speelde, een hoog geblondeerde vrouw met een wezenloze blik, had niets van haar weg. Degene die Dionysus speelde zag eruit als een travestiet. De documentaire barstte van de onjuistheden. Ze was wel gedwongen om de uitzending uit te zitten. Ze had nooit moeten meedoen aan dat programma, maar ze kon nu niet meer weglopen.

Voordat de film was gemonteerd was ze een half uur geïnterviewd. Maar bij de definitieve montage had de producent beslist om dat gesprek pas nadien uit te zenden en daarmee voorafgaande kritiek van Anaïs te omzeilen.

In de studio floepten de schijnwerpers aan. Er klonk een daverend applaus.

De presentatrice maande met een stralende glimlach rond haar siliconenlippen het publiek tot stilte.

'Dat was een onthutsende documentaire! Hulde voor de buitengewoon moedige houding van deze jonge vrouw die het opnam tegen het kwaad in menselijke gedaante! Anaïs Lesterac, hartelijk dank dat u vanavond gast wilt zijn van *De waarheid achter het nieuws*.'

Een assistent stak zijn bordje omhoog. Een nieuwe golf van applaus vulde de opnamestudio. Anaïs was zo verblind door de spots dat ze niet de gezichten kon zien van het publiek dat als één man was gaan staan voor de afgesproken ovatie. Het applaus en de foto van Isabelle op het reuzenscherm boven haar hoofd, maakten dat ze zich vreselijk opgelaten voelde. Ze had maar één wens: zo snel mogelijk wegwezen.

De presentatrice die naast haar zat zond haar een warme glimlach en drukte even tegen haar oortje. Ze hoorde een paar onverstaanbare woorden mompelen. De assistent stak een bordje omhoog waarop in grote rode letters STOP stond. Het applaus hield onmiddellijk op. Voor de uitzending had de opwarmer deze bevelen een stuk of tien keer met het publiek geoefend. Anaïs wilde de allerergste fouten uit de reconstructie rechtzetten, maar kreeg geen microfoon meer. De presentatrice zag haar gaste ongeduldig worden en riep: 'U wordt allemaal erg bedankt dat u deze boeiende special over de vreselijke Casanovasekte hebt bijgewoond. Een zaak die nog lang niet is afgesloten. De volgende week zal *De waarheid achter het nieuws* een taboe aansnijden: transseksualiteit bij motorisch gehandicapten. Tot dan, alle vrienden van de waarheid achter het nieuws.'

De aanwezigen stonden op en verlieten onder dreunende muziek en gestuurd door veiligheidsmensen de zaal. Eén en al glimlach wendde de presentatrice zich naar Anaïs.

'Hiernaast is nog een kleine cocktailparty. Komt u ook?'

'Sorry, ik moet weg. Mijn vriend staat buiten op me te wachten. Uw documentaire zit vol fouten, ik was nooit helemaal naakt, ik…'

'Wat geeft dat nou,' onderbrak de presentatrice, die minstens drie keer paar jaar de voorpagina's van de roddelbladen haalde. 'Als het de mensen maar aanspreekt. U bent nu een mediapersoonlijkheid. Wanneer komt uw boek uit?'

'Welk boek?'

'Kom zeg! De affaire-Dionysus was wekenlang voorpaginanieuws. Daarbij vergeleken was de Zonnetempelsekte een kleuterschooltje! De mooie Isabelle, het androgyne kwaad, briljant, pervers, manipulatrice, belichaming van alles wat slecht is, hogepriesteres van een sekscultus en ook nog betrokken bij een keten van luxe partnerruilclubs. Journalisten proberen alles over haar te weten te komen. En u, de enige overlevende van de brandstapels van Cefalù, zou uw herinneringen niét opschrijven?'

'Nee.'

De televisiemaakster legde een hand op Anaïs' arm.

'Volgende maand brengen twee onderzoeksjournalisten er ieder een boek over uit. Ik weet dat verschillende uitgevers u hebben benaderd om uw avonturen te mogen publiceren. En de prijs die ze boden was niet niks. Een van mijn eigen redacteuren is gevraagd om u te helpen bij het schrijven...'

'Jammer voor hem, maar ik heb alle aanbiedingen afgeslagen.'

Anaïs haalde de microfoon van haar kraag en stond op. De presentatrice bleef verbluft en teleurgesteld zitten.

'Seks, esoterisme, vrijmetselaars, een minister in een gesticht. Daar haal je geweldige kijkcijfers mee! Jammer dat er geen beeld bestaat van wat er in die Casanovaloge gebeurde... Enfin, bedankt voor uw komst. De uitzending is voor volgende week geprogrammeerd. O, ik moest u nog iets vertellen. Voor de uitzending heeft onze veiligheidsdienst twee jongeren moeten tegenhouden. Bij de controle werd ontdekt dat ze opgerolde spandoeken bij zich hadden. Er stond op: "Dionysus: Onze bevrijdster". De politie heeft ze opgepakt.'

'Ook dat nog! Idioten die Dionysus en haar leer opeisen! Nou ja, om veiligheidsredenen ben ik verhuisd en heb ik ontslag genomen. Hopelijk is mijn getuigenis toch ergens goed voor... Ik moet nu echt weg.'

Anaïs groette de televisiepresentatrice, liet zich snel afschminken en stond nog geen vijf minuten later bij de deur die alleen genodigden mochten gebruiken. Ze herkende de vertrouwde gestalte van Marcas en haastte zich naar hem toe. Ze omhelsden elkaar alsof ze dagen gescheiden waren geweest.

'Antoine, neem me mee naar ergens heel ver hier vandaan.'

'De taxi wacht op ons. Hoe was het?'

Hoofdschuddend zei ze: 'Vreselijk. Dat docudrama was… maar het ergste waren de vragen van die vrouw… Ze kwam alsmaar terug op de seksuele handelingen in de loge. Daar was ze door geobsedeerd.'

'Begrijpelijk. Kijkcijfergeilheid. En misschien ook omdat ze een trouwe klant is geweest van de partnerruilclub van Dionysus… Een collega wist me dat te vertellen.'

'Wat kan mij haar privéleven schelen. Ik ben de laatste om daarover de oordelen. Maar het was echt smerig.'

Ze doken in de taxi. Anaïs kroop onder de arm van Marcas. De snelweg naar de porte de la Chapelle was vrij, de taxi kon flink doorrijden. Anaïs keek naar de grauwe woonkazernes en vroeg: 'Heb je nog nieuws van het onderzoek?'

'Ja, de Italiaanse politie heeft de verhoren afgerond. Dupin en zijn maatjes hebben alles bekend. Onze vriend Pratt heeft voor jouw geval de versie van legitieme zelfverdediging kunnen hardmaken. Je hebt niets meer te vrezen. En toen jij Isabelle neerschoot stonden de meeste logeleden verspreid in de zaal. Het proces is over drie maanden, waarschijnlijk in Rome.'

'En Oedipus?'

'Onvindbaar. De carabinieri denken dat er nog een stuk of tien volgelingen voortvluchtig zijn. Het zal wel even duren voordat ze allemaal zijn opgepakt.'

De taxi kwam op de ringweg, richting porte d'Auteuil. De lichtreclames boven op de gebouwen flitsten aan en uit. Marcas streelde de schouder van zijn gezellin. Hij kon niet wachten tot ze in hun nieuwe flat in de rue de l'Assomption waren, die ze een week geleden hadden betrokken.

Het mobieltje van Anaïs trilde in haar jaszak. Ze zuchtte.

'Dat is mijn gsm voor de pers. Ik denk dat ik hem in de Seine smijt. Ik heb dat nummer misschien aan vier mensen gegeven en binnen een week hadden alle redacties het… Het houdt maar niet op. Ik heb al tien boodschappen en nu deze oproep weer.'

Marcas grinnikte. Hijzelf had zijn vriendin aangemoedigd om mee te werken met de media. Aanvankelijk had ze hardnekkig geweigerd, maar na de meest onzinnige details over zichzelf te hebben moeten lezen en na zelfs een verzonnen interview was ze van gedachten veranderd. De jonge vrouw nam verveeld op: 'Ja...'

Marcas voelde haar hand verkrampen op zijn arm. In het oranje licht van een tunnel op de rondweg zag Anaïs er bleek en ontzet uit.

'Ik... Ik... Dat is niet mogelijk...'

Ze liet haar gsm op de achterbank vallen. Marcas greep haar bij haar schouders.

'Wat is er aan de hand?'

In haar ogen stond doodsangst te lezen.

'Isabelle...'

'Wat is er met Isabelle?'

'Ze leeft nog; ze belde me net op.'

69

'Jezus! En wat zei ze?'

Anaïs kwam van pure ontzetting bijna niet uit haar woorden.

'… dat ik in mijn mailbox moet kijken.'

De taxi passeerde net de afslag naar porte Maillot, het duurde nog tien minuten voordat ze thuis waren.

Marcas voelde zijn hart sneller slaan.

'Dat kan toch niet,' vloekte hij. 'Isabelle is dood. Morsdood! Ze kan je niets meer maken. Je hebt samen met kapitein Pratt in het mortuarium van Venetië haar lichaam geïdentificeerd. Iemand haalt een rottige grap uit door haar stem te imiteren.'

Anaïs' vingers omklemden nog steeds de arm van haar vriend en ze fluisterde: 'Het was dan wel een verdomd goede imitatie… Ze zei dat ik alles zou gaan begrijpen… Het was echt haar stem, Antoine. De stem van Dionysus.'

De commissaris sloeg zijn arm om haar heen. Na alles wat er in Venetië was gebeurd, had hij ergens het gevoel behouden dat met de dood van Isabelle de zaak nog niet was afgesloten.

Hij had de ergste scenario's voorzien, maar niet de wederopstanding van de meesteres van de Casanovaloge.

Bij de porte de la Muette verliet de taxi de rondweg en begon door smalle straatjes te draaien. Anaïs zei niets meer. Haar snelle ademhaling werd overstemd door het gekraak van de radio van de taxicentrale.

Marcas kon zijn ongeduld haast niet bedwingen. Hij wilde zo snel mogelijk achter zijn computer zitten, de mailbox openen en die boodschap, die wansmakelijke grap, bekijken.

De taxi reed eindelijk de rue de l'Assomption in. In de meeste flats brandde geen licht meer. Marcas tastte in zijn zak om te betalen. Terwijl hij naar kleingeld zocht, zei hij gedempt tegen Anaïs: 'Ga alvast naar boven en zet de computer aan. Dan winnen we tijd…'

'Nee, ik ben bang! Ik ga niet alleen!'

Marcas drong niet aan en betaalde de chauffeur. Ze stapten uit. Anaïs keek om zich heen, de uitgestorven straat kwam haar vijandig voor. De donkere hoeken van de ingang van het gebouw waren ideale schuilplaatsen voor een aanvaller. Voor Oedipus. Of erger nog, voor een Isabelle van vlees en bloed die ineens uit het niets zou opduiken. De jonge vrouw onderdrukte een huivering. Ze had echt Isabelle aan de telefoon gehad. Marcas zat helemaal fout. Die zoetsappige toon, die spot, die dreiging. Dionysus was niet dood.

Marcas toetste zijn digicode in en duwde de deur open. Onwillekeurig tastte hij naar zijn holster om te voelen of zijn pistool er zat. Sinds ze terug waren uit Venetië had hij die altijd bij zich.

In de hal met de liften leek alles veilig. Anaïs drukte op de knop en keek ongerust naar haar vriend.

'Weet je nog wat Isabelles laatste woorden waren toen ik haar… doodde?'

Marcas knikte; alles was in zijn geheugen gegrift. De uitdrukking van waanzin op het gezicht van Isabelle, de manier waarop ze het Casanovamanuscript omhooghield en haar laatste woorden.

'Ja. *Ik ben een ster*. Ik heb nooit begrepen wat ze daarmee wilde zeggen. Maar ze was stapelgek…'

Ze stapten in de lift. Het leek een eeuwigheid te duren voordat ze op de zesde verdieping waren. Anaïs rommelde in haar tas en haalde de sleutels tevoorschijn.

'Ik hoop maar… dat we geen ongewenst bezoek hebben.'

Bij wijze van antwoord kneep Marcas in haar hand en stapte voor haar de lift uit. Hij nam het sleuteletui van haar over en stak de sleutel in het slot. Hij gebaarde naar Anaïs dat ze achter hem moest blijven en haalde zijn dienstwapen tevoorschijn. Marcas stapte behoedzaam naar binnen, deed het licht aan en richtte zijn pistool op de gang. Hij wachtte een paar seconden en liep door naar de salon. Alles was rustig. Het zachte licht van de schemerlamp wierp een oranjeachtige lichtkring in het grote vertrek dat als woonkamer diende. Gerustgesteld controleerde hij de andere kamers en kwam terug in de gang en wenkte Anaïs.

Ze slaakte een zucht van verlichting, gooide haar jas op de console en haastte zich naar de werkkamer.

Ze ging zitten en zette de computer aan.

'Antoine, geef me eens wat te drinken, anders durf ik niet te kijken.'

De commissaris pakte een fles uit de bar, ontkurkte die en legde de kurkentrekker op de glazen tafel. Anaïs sloeg het glas dat hij haar aanreikte in een teug achterover. De harde schijf draaide, ze klikte op het mailprogramma. Meteen verscheen er een envelopje op de werkbalk. Ze klikte het aan. Er verscheen een bijlage. Een videobestand. Anaïs aarzelde even, maar opende het. Nu kon ze niet meer terug.

Marcas stond achter haar met zijn handen op haar schouders naar het scherm te turen. Het icoontje dat het downloaden aangaf stopte. Er verscheen een beeld.

Antoine vloekte binnensmonds. Anaïs deinsde instinctief terug.

Isabelle keek hen lachend aan. Op haar Venetiaanse Petrustroon zittend wenkte ze hen en haar gezicht vulde het scherm.

Door de computerspeakers klonk de androgyne stem poeslief en beheerst.

'Ik ben zo blij jullie weer te zien. Jullie zullen wel verrast zijn. Het gebeurt niet dagelijks dat een dode terugkeert om te praten met de levenden! Met hen wier taak nog niet volbracht is. Hoe is het met jullie sinds onze laatste ontmoeting, Anaïs en Antoine?'

Het bleef even stil, alsof de aangesprokenen de tijd kregen om te antwoorden. Ze keken elkaar verbijsterd aan. Dionysus ging verder.

'Ik vergat even dat jullie me niet kunnen antwoorden… Trouwens, tegen de tijd dat jullie deze video krijgen die werd opgenomen op de dag van mijn executie, ben ik al een rottend lijk.'

De stem zweeg weer en ging verder.

'Dit is mijn virtuele testament dat uitsluitend voor jullie bestemd is. Ik raad je aan om heel goed te luisteren. Een ander en even virtueel testament zal hierna worden uitgezonden voor de hele mensheid. Anaïs, je hebt er recht op te weten waarom ik me door jou heb laten doden. Je was alleen maar het werktuig. Ik en ik alleen nam de beslissing.'

Marcas tikte op het toetsenbord in een poging om de video te kopiëren. Het was een bewijsstuk van kapitaal belang voor het komende proces.

Isabelle keek indringend in de camera.

'Alles begon vier jaar geleden, toen mijn vader weer in mijn leven verscheen, of liever gezegd iemand die hem vertegenwoordigde. Mijn vader zelf was omgekomen bij een auto-ongeluk en hij liet me volslagen onverwacht een zakenimperium na, de keten van libertijnse Casanovaclubs. Die figuur had hem altijd al gefascineerd. Ik was toen nog gewoon een sociologe die deed aan sekteonderzoek en een leerling-vrijmetselaar. Ik kreeg dat allemaal ineens in mijn schoot geworpen. Het was ondenkbaar voor me dat ik officieel de leiding van dat imperium op me zou nemen. Dus verzon ik samen met mijn vaders accountant een hele serie schijnfirma's. Zo kon ik gewoon blijven doen wat ik deed, de successierechten betalen en hoefde mijn naam niet in verband te worden gebracht met de onderneming. De accountant zou de zaak gaan beheren.'

Isabelle kwam nog dichter bij de lens.

'Op de begrafenis van mijn vader leerde ik zijn beste vriend kennen, Henry Dupin, die hem had geholpen zijn zaak op te zetten. Hij verleidde me, wat in die tijd niet zo moeilijk was, en introduceerde me in zijn esoterisch gezelschapje dat seksuele magie praktiseerde. Dat was een eyeopener voor me! Ongelooflijk! Geen vergelijking met mijn vroegere leven. De praktische kant van de leer was ontleend aan de geschriften van een buitengewoon mens, Aleister Crowley, die Marcas dankzij mij heeft leren kennen. Maandenlang bestudeerde ik zijn ideeën, zijn technieken en al snel overtroefde de leerlinge de meester. In vergelijking daarmee vond ik de plechtige, overbodig strikte maçonnieke arbeid met mijn logezusters van een vreselijke fletsheid. De seks, die in de vrijmetselaarsrituelen volledig ontbreekt, vond ik een oneindig… verrijkender manier om aan spirituele ontwikkeling te werken. Mijn lotsbestemming werd me duidelijk. En het feit dat ik die clubs van mijn vader bezat gaf me financiële macht en onbeperkte mogelijkheden om te experimenteren. In twee jaar tijd veranderde ik in Dionysus, meester van de Casanovaloge. Daarnaast bleef ik Isabelle Londrieu, de bekende sektedeskundige en bescheiden en dienstbare logezuster. Is dat niet ironisch!'

De goeroe verkneukelde zich.

'Tijdens een reisje naar Schotland om samen met Dupin het oude landhuis van Crowley te bezoeken, openbaarde mijn lotsbestemming zich opnieuw. Van een antiquaar kochten we een partij onuitgegeven geschriften van de magiër die hij al jaren bezat, maar ook een ander, opzienbarend document: een door Casanova gesigneerd manuscript dat

Crowley in Duitsland had gevonden. Eenmaal terug in Parijs bestudeerden we alle teksten diepgaand. Er bleek een onbekende tantrische techniek te bestaan, die Crowley had uitgewerkt aan de hand van de ervaring die Casanova in Granada had. En Crowley ging in de liefdeskunst een stuk verder dan de verleider uit Venetië. Hij stemde geslacht, hart en hersenen op elkaar af en noemde dat "de weg van de ster". Weet je nog, Anaïs?'

Antoines vriendin werd vuurrood.

'Maar Dupin liet het manuscript van Casanova in het geheim onderzoeken. Het bleek een vervalsing, waarschijnlijk gemaakt door Crowley zelf, om er een deel van zijn leer geloofwaardiger mee te maken of om een rijke volgeling op te lichten! De magiër was ook meester in de kunst van het dubbelspel. Net als ik!'

De stem viel ineens weg. Isabelle greep met een van pijn vertrokken gezicht naar haar hoofd.

Marcas en Anaïs bleven doodstil, in de ban van het relaas van de dode. Na enkele seconden ging Isabelle weer rechtop zitten en vervolgde ze haar verhaal.

'Ik stelde Dupin voor om de techniek van Crowley uit te proberen met onze vrienden van de loge. Het was echt fantastisch, een soort amoureuze acupunctuur op punten van het lichaam die seksuele energie vrijgeven. Het werkte verslavend, dat non-stop orgasme. En dat was nog maar het begin. Volgens Crowley moest je de extase voorbijgaan tot op het uiterste punt vlak voor de poorten van de dood. De versmelting van Eros met Thanatos. Op een avond was ik de eerste die met mijn favoriete partner deze reis maakte. Het was onbeschrijflijk. Toen ik weer bij mijn positieven kwam bleek de man met wie ik was dood te zijn. Hij had de schok niet doorstaan en was gestorven aan een aneurysmabreuk. Ik begreep toen de draagwijdte van mijn experiment. En mijn missie voor de toekomst.'

'Je houdt het niet voor mogelijk,' mompelde Anaïs.

'Naar het model van andere sektarische groeperingen hebben we toen de Abdij-groep opgericht, die een open karakter had. In tegenstelling tot de elitaire loge was de groep voor iedereen toegankelijk en konden we onze praktijken testen zonder dat onze adepten het eigenlijke doel, beter nog... het einddoel, van de leer kenden. Dupin had me geleerd om mijn androgyne kant te ontplooien, zijn grote talent als couturier had daar alles mee te maken. Dankzij hem kon ik gemakkelijk voor een man doorgaan. Hij werd op het idee gebracht door de reclamecampagne van een Parijs' grootwarenhuis waarvoor de ambassadrice van de winkel, het model Laëtita Casta, geloof ik, was gefotografeerd als man. Het resultaat was fascinerend. Voor mij was de gedaanteverandering nog sensationeler. Ik kon me kleden als een man, denken als een man en begeren als een man. Observatie van de klanten van mijn clubs die zonder dat ze het wisten werden gefilmd, leverde me een weergaloze dwarsdoorsnede van de mannelijke begeerte op. Maar...'

Isabelle onderbrak haar verhaal om haar slapen te masseren, haar gezicht glom van het zweet.

'... Een tijdje daarna stortte alles in. Ik leed al een poos aan onverklaarbare hoofdpijn. Een vriendin, dokter Cohen, bood me aan om me te onderzoeken. Voor alle zekerheid, zei ze. Anaïs, heeft je vriend commissaris Marcas niet over haar verteld? Hij was toch erg van haar onder de indruk toen hij haar ontmoette in het Saint-Antoine-ziekenhuis!'

Anaïs keek vragend naar Antoine, die kort knikte.

'Ze ontdekte een tumor. In mijn hersenen was een kleine opeenhoping van cellen zichtbaar. In oud medisch jargon heette dat een krab, waarvan het woord kanker ook is afgeleid. Op de scanner ziet het eruit als een klein sterrenbeeld, een ster van de dood. Ik had hooguit nog twee jaar te leven. Toen viel alles op zijn plaats.'

'De ster!' herhaalde Marcas.

'... Alles werd glashelder voor me. Ik wilde niet verdwijnen zonder een spoor achter te laten. Ik wilde de mensheid de weg van de ster tonen. Mijn leer moest door een buitengewone gebeurtenis een toekomst krijgen. Als ik gewoon aan kanker zou sterven, zouden mijn getrouwen uit de loge en van de Abdij-groep de Dionysuscultus in kleine groep hebben voortgezet. Net zoals die honderden andere zielepoten in de wereld die allemaal hun eigen dode goeroes blijven vereren. Net zoals die arme Crowley een duistere magiër bleef, van wie haast niemand heeft gehoord. Nee, mijn lotsbestemming vereiste een grandioos einde.'

De stem zwol plotseling aan.

'Ik zou mijn ziekte gebruiken. Ik zou een martelaar worden. Net als Christus zou ik worden geofferd, mijn tijdgenoten zouden me eerst bespuwen voordat ze zouden beseffen dat ik een uitverkorene was...'

'Ze is stapelgek!' riep Marcas uit.

'… Maar daarvoor had ik mijn Judas nodig. Jou, Anaïs!'

De camera volgde de uitgestoken spitse vinger van Isabelle.

'Uit de getrouwen van de Abdij-groep koos ik jou. Ontsnapt en gedreven door haat was jij de enige die me aan het kruis mocht nagelen. Na de brandstapel heb ik alles gedaan om je wrok te vergroten. Oedipus bracht mijn briefje naar Granada om de vlam van je haat aan te wakkeren. Ik heb genoten van de razende blikken die je in de camera wierp. En voor het geval dat jij in Venetië niet de moed gehad zou hebben om me te doden, stond één van mijn helpers klaar om me neer te schieten zodra jij het pistool in handen had.'

Isabelle stopte even. Haar ogen vulden het hele scherm.

'En jij, Marcas, jou was ik bijna vergeten, mijn arme broeder! Je voelt je vast overbodig in dit verhaal waarin voor de verandering vrouwen de hoofdrollen spelen. Jij was met je onderzoek naar de dode van Palais-Royal het verbindingsstuk. De minister van Cultuur en Manuela wilden met hun partners ook de weg van de ster volgen. Zij kenden de prijs… Jij erfde het resultaat! Marcas! Marcas, wat heb ik me met jou geamuseerd toen ik je die inlichtingen over Crowley gaf en je meenam naar het Saint-Antoine-ziekenhuis. Je hebt me geweldig vermaakt. Als jij en je broeders een tikje slimmer waren geweest zouden jullie navraag naar me hebben gedaan bij mijn vrouwenorde. In een van mijn bouwstukken heb ik het over Crowley gehad en had ik me een beetje te veel laten meeslepen. Sommige zusters waren aan me gaan twijfelen. Arme Marcas! Vrouwen zijn altijd stukken slimmer!'

Isabelle gaf een kreetje van pijn. Ze gaf een teken, waarop de camera gericht werd op de hoge spitsboogramen van het San Francesco-klooster.

Anaïs staarde gehypnotiseerd naar het scherm.

'Ik heb me laten bedotten. Ik heb me…'

'Nee, het is een en al bluf! Een post mortem-provocatie! Gebakken lucht! Laat je toch niet langer op stang jagen,' zei Marcas met onvaste stem.

De camera keerde weer terug naar het gespannen gezicht van Isabelle.

'Ik moet nu dit testament afsluiten. Ik moet me voorbereiden op vanavond. Op jullie aanwezigheid op mijn grote gekostumeerde bal van de ster aan het Oostenraam. Jullie zijn mijn eregasten. En de verantwoordelijken voor mijn dood die voor het nageslacht zal worden vastgelegd.

Maar dat is nog niet alles: in de voetsporen van Crowley tredend heb ik ook die oude ondeugd Casanova gebruikt. Mijn volgelingen zullen binnenkort zijn echte-valse manuscript gaan verspreiden, samen met een nieuw testament van mij. Dat ik het manuscript voor een miljoen euro van mezelf heb gekocht, zal worden opgevat als onaanvechtbaar bewijs van de echtheid ervan. Die beste Casanova zal de grondlegger zijn van een eredienst die mij als profeet heeft. Ik, een vrouw… Is dat geen subtiele ironie? Deze opname wordt nu beëindigd. Hij wordt automatisch gewist. Vaarwel, jullie. Mijn cultus bestaat vanaf vanavond!'

Het triomfantelijke gezicht van Isabelle verdween van het scherm. Marcas sprong overeind en begon koortsachtig op het toetsenbord te tikken om de video op te slaan.

'Shit. Alles is gewist.'

Anaïs bleef het scherm fixeren.

'Haar nieuwe testament? Ik… krijg het gevoel dat de hele nachtmerrie weer opnieuw begint.'

Antoine sloeg zijn armen om haar heen.

'Welnee! Dat mens was gek. Ze was ziek. Morgen zet ik de specialisten erop. Die kunnen uitzoeken waar die boodschap werd uitgezonden. Misschien zit Oedipus of een andere volgeling erachter. Ik weet het ook niet, maar ik zweer je dat we hem zullen vinden. De nachtmerrie is over.'

'Ben je daar zeker van?'

'Ja, probeer nu wat slaap te krijgen. Dat heb je nodig.'

Anaïs duwde hem zachtjes weg.

'Nee, ik kan niet slapen. Ik ben veel te gespannen. Ik kijk nog wat televisie. Ik kom strakjes. Ik moet eerst wat ontspannen.'

'Oké, maar maak het niet te laat.'

'Ik beloof het.'

Marcas ging naar de slaapkamer en kleedde zich uit. Hij hoorde dat de televisie werd aangezet. Inmiddels gewend geraakt aan haar slapeloosheid, wist hij dat ze zeker nog een uur zou wegblijven. Overmand door vermoeidheid trok hij zijn hemd uit en gleed tussen de koele lakens. Het vertrokken gezicht van Isabelle bleef hem achtervolgen. Hoe had hij zich zo kunnen laten beetnemen door die gekkin?

Net toen hij het leeslampje uitknipte, werd de stilte verscheurd door gegil.

70

Parijs

Met één sprong was Marcas uit bed en holde naar de salon.

Daar stond Anaïs met een van angst verwrongen gezicht, omdat Oedipus een mes op haar keel had gezet. De beul van Dionysus had dat schampere lachje dat ze al kenden uit Granada en Venetië. Het gaf hem een air alsof hij de hele wereld aan zijn laars lapte. De man grinnikte toen hij Marcas zag.

'Daar hebben we Marcas! Eindelijk weer met zijn drieën! Ik ben even bang geweest dat jullie me zouden vinden in die stoffige keukenkast. Wel schoonmaken af en toe, hoor. Het is hier een beetje vervuild!'

'Laat haar los!'

'Kom. Gebruik je hersens, commissaris. Ik kan haar zo de keel doorsnijden als ik dat wil. Ga liever zoet voor de televisie zitten. We gaan ergens naar kijken. Schiet op!'

Machteloos liet de commissaris zich op de bank zakken, zichzelf vervloekend dat hij zijn pistool in de werkkamer had laten liggen.

Oedipus hield Anaïs nog steeds vast. Met zijn rechterhand streelde hij verstrooid haar borsten.

'Klein maar stevig, net wat ik lekker vind. Je verveelt je vast niet, agentje! Iedereen in de Abdij wist hoe bloedgeil ze is.'

Antoine kon zijn ogen niet afhouden van het mes. De moordenaar ging door: 'Ik heb het zo druk gehad met het uitvoeren van alle instructies van wijlen Isabelle. Die video mailen, opbellen en die geluidsband laten afspelen, jullie opzoeken om over de dingen des levens te praten. Het is allemaal heel vermoeiend. Gelukkig zit mijn opdracht er bijna op.'

Anaïs probeerde op haar tenen te gaan staan. De moordenaar prikte de punt van het mes in haar vlees. Er verscheen een bloeddruppel op haar keel. Marcas sprong overeind.

'Nog één beweging en ik laat haar leegbloeden! Zitten, smeris. Nu!'

Woedend plofte Marcas weer neer. De televisie zond de herkennings-tune van het journaal uit. De nieuwslezer kwam in beeld.

'Ha, het begint!' riep Oedipus.

De journalist keek ernstig in de camera.

'Onze redactie ontving zojuist een exclusief document dat een nieuw licht werpt op de zaak van de Casanovaloge en de massamoord in Cefalù. Het gaat om een video-opname van Isabelle Londrieu, alias Dionysus, die werd gemaakt vlak voor haar dood. Na diepgaande ethische afwe-gingen hebben wij besloten dat wij onze kijkers dit document, dat ons werd bezorgd door een anonieme afzender, niet mochten onthouden.'

Marcas ging rechterop zitten. Miljoenen televisiekijkers zouden op ditzelfde moment ook aan hun beeldbuis gekluisterd zitten.

Isabelle verscheen, tegen dezelfde achtergrond die ze ook had ge-bruikt voor de gemailde opname.

'Goedenavond, mijn naam is Isabelle Londrieu. U kent me ook als Dio-nysus, de spirituele leider van de Casanovaloge. Dit is mijn testament. Als mij iets overkomt, wil ik dat de hele wereld zal weten dat mijn groep en ikzelf slachtoffers zijn van een internationaal complot. Ik heb nooit opdracht gegeven voor de vreselijke moord in Cefalù, mijn groep staat geweldloosheid voor. De ware opdrachtgevers van deze gruweldaad zijn mensen met hoge posities in Europese regeringen, die onder invloed staan van de internationale vrijmetselarij. Ik weet waarover ik spreek, want ik heb ooit zelf tot de vrijmetselarij behoord. Ik ben gespecialiseerd in het onderzoek naar sekten en zou nooit zelf zo'n groep hebben opge-richt. Ik hoop dat er onder u vrije geesten zijn die me willen geloven. Ik weet dat men mij wil vermoorden. Eén van mijn jeugdige sympathisan-tes stond onder invloed van de krachten die ik zojuist heb aangeklaagd. Ik verwijt haar niets; ze moest liegen om haar leven te redden...'

'Vals kreng!' kermde Anaïs.

Isabelles stem beefde.

'... Ik weet niet wat me te wachten staat. Mijn vrienden en ik worden opgejaagd door een commando Franse en Italiaanse politiemensen die bij de vrijmetselarij horen. Eén van hen is een voormalig lid van de lou-che P2-loge. Ze kennen geen genade en ze hebben banden met de mensen die mijn vrienden op Sicilië hebben verbrand. Ik ben bang. Ik wil nog één ding zeggen voordat ik…'

Ze stopte even om het zweet van haar gezicht te wissen en vervolgde: 'Ik… onze groep heeft in een manuscript van Casanova een prachtig geheim ontdekt over de liefde. Een geheim dat de mensheid diep zal treffen en dat degenen die nu de macht hebben zeer onwelgevallig is. Kopieën van dit manuscript zijn via internet zo wijd mogelijk verspreid. Ik zeg u vaarwel en ik smeek u vooral geen geloof te hechten aan de leugens van de autoriteiten en de medeplichtige media… De Casanovaloge moet voortleven.'

Isabelle keek nog een keer angstig in de camera en toen verdween haar gezicht.

Marcas bleef even zijn kaken op elkaar klemmen en riep toen uit: 'Bravo! Of je een emmer leeggooit! Alle ingrediënten zitten erin! Het grote internationale complot, de vrijmetselarij, de arme misbruikte gelovige, de omgekochte journalisten, de P2-loge… Ik mis alleen Bin Laden nog. Je bazin heeft ons op alle fronten te pakken gehad. Nu begrijp ik waarom ze die spectaculaire massamoord heeft beraamd en daarvoor spookschuldigen uitvond. Zo wordt zij het slachtoffer. En een heilige.'

'Nog beter! Een mythe,' pochte Oedipus. 'Onsterfelijk en eeuwig jong. De Marilyn Monroe van de spiritualiteit… Ze wordt de martelares van een nieuwe religie, geslachtofferd door machtige en onzichtbare krachten… Hele volksstammen zullen haar verhaal slikken. Ik geef je op een briefje dat de geruchten zich als een lopend vuurtje via internet zullen verspreiden.'

In de studio leidde de presentator het debat in. Oedipus keek geboeid naar het scherm. Voorzichtig schoof Antoine op naar de zijkant van de bank en pakte de afstandsbediening. Hij zette het geluid wat harder.

'En wat gebeurt er nu?' vroeg de politieman.

De moordenaar grinnikte.

'Simpel. Arme Anaïs wordt dood aangetroffen met een schuldbekentenis die ze nu netjes voor me gaat schrijven. Ze biecht daarin op dat ze werd gedwongen door haar metselende commissaris. En dan…'

'Wat?'

'Zeg nou zelf! Sinds ze Dionysus heeft gedood, heeft haar leven toch geen zin meer. En je kent het lot van Judas…'

Marcas drukte ineens op de volumetoets van de televisie. De speakers van de Home Cinema versterkten de stem van de journalist tot in het oneindige. De glazen deurtjes van de boekenkast trilden.

'Wij waarschuwen de kijkers voor de beelden die deze opname bevat. Tot dusver bevestigt geen enkel feit de versie van Dionysus…'

'Zet dat geluid zachter,' brulde de moordenaar.

Hij was bijna onverstaanbaar door het donderende lawaai…

'… Het onderzoek daarentegen bewijst onweerlegbaar de ver antwoordelijkheid van Isabelle Londrieu en leden van haar groep. De deskundigen zijn er zeker van…'

Marcas drukte op de toets van een muziekzender en smeet de afstandsbediening voor de voeten van Oedipus. Een explosie van technomuziek deed het appartement op zijn grondvesten daveren.

'Binnen vijf minuten staan de buren voor de deur. Dit is een keurige buurt,' brulde Marcas.

Oedipus wist niet wat hij moest doen. De bovenburen begonnen op de grond te bonken. De man dwong Anaïs naast de afstandsbediening te hurken. Het gebrul van de televisie was niet uit te houden. Oedipus bukte zich.

De politieman sprong overeind en beukte met zijn vuist tegen de slaap van zijn belager. Door de klap verloor Oedipus zijn evenwicht, vertrapte de afstandsbediening en liet de jonge vrouw los die opzij rolde. De televisie ging uit. De muziek verstomde.

De twee mannen gingen elkaar als razenden te lijf. De moordenaar zond een regen van slagen in de buik van Marcas. De politieman trachtte hem af te weren, maar zijn tegenstander kreeg de overhand. Marcas stootte zich aan de glazen salontafel en Oedipus raakte hem vol in zijn gezicht. Zijn lippen sprongen open. Hij voelde de handen van de man om zijn keel. Zijn zicht vertroebelde. Nog even en het bloed zou zijn hersens niet meer bereiken. Zijn hand vond een asbak. Hij sloeg er uit alle macht mee in het gezicht van zijn aanvaller die het uitschreeuwde, maar die zijn keel bleef vastklemmen. De politieman sloeg nog een keer. De greep verslapte. Antoine hoestte, verzamelde al zijn krachten en trapte heftig van zich af. Oedipus raakte uit balans en viel. De commissaris richtte zich op en trapte hem uit alle macht in zijn ribben; de moordenaar schreeuwde weer.

Anaïs hield zich vast aan de rugleuning van de bank. Marcas kwam met bebloede mond voor haar staan.

'Haal het pistool uit de werkkamer. Gauw!'

Anaïs deed een paar wankele stappen. Ineens zag ze de nachtmerrie van Oedipus die met een van haat vertrokken gezicht achter Marcas stond. Hij trok een mes.

'Antoine! Kijk achter je!'

De spiegel voor Marcas weerkaatste het beeld van de moordenaar en de zilveren schittering van het mes. Hij sprong opzij en duwde ten einde raad de tafel tegen het scheenbeen van de aanvaller. Die zocht steun bij de glazen hoeken. En ontmoette daar de hand van Anaïs.

De kurkentrekker drong diep in hem. Oedipus gromde als een gewond dier en keek de jonge vrouw woest aan. Het mes gleed tussen de kussens van de bank.

De man probeerde het nog te pakken. Antoine was sneller en sloeg hem neer.

Anaïs zag Oedipus naar zijn buik grijpen. Versuft probeerde hij op te krabbelen. Op zijn crêmekleurige overhemd zat een grote rode vlek.

'Isabelle…'

Oedipus zakte als een trekpop in elkaar. Een kring van bloed breidde zich uit over de vloerbedekking.

'Pijn… ik heb… zo'n pijn.'

De jonge vrouw hurkte naast hem neer. Haar stem klonk schor.

'Het doet me goed je te zien lijden en… creperen.'

Marcas kwam op zijn knieën naast haar zitten.

'We moeten een ambulance laten komen.'

'Nee,' zei Anaïs. 'Ik wil dat zwijn zien leegbloeden.'

De moordenaar kronkelde als een doorgesneden regenworm, zijn ogen smeekten om hulp. Een akelige geur van darmen die zich leegden steeg op.

'Zo is het genoeg! Ik bel de hulpdiensten.'

De bewegingen van Oedipus werden steeds zwakker. Hij stamelde iets onbegrijpelijks. Anaïs boog zich over hem heen en fluisterde hem iets in wat Marcas niet kon verstaan. De moordenaar sperde zijn ogen wijd open. Zijn borstkas ging een laatste keer omhoog.

'Die heeft geen hulp meer nodig,' zei Anaïs overeind komend.

'Wat zei je tegen hem?'

'Dat Thomas gewroken was.'

Epiloog

Biarritz,
hôtel des Bains,
een maand later

De avondkrant lag dubbelgevouwen op tafel. Marcas las de kop. *Nieuwe rituele moord...* Hij probeerde hem nog opzij te schuiven, ergens anders te leggen, maar Anaïs stak haar hand al uit. Hij durfde haar niet aan te kijken. Op het terras zaten paren te dineren, bediend door obers in witte smokings. Het ritueel was al sinds het begin van de negentiende eeuw onveranderd. Aan het begin van de zomer was hôtel des Bains een oase van kalmte en discretie. Daarom had hij het gekozen.

De toonloze stem van Anaïs verbrak de stilte.

Gisteren werd er weer een lijk gevonden, ditmaal in de rue Volta. Het is al de zesde dode in drie dagen tijd in Parijs. Net als bij de vorige gevallen gaat het om een jonge vrouw en zijn er geen bijzonderheden vrijgegeven over de omstandigheden van haar overlijden. Maar volgens betrouwbare bronnen in onderzoekskringen stonden er op de muren teksten die de goeroe Dionysus verheerlijkten en afbeeldingen van een draaiende ster, het symbool van haar sekte. Deze nieuwe rituele moord moet worden bijgeschreven op een alsmaar langer wordende lijst. Ondanks het feit dat alle middelen zouden zijn ingezet, lijken de autoriteiten niet in staat deze golf van occulte waanzin te stoppen.

Op het terras waren alle gesprekken stilgevallen. Antoine omklemde nerveus zijn glas. Het paar aan het belendende tafeltje zat hen aan te staren. De man boog zich naar Antoine en stak zijn hand uit naar de krant.

'Mag ik?'

Anaïs kneep toestemmend haar ogen dicht. Het paar verslond het bericht.

'Choqueert u dat?' vroeg de vrouw.

Marcas keek haar aan. Ze was tussen de dertig en vijfendertig. Ze droeg met zwier een designerjasje en een gebleekte jeans. Er zat zand aan haar hooggehakte schoenen.

'U niet?' verbaasde Anaïs zich.

'Nee. Die Isabelle Londrieu was beeldschoon en haar leven was zo boeiend. Weet u dat in de grote steden onbekenden haar profiel overal aanbrengen? Met vrienden van ons die een galerie hebben, denken we aan een grote expositie…'

'En de doden dan? Vindt u dat ook kunst?' onderbrak Antoine haar.

'Ze hebben tenminste gekozen voor een mooi einde. Dat is toch beter dan in een ziekenhuis te sterven of aan een eventuele hittegolf. Zoals veel oudjes. En dan…'

'En dan…'

'En dan het genot,' besloot de vrouw haar partner aankijkend.

Die had net de krant neergelegd en zijn gouden brilletje afgezet. Hij grijnsde van oor tot oor.

Marcas fluisterde Anaïs in het oor: 'Als jij klaar bent met die twee exemplaren, kunnen we 'm misschien smeren?'

'Ik wilde het net voorstellen, schat.'

Zonder nog een woord te zeggen tegen het verblufte stel stonden ze op en liepen met gezwinde tred naar hun kamer.

Marcas opende de deur en deed hem zachtjes achter zich dicht. Hij voelde de hand van Anaïs op zijn schouder. Hij pakte haar bij haar middel en streek met zijn lippen langs haar wang. Anaïs deed alsof ze achteruitdeinsde.

'Foei, commissaris, brengt het u op ideeën dat die dame het woord genot in de mond nam?'

'Ik ben soms erg beïnvloedbaar,' zei hij en pakte haar nog steviger vast. 'Genot…'

Anaïs fluisterde in zijn oor.

'Genot… ze weet niet waarover ze praat.'

Antoine kuste haar in de hals.

'Precies, dat is een vraag die ik je al lang wilde stellen. Hoe… Nou ja… de leer van Dionysus was niet alleen theorie. Als zo veel mensen haar hebben gevolgd, wil dat zeggen dat…'

'Dat zij ook genot onderwees, bedoel je? Eindelijk stel je me die vraag.'

Marcas durfde niets meer te zeggen en hield Anaïs in zijn armen, in de ban van de warmte van haar stem.

'Wil je dat ik het voordoe? Bijvoorbeeld wat wij noemden de… Bacchantenstreling.'

'Bacchanten… dat klinkt gewichtig.'

'Het begint met een licht gekietel. Ik zal het je laten voelen.'

Hun lichamen verstrengelden zich. Hun zomerkleren vormden lichte vlekken op het tapijt. In een oogwenk waren ze één.

Het was alles wat hij nog wilde. Dionysus, de sektewaanzin, de nieuwe volgelingen, het kon hem allemaal niets meer schelen. Als deze omarming maar eindeloos zou duren.

De wijsvinger van Anaïs kroop traag omhoog aan de achterkant van Marcas' dij. Hij hield even stil aan de overgang naar zijn billen die strak stonden van de opwinding en gleed een paar centimeter naar de binnenkant van de dij. Ze beroerde dat onontgonnen gebied heel licht.

Als een onstuitbare bron welde de opwinding in hem op. Ze herhaalde dezelfde streling, waarbij ze de huid van haar partner ternauwernood aanraakte. Er voer een siddering door hem heen die eindigde in een kramp.

'Stop… ik hou het niet meer.'

'Ik kan je laten klaarkomen door alleen maar je Bacchantenzone te strelen,' hijgde ze. 'Nu ken je… het geheim. De acupunctuur van het genot. En dit is niet het enige plekje…'

Ze streek opnieuw langs de gevoelige plek. Marcas verloor zich in haar.

Het verlaten strand versmolt langzaam met de invallende duisternis.

Anaïs bleef zwijgen tot ze bij de rochers de la Vierge kwamen. De vloed kwam op en vernielde de zandkastelen die de kinderen 's middags zo vlijtig hadden gebouwd. Antoine keek hoe de torens het begaven onder de gestage aanvallen van de golven.

'Er is niets aan te doen. De mensen zijn onverbeterlijk. Het verbodene zal hen altijd blijven aantrekken.'

'Zelfs tot de dood erop volgt?'

Marcas zei niets. Ze waren op de overhangende rots tegenover de pier geklommen. Een lange slang van houten balken baande zich een weg tussen rotsen waar het opkomende tij op beukte.

'Pas op, dat hout is glibberig door het stuifwater.'

Anaïs liep onzeker als een slaapwandelaarster. Antoine pakte haar hand vast.

In de grot van de Vierge gingen ze zitten.

'Wees maar niet bang, ik pas wel op je.'

'Gelukkig ben jij bij me.'

Anaïs nestelde zich in de armen van haar minnaar. Buiten rukten de golven op.

Een langshollend kind liet hen schrikken. Het was donker geworden.

'We gaan,' besliste Marcas.

'Ja, er staat een bed op ons te wachten.'

Het kind was alweer weg. Ze hoorden zijn geroep nog weerkaatsen tegen het rotsgewelf, boven het gebonk van de golven tegen de waterkering uit.

'Zou je niet graag…' begon Anaïs.

Er klonken voetstappen. De blonde vrouw van het terras, in een shawl gewikkeld, kwam in hun richting gelopen. Helemaal de toeriste die een avondwandelingetje maakt.

'O nee! Niet die trut. Doorlopen!'

Anaïs ging sneller lopen. Toen ze het pad van de blonde vrouw kruisten zond die hun een joviale glimlach.

Marcas keek de andere kant uit.

'U moet de groeten hebben…'

Een enorme golf brak met donderend geraas op de rotsen.

'… van Dionysus.'

Ik ben altijd de prooi geweest van een demon die mij zal overleven en in iemand anders zal terugkeren

Aleister Crowley

De Memoires van Casanova
of
De omzwervingen van een manuscript

Casanova begon vermoedelijk aan het begin van de zomer van 1789 zijn memoires te schrijven. Hij was toen vijfenzestig jaar oud en leefde teruggetrokken op het kasteel van Dux in Bohemen, waar hij de post bekleedde van bibliothecaris van de familie Waldstein. Midden in een wiskundig onderzoek – hij was gegrepen door de kwestie van de vermenigvuldiging van de kubus – werd hij ernstig ziek. Zijn arts verbood hem alle 'zwaarwichtige studies die de hersens vermoeien' en stelde hem voor 'zijn mooie tijden in Venetië en in andere delen van de wereld eens te beschrijven...'

Dit advies werd kennelijk opgevolgd, want gedurende vier jaar wijdde Casanova zich bijna uitsluitend aan het schrijven van zijn *Mémoires*, soms wel 'dertien uur per dag'. In 1793, toen hij de vijftig eerste jaren van zijn leven had beschreven, onderbrak hij zijn autobiografische werk, terneergeslagen door de dood van intieme vrienden en aangeslagen door de uitwassen van de Franse Revolutie. Hij zou het werk pas weer hervatten in 1794, na de kennismaking met een beroemde aristocraat, de prins de Ligne, die de *Mémoires* wilde lezen en misschien zelfs zou publiceren. Om deze belangrijke lezer waardig te zijn, begon Casanova zijn teksten grondig te herzien en in het net over te schrijven. Een gigantisch werk dat hem in beslag zou nemen tot aan zijn dood in juni 1798. Op die datum telde het herziene manuscript 3700 pagina's en de *Mémoires* gingen tot 1754, hoewel Casanova tot 1797 had willen doorgaan. Meer dan veertig jaar van het leven van de grote verleider werden dus niet geboekstaafd... Tenzij de betreffende manuscripten verloren zijn gegaan!

Na Casanova's dood erfde zijn aangetrouwde neef de *Mémoires* en diens kinderen verkochten het manuscript in 1820 aan de Duitse uitgever Brockhaus.

Deze uitgever zou vanaf 1824 een eerste versie van de *Mémoires* publiceren. Uit angst dat het publiek misschien wel gechoqueerd zou zijn, werden er in de vertaling uit het Frans, de taal waarin Casanova schreef, veel aanpassingen aangebracht en hele passages geschrapt.

Hoewel gecorrigeerd en gekuist was deze eerste Duitse editie een geweldig succes. Vandaar de ontelbare namaakversies en piratenedities, vooral in Frankrijk, wat Brockhaus deed besluiten het manuscript ook in de oorspronkelijke Franse versie uit te brengen.

De redactie daarvan werd toevertrouwd aan professor Jean Laforgue, die vijf jaar uittrok om de originele tekst van Casanova te herschrijven en aan te passen aan zijn persoonlijke en vooral politieke overtuigingen: al te lovende opmerkingen over het *Ancien Régime* werden bijvoorbeeld stelselmatig geschrapt.

De uitgave van deze nieuwe editie begon in 1826, werd in 1832 stopgezet wegens problemen met de koninklijke censuur en werd hervat in 1838.

Tijdens die onderbreking maakte een andere Franse uitgever, Paulin, een pirateneditie, eerst door de uitgave van Laforgue te kopiëren en vervolgens door daar een onuitgegeven vervolg van uit te brengen.

Dat vervolg stelt de kwestie van het eventuele bestaan van een onbekend Casanovamanuscript aan de orde. In deze editie van 1837 staan bepaalde passages en tot dan toe onbekende varianten waarvan de gedetailleerde informatie en andere merkwaardige bijzonderheden intussen door onderzoekers konden worden bevestigd.

Dit raadsel maakt dat de Casanovaspecialisten nog altijd heen en weer worden geslingerd tussen de optie van een erg goed gemaakte vervalsing en de hoop op een nog te ontdekken manuscript van de grote Venetiaan.

DE MAGIËR ALEISTER CROWLEY

'Aleister Crowley was de meest weerzinwekkende
en meest perverse persoonlijkheid van het hele
Verenigd Koninkrijk.'

Verklaring van de Britse minister van Justitie
naar aanleiding van de dood van de magiër in 1947.

Duivels, verdorven, visionair, sadistische gek, moordenaar, mislukte goeroe, avonturier; er is geen gebrek aan omschrijvingen van deze sinistere figuur.

Voor sommige liefhebbers van zwarte magie is hij de grote meester geweest die de westerse magische traditie heeft gered door de theoretische en praktische grondslagen ervan te herstellen. Zijn nauw met seksualiteit verweven magie maakte hem een icoon van de moderne hekserijbeweging.

Er bestaan ontelbare inwijdingsgenootschappen die Crowley heeft bezocht of opgericht en die allemaal het onderricht volgen van de man die zichzelf betitelde als *The Beast 666*.

Heel wat rock- en popsterren beleden hun voorliefde voor de Engelse magiër; David Bowie, de leden van Iron Maiden, Mick Jagger en Marlyn Manson. Robert Plant, leider van Led Zeppelin, kocht het voormalige landgoed van Crowley, Boleskin in Schotland, en heeft nooit zijn bewondering voor diens leer onder stoelen of banken gestoken. Op de beroemde hoes van het Beatle-album *Scrgcant Pepper's Lonely Ilearts Club Band*, staat Crowleys foto in een collage van portretten van door de groep 'geliefde' beroemdheden (opgepast, het was eerder een knipoog dan echte bewondering).

Crowley was een bijzonder mens met een merkwaardige levensloop.

Crowley, wiens voornaam eigenlijk Edward Alexander luidde, werd geboren in 1875 in een strenggelovig protestants gezin. Hij kreeg een zwaar moralistische opvoeding die hij later omschreef als een 'kindertijd in de hel'. De familie beleed een geloof dat was gebaseerd op een letterlijke interpretatie van de Bijbel en zijn voorschriften. De vader van Aleister hoorde echter tot de gegoede burgerij en gaf zijn zoon een strenge, maar toch cosmopolitische opvoeding.

In 1895 ging Crowley naar het vermaarde Trinity College in Cambridge. Hij publiceerde er zijn eerste gedichten, deed er een homoseksuele ervaring op die bepalend voor hem zou zijn en raakte er diep onder de indruk van zijn eerste mystieke extase.

Hij studeerde filosofie en op zijn zoektocht naar een vooruitstrevende spiritualiteit liet hij zich inwijden in de vrijmetselarij. In 1896 werd hij lid van de Keltische kerk, een bizar gezelschap dat beweerde de erfgenamen te zijn van Jozef van Arimatea, de vertrouweling van Christus die de heilige Graal naar Engeland gebracht zou hebben. Maar in 1898 had Crowley een ontmoeting die beslissend werd voor zijn verdere leven. Hij leerde toen Julian Baker kennen, een man die gegrepen was door de alchemie en die hem introduceerde in het beroemdste Engelse geheime genootschap van de twintigste eeuw: de Golden Dawn. Deze esoterische beweging was in 1885 gesticht door vrijmetselaars van hogere graden en een bonte verzameling van occult geïnteresseerden. Golden Dawn had heel wat bekende mensen in de gelederen, onder meer Bram Stoker, de schrijver van *Dracula*, William Butler Yeats, winnaar van de Nobelprijs voor literatuur, Robert Louis Stevenson, schrijver van *Schateiland*. Ze wilden oude esoterische tradities zoals de kabbala en de rozenkruisers weer in ere herstellen en voerden regelmatig rituelen uit. Crowley, die een bliksemcarrière maakte in de orde, werd vooral door de rituelen aangetrokken. Zijn snelle opgang veroorzaakte trouwens zo'n hevige verdeeldheid in de leiding van Golden Dawn, dat Crowley Europa verliet, naar Mexico reisde waar hij vrijmetselaarsloges bezocht en verheven werd in de 33e graad van de Schotse Ritus. Maar op geen enkel moment in zijn leven gedroeg hij zich als een echte vrijmetselaar. Zijn opvattingen stonden haaks op de maçonnieke ideeën.

In 1902 verbleef hij een tijdje in India waar hij zijn tijd verdeelde tussen het beoefenen van yoga en de beklimming van de Mount Everest. Maar het was in 1903 in Egypte dat hij werd bezocht door een entiteit die hem definitief de weg wees en die hem drie nachten lang *The Book of the Law* dicteerde. Na vier jaar lang magische praktijk en studie in esoterische geschriften stichtte hij zijn eigen magische orde, de *Astrum Argentinum*, waarvan de rituelen een mengeling waren van de rites van de Golden Dawn en wat hem op die nachten in Egypte was geopenbaard.

In 1912 werd hij ingewijd in de meest beangstigende van alle esoterische ordes, de *Ordo Templi Orientis*, waar seksueel-magische rituelen worden beoefend. Wat hij daar zag veranderde voorgoed zijn denkbeelden over het esoterisme. In de eerste jaren van de Eerste Wereldoorlog schaarde Crowley zich aan de zijde van de Ierse onafhankelijkheidsbeweging door te gaan schrijven in kranten die de Ierse zaak voorstonden, maar die onderhands werden gefinancierd door Duitsland! Door die betrokkenheid laadde hij de verdenking op zich een spion te zijn en kon hij tot 1920 niet terugkeren naar Engeland. Crowleys bedenkelijke reputatie van gescheiden biseksuele oppermagiër maakte hem toen al tot iemand die beter gemeden kon worden.

Voor ons boek bedachten we een scène waarin de minister waanzinnig wordt na de dood van zijn maîtresse tijdens magisch-seksuele handelingen. In hun boek *Le Marché du diable* (Fayard) beschrijven Roger Faligot en Remi Kaufer een dergelijk voorval waar Crowley zelf bij betrokken was. Hij werd in diepe depressie aangetroffen in een hotelkamer op de Parijse linkeroever, naast het levenloze lichaam van zijn minnaar. De twee mannen hadden een ritueel uitgevoerd ter invocatie van een heidense godheid in de gedaante van een bok. De magiër werd eerst afgevoerd naar een gesticht en vervolgens door de Sûreté Frankrijk uitgezet.

In 1920 vestigde hij zich op Sicilië, dicht bij Cefalù, waar hij met enkele volgelingen de Abdij van Thelema stichtte, een commune waarin Crowley en de zijnen de meest duistere wegen van het esoterisme bewandelden, onder het van Rabelais gestolen devies '*Fay ce que tu voudras*': 'Doe wat ge wilt'. Hij heerste er als een oppermachtige goeroe. Hij misbruikte zijn volgelingen seksueel, hing vrouwen die zich niet aan zijn wetten hielden dagenlang aan kruisen, gaf zijn gasten een scheermes waarmee ze hun polsen konden doorsnijden ingeval ze over zichzelf spraken in de eerste persoon... De dood van een van zijn discipelen, die hij geofferd zou hebben tijdens een magische ceremonie, was voor Mussolini reden om hem uit te wijzen.

Aan drugs verslaafd en berooid zwierf Crowley door Europa waar hij vooral als een provocateur werd beschouwd. Hoewel hij werd gesteund door een groepje discipelen en bewonderaars onder wie de Portugese schrijver Pessoa, werd Crowley steeds armlastiger. Hij stierf ten slotte in Engeland, in 1947.

Voor sommigen was hij een grote ingewijde, voor anderen een vreselijke psychopaat. Hoe het ook zij, de man die ooit schreef: 'Voordat Hitler op het toneel verscheen, was ik er al', is ook nu nog een raadsel. Het is niet toevallig dat de *Satanic Bible* van Anton la Vey, waarvan de Franse vertaling verscheen net toen dit boek werd geschreven, geïnspireerd is op Crowleys geschriften. De aantrekkingskracht van dit soort deviante geloven, vooral op beïnvloedbare mensen, is onrustbarend.

De tarotkaart de Ster bestaat wel degelijk, net als het complete spel dat *The Book of Thot* heet. Daarentegen heeft Crowley nooit een Casanovamanuscript vervalst.

Seksuele magie

Er bestaat een uitgebreide literatuur over tantrische praktijken waarbij magie en seks met elkaar worden vermengd. Het meest verbazingwekkende boek dat de op zijn zachtst gezegd zeer pikante opvattingen weergeeft van adepten van deze praktijk, is het in de negentiende eeuw geschreven *Magia Sexualis* van P.B. Randolph. Deze auteur, die een adviseur was van president Abraham Lincoln, stichtte ook een genootschap dat seksuele magie beoefende, de *Hermetic Brotherhood of Luxor*.

Venetië en Hugo Pratt

De stoel van San Pietro de Castello, broeder Teone, de ponte della Nostalgia, kapitein Pratt... De Venetiaanse episode in ons boek is een knipoog naar een avontuur uit de schitterende en 'maçonnieke' stripserie Corto Maltese: *Fabel van Venetië* (Casterman). De auteur, Hugo Pratt, was vrijmetselaar.

Maçonnieke woordenschat

Aanrakingen:	tekens van wederzijdse herkenning, wisselen per graad.
Alziend oog	een stralend oog in een gelijkzijdige driehoek,
(of lichtende Delta):	die boven het Oosten hangt.
Azuren gewelf:	Symbolisch logeplafond, het hemelgewelf uitbeeldend.
Bouwstuk:	voordracht in een logebijeenkomst.
Broederketen:	rituele handeling aan het einde van een logebijeenkomst, waarbij de broeders elkaar de hand geven en een kring vormen.
Broedermaal (agape):	de gemeenschappelijke maaltijd aan het einde van een logebijeenkomst.
Ceremoniemeester:	de officier die in de loge de rituele handelingen begeleidt.
Cordon:	ordelint dat tijdens bijeenkomsten gedragen wordt door de bestuursleden.
Debbhir:	Hebreeuwse naam voor het Heilige der Heiligen in de tempel van Salomo. In de door de auteurs beschreven loges het Oosten van de maçonnieke tempel.
Dekker:	de officier die tijdens een logebijeenkomst de deur bewaakt.
Droit humain:	internationale federatie van gemengde (m/v) vrijmetselarij. In Nederland zijn er 22 gemengde loges.

Graden:	door inwijding verkregen. Aan de graden is een titel of waardigheid verbonden: 1e graad = Leerling; 2e graad = Gezel; 3e graad = Meester.
Grande Loge de France:	spiritualistisch georiënteerde obediëntie met ca. 27.000 leden.
Grande Loge féminine de France:	obediëntie van vrouwelijke vrijmetselaars met ca. 11.000 leden.
Grande Loge nationale française:	de enige Franse erkende obediëntie. Heeft ca. 33.000 leden.
Grand Orient de France:	de eerste obediëntie die in Frankrijk werd opgericht. Is strikt adogmatisch en heeft ca. 46.000 leden.
Grootmeester:	de hoogste gezagsdrager van een obediëntie.
Handschoen:	altijd wit en verplicht tijdens de logebijeenkomst.
Hoge Graden:	na de meestergraad bestaan er nog veel voortgezette werkwijzen, waarin het maçonnieke gegeven wordt uitgebreid en verdiept. De Schotse Ritus, bijvoorbeeld, kent 33 graden.
Hèkkàl:	Hebreeuwse naam voor het Heilige in de tempel van Salomo. In de door de auteurs beschreven loges de middenruimte van de maçonnieke tempel.
Hiram:	de legendarische architect die de Tempel van Salomo bouwde. Hij werd vermoord door drie boze gezellen die zijn geheim wilden stelen om zelf meester te worden. Is de mythische voorvader van alle vrijmetselaars.
Mozaïekvloer:	zwart-wit geblokte rechthoek in het midden van de tempel.
Kolommen:	zuilen aan de ingang van een tempel die Jakin en Boaz heten. Ook bankenrijen in het Noorden en het Zuiden, waar de broeders tijdens een bijeenkomst plaatsnemen heten kolommen.
Loge:	plaats waar vrijmetselaars hun arbeid verrichten.

Obediënties:	federaties van loges. In het boek worden de belangrijktse Franse obediënties genoemd: de GODF, de GLF, de GLNF, de GLFF en de Droit humain.
Officieren:	worden gekozen om de activiteiten in de werkplaats te leiden.
Oosten:	het Oosten in een loge is de symbolische plaats waar de Voorzitter en de bestuursleden zitten.
Opzieners:	de Eerste en de Tweede. Maçonnieke gezagsdragers in de loge.
Ordeteken:	symbolisch gebaar dat dient als herkenningsteken. Iedere graad heeft een eigen teken.
Oulam:	de Hebreeuwse naam voor 'Voorhof'.
Passer:	is met de winkelhaak het belangrijktse maçonnieke symbool.
Profaan:	een niet-vrijmetselaar.
Tableau:	tapijt met maçonnieke voorstellingen, dat tijdens rituele bijeenkomsten in het midden van de tempel op de grond ligt.
Tempel:	zo wordt de loge tijdens een bijeenkomst genoemd. Is een aanduiding van de ruimt waarin rituele ceremonies worden gehouden en arbeid wordt verricht.
Redenaar:	functionaris die de arbeid toetst aan maçonnieke normen en tradities.
Schootsvel:	voor elke graad verschillend symbolisch kledingstuk, dat tijdens bijeenkomsten wordt gedragen.
Vochtige kamer:	lokaal buiten de tempel, waar na zittingen de broedermaaltijd wordt gehouden. De term wordt in Nederland niet gebruikt; daar vindt het broedermaal plaats in het Voorhof.
Voorbereider:	functionaris die de kandidaten ontvangt en voorbereidt bij het inwijdingsritueel en de verheffing in graden.
Voorhof:	ruimte voor de tempel, meestal grenzend aan de tempelruimte.

Voorzittend Meester:	het hoogste ambt in de loge. De meester-vrij-metselaar die door zijn broeders is verkozen om de werkplaats te leiden. Hij zit op het Oosten.
Westen:	het Westen in de loge is de symbolische plaats waar de Eerste- en de Tweede Opzieners zitten en de Dekker staat.
Winkelhaak:	zie passer.

Dankwoord

Aan P. Sablon voor zijn geweldige kennis van het vrijmetselaarstraject van Casanova en aan allen die ons hebben geholpen en zich hierin herkennen.

Aan het hele team van uitgeverij Fleuve Noir: Béatrice Duvall, Anne-France Hubau, Marie-France Dayot en Estelle Revelant.